KB210058

절대 막히지 않는 웹소설 작법

절대 막히지 않는 웹소설 작법

천지혜 지음

데뷔부터
성공적인 연재까지
한 권으로 끝내는
웹소설 창작 가이드

MANUAL

오늘
CONTENTS LAB OneNeul

창작자를 위한
스토리 설계의 모든 것

처음 웹소설 작가에 도전하시는 분들은 이런 질문을 많이 하세요.

"웹소설은 그냥 마음 가는 대로 쓰면 되는 거 아닌가요?"

"그때그때 감각으로 쓸 수 있지 않나요?"

"오늘 하루 생각나는 대로 쓰면 안 되나요?"

그런데 웹소설 쓰기에 한번이라도 도전해보신 분들은 아실 거예요. 절대 막히지 않는 글쓰기란 거의 불가능에 가깝다는 것을요. 사실 이런 질문은 많은 창작자들이 공통적으로 토로하는 고민과도 연결됩니다.

"스토리를 짜면 짤수록 헷갈리고 복잡해요."

"그때그때 생각나는 대로 쓰다 보니 전체적인 방향이 잘 안 잡혀요."

"앞부분은 어떻게 어떻게 썼는데 뒷부분은 어떻게 끌고 나가야 할지 모르겠어요."

이 모든 고민들은 결국 이야기의 구조, 즉 플롯에서 막힌다는 뜻입니다.

웹소설을 연재할 때는 오늘 하루 5,000자를 써서 마감을 해야 하는데 다음 스토리가 생각이 안 나면 정말 너무너무 막막해집니다. 내 스토리를 어떻게 풀어가야 할지 누구한테 물어볼 수도 없어요. 화면은 하얗고 쓸 말은 없을 때, 이때의 괴로움은 정말 이루 말할 수가 없습니다. 웹소설 작가가 된다는 건 그런 마감이 매일 있다는 거예요. 눈앞에 닥치면 스토리가 생각날 것 같지만 그렇지 않습니다. 어찌어찌 임기응변으로 오늘 하루 스토리를 메꾼다 해도 만족스러운 원고가 되기는 힘들 거예요. 이야기 전개가 마땅치 않으니까요. 그럼 독자들이 바로 알아차리고 댓글을 답니다. '오늘은 뭐 이야기 진행이 없네요.'

웹소설은 플롯 소비 속도가 엄청 빠릅니다. 독자들은 빠르게 전개되는 '사이다 스토리'를 보기 위해서 웹소설을 소비합니다. 매번 감각으로 때우면 좋겠지만, 어느 순간부터는 불가능해집니다. 다음 이야기가 생각나지 않으면 기존 이야기를 늘리는 이른바 '고구마'를 쓰게 됩니다. 전개가 답답해지는 거죠. 이렇게 되면 독자들은 가차 없이 등을 돌리고 맙니다.

웹소설은 편당 체류 시간이 약 2분밖에 되지 않아요. 작가는 그 웹소설 한 편을 쓰기 위해서 온 힘을 다했지만, 읽는 사람들은 2분 동안 소설을 쭉 읽고는 다음 화를 볼지 말지 결정해요. 마치 웹툰을 보듯이 스크롤을 내리면서 한 번에 읽는데요. 그 안에 재미 포인트와 캐릭터의 매력, 기승전결과 탄탄한 서사 전개가 있어야 다음 화 결제까지 이어집니다. 아슬아슬한 데에서 끊어주는 절단의 묘! 강렬한 엔딩 포인트는 당연히 필수입니다. 길게 이어지는 장편 연재에서 어떻게 하면 매번 이런 재미를 줄 수 있을까요.

저도 신인 시절에는 기획을 세밀하게 하지 않고 글을 썼습니다. 그러다 보니까 자꾸 막히곤 했어요. 이야기 전체를 장악하지 못했죠. 지금껏 이야기의 텐션을 잘 이끌어왔는데 하루 삐끗하면 열심히 쌓아온 긴장감이 다 무너지는 경험을 했고요.

저는 그때부터 필승의 웹소설 설계법을 연구하기 시작했습니다. 어떻게 하면 막히지 않는 글을 쓸 수 있을까? 어떻게 하면 더 탄탄한 전개를 갖춘 글을 쓸 수 있을까? 계속 고민했어요. 그리고 마침내 그 해답을 찾았습니다. 그 비법은 바로 기획과 설계에 있었습니다. 스토리 설계가 굉장히 탄탄해져야 하는 것이지요.

기획 방법만 제대로 알고 있으면 100화, 200화, 많게는 1,000화까지 이어지는 장편 연재에서도 흔들리지 않고 일관성 있게 스토리를 이어나갈 수 있어요. 글에 관련된 모든 것에 기획이 필요합니다.

지금은 촘촘하게 설계된 웹소설 기획안, 구조도 없이는 본편 단 한 글자도 쓰지 않습니다. 이것 없이는 피 흘리는 전쟁터에 총알도 방패도 없이 나가는 느낌이거든요.

이 책에서는 지금까지 이렇게 터득한 웹소설 기획과 쓰기에 관한 모든 것을 담고자 했습니다. 웹소설 작가로 성장하고 싶은 분들이 꼭 알아두어야 할 기획 포인트 잡는 방법부터 실질적인 웹소설 쓰기의 각 단계별 노하우, 작가로 오랫동안 글을 쓰기 위해 필수적인 멘탈 관리법까지 모든 것을 소개합니다.

1장에서는 웹소설 시장의 트렌드를 분석하고, 장르적 특성을 이해하기 위한 방법론을 제시합니다. 웹소설 작가로 데뷔하는 방법들과 유의할 점들도 모두 알려드릴게요.

2장에서는 기획 단계에 필요한 모든 것들을 알려드릴게요. 어떻게 하면 시장에 먹힐 수 있는 아이템을 기획할 수 있는지부터 아이디어 발상법, 매혹적인 로그라인 쓰기, 사람들을 몰입하게 하는 요소인 후킹 포인트 만드는 방법, 누구나 반할 만한 매력적인 캐릭터를 탄생시키는 방법 등을 자세하게 소개합니다.

3장에서는 장편 연재에서도 흔들리지 않을 수 있도록 탄탄한 구성을 할 수 있는 플롯 설계법을 한땀한땀 알려드릴 거예요. 웹소설에서 먹히는 플롯은 분명히 존재하거든요. 실제로 제가 어떤 방식으로 자료를 모으고, 회차를 구성하고, 엔딩 포인트를 잡는지를 남김없이 모두 공개해드릴게요.

4장에서는 막힘없이 웹소설을 쓰기 위한 스킬들을 알려드릴 겁니다. 길이길이 기억에 남을 명대사와 명장면은 어떻게 만들 수 있는지, 웹소설만의 문장은 무엇이 다르고 어떻게 써야 하는지, 초고부터 퇴고까지 원고를 쓰는 전 과정을 다 알려드릴게요.

마지막으로 5장에서는 연재를 하면서 체득해야 하는 것들, 기성작가로 몇 년간 활동하면서 깨닫게 된 것들, 건강 관리하는 법, 루틴 짜는 법 등 멘탈 강화를 위한 모든 것을 알려드릴게요. 저도 이런걸 몰라서 허비한 세월이 몇 년 있었어요. 건강을 잃고 괴로워한 세월도 엄청나요. 여러분들은 그런 시행착오를 겪지 않으셨으면 하는 바람으로요.

이 책은 웹소설 작가를 꿈꾸고 첫걸음을 시작하는 분들에게 필요한 모든 것을 담았습니다.

웹소설 작가는 요리사예요. 음식에 맛이 없으면, 혹은 간이 안 맞으면 뭐든 넣어야 합니다. 최상급 재료를 넣든, msg를 넣든, 소스를 넣든 해야 하는데요. 그 양념을 종류별로 알려드릴게요.

이 책에서 알려드릴 스토리 설계법은 웹툰, 드라마, 영화, 장편 소설 등 모든 창작에 적용될 수 있어요. 그렇기 때문에 스토리 창작자를 꿈꾸시는 분들이라면 모두 이 책을 참고하실 수 있습니다. 실제로 예시로 든 것 역시 드라마, 영화, 웹소설 등 다양한 형식의 콘텐츠를 망라했어요. 아무래도 이미 알고 있는 내용으로 강의를 함께 하시면 이해하시기 쉬우실 테니까요. 이 책을 읽으시는 분들이 정말 체계적으로 작품을 기획해나갈 수 있도록, 내 스토리를 완전히 장악하면서 끌고 나갈 수 있도록 아낌없이 모든 것을 알려드리겠습니다.

천지혜

차례

잘 팔리는 웹소설, 기획에 승부를 걸어라

이야기를 흥미진진하게 만드는 플롯 설계법

4장 절대 막히지 않는 웹소설 쓰기 실전 테크닉

5장

웹소설 작가로 살아남기 위한 멘탈 관리법

1장

웹소설 작가를 위한 웹소설 시장 제대로 알기

【 1강 】

웹소설,
얼마나 알고 있나요?

웹소설 작가가 되고 싶다면 웹소설이 대체 무엇인지, 웹소설은 어떻게 시작되었는지, 웹소설 시장은 어떻게 성장하게 되었는지부터 알고 있으면 좋습니다.

웹소설의 특징

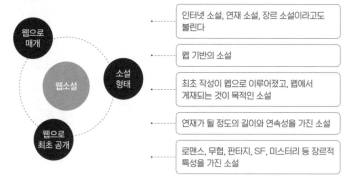

웹소설은 인터넷 소설, 연재 소설, 장르 소설이라고도 불리는데 미묘하게 어감이 다르고 그 뜻이 다르게 쓰일 때도 있습니다. 하지만 여기에서는 일단은 웹소설이라고 통칭하겠습니다. 웹 기반의 소설이라고 하면, PC를 생각하기 쉬운데 사실은 그렇지 않습니다. 웹소설의 95퍼센트 이상이 모바일 기기로 소비됩니다. 이 말은 웹소설이란 '모바일로 읽혀지기 위한 콘텐츠'라는 뜻입니다.

또한 최초 작성이 웹으로 이루어졌고, 웹에서 게재되는 것이 목적인 소설이기도 합니다. 이게 왜 중요할까요? 종이책은 종이책으로 보기 편한 판형이 있어요. 웹소설은 종이책이 아닌 모바일 기기로 보기 편한 판형을 택합니다. 놀랍게도 이 판형에 따라서 콘텐츠가 달라집니다.

모바일로 읽기 위한 소설은 서술 방식부터 전개 방식, 연재 방식까지 기존 소설과는 궤가 다릅니다.

웹소설은 연재가 될 정도의 길이와 연속성을 가진 소설입니다. 웹소설에는 단편이 많지 않아요. 다음 화 결제를 통해서 수익을 창출해야 하는데 이야기가 너무 빨리 끝나버리면 안 되기 때문입니다.

또한 웹소설은 로맨스, 무협, 판타지, SF, 미스터리 등 장르적 특성을 가진 소설입니다. 웹소설에 어떤 장르가 있는지는 뒤에서 자세하게 설명하겠습니다.

플랫폼마다 원하는 장르가 다르다

• • •

그렇다면 웹소설은 언제 공식적으로 어떻게 시작되었을까요? 2013년 1월, 대형 플랫폼인 네이버가 웹소설 서비스를 시작하면서부터입니다. 네이버는 웹소설 서비스를 론칭하면서 광고를 굉장히 많이 했는데요. 이전에도 인터넷 소설, 장르 소설은 있었지만 이후 모든 이름이 '웹소설'로 통일되었습니다. 네이버는 당시 웹툰 서비스에서 성공을 거두고 있었고, 이 같은 성공세를 웹소설로 확장하기 위해서 웹툰과 비슷한 서비스명을 붙인 것입니다. 네이버가 직접 뛰어들어 장르 소설 시장을 키운 것을 시작으로, 이후 카카오페이지가 오픈하면서 웹소설 시장은 점차 넓어졌습니다.

현재 웹소설의 주요 플랫폼은 네이버 시리즈, 카카오페이지, 문피아, 조아라 등이 있습니다. 이들 플랫폼은 각각 성격이 매우 다르고, 강세인 장르도 각기 다릅니다.

네이버웹소설은 현대물 로맨스에 강한 편입니다. 초반에 가장 큰 매출을 냈던 게 현대물 로맨스였어요. 카카오페이지는 로판, 판타지 분야에서 강세를 띠고 있고, 네이버 시리즈는 현대물 로맨스, 문피아는 남성향 소설인 무협 소설, 현대 판타지물, 조아라는 여성향 소설, 로맨스 소설이 중심입니다.

아직 이 플랫폼들에 대해서 잘 모른다면 취향에 맞는 애플리케이

선을 설치하여 사용해보기 바랍니다. 아직은 낯선 웹소설 시장이지만 마음에 드는 작품을 살펴보면서 찬찬히 분위기를 파악해보세요. 글을 쓰는 데 있어서 다독^{多讀}보다 좋은 건 없으니까요.

웹소설, 뭐가 특별한가요?

. . .

웹소설은 어떤 특성을 가지고 있을까요? 이걸 이해해야 웹소설을 더 잘 쓸 수 있습니다. 웹소설은 즉각성, 쌍방향 소통, 연속성이 있는 짧지 않은 소설입니다.

즉각성이 있는 콘텐츠

기존 종이책 시장을 생각해볼까요? 책을 구매하려면 인터넷 서점이든 오프라인 서점이든 판매처를 거쳐야 합니다. 그러려면 일단 책을 인쇄해야 하고 서점마다 책을 배포하는 배본이라는 과정을 거쳐야 하고, 또 판매 부수를 높이려면 마케팅을 해야 하죠. 웹소설에서는 이 단계들이 대폭 축소됩니다. 굳이 종이책으로 인쇄하는 과정을 거치지 않기 때문에 책을 만들기 위한 수많은 과정이 생략됩니다.

저는 네이버 시리즈에 웹소설을 연재할 때 출판사 없이 직접 이 펍^{e-pub} 파일(전자책 문서)을 만들어서 작업을 했는데요. 오늘 하루 열심히 글을 써서 오후 5시까지 5,000~6,000자의 원고를 써내면 바로 그날 자정, 독자들은 별도의 배송 과정 없이 제 소설을 읽을 수 있습니다. 이처럼 웹소설은 즉각적인 배포가 가능한 콘텐츠입니다.

쌍방향 소통

종이책으로 소설을 펴내면 독자들의 반응을 아무래도 간접적으로 파악할 수밖에 없습니다. 책을 출간한 뒤 누군가 그 책을 사서 보고, 그중에서도 블로그나 SNS를 가진 분들이 책에 대한 감상평을 써서 올려주었을 때 어렴풋하게 내 작품에 대한 반응을 알 수 있습니다. 그것도 책을 전체적으로 읽고 난 뒤의 총평을 볼 수 있고, 독자들이 매 단락 단락별로 세세하게 피드백을 주지는 않습니다. 소설을 쓰는 중간에 독자들의 피드백을 반영하기는 더더욱 어렵고요.

반면 웹소설은 내가 오늘 쓴 5,000자마다 댓글이 달려요. 독자의 반응을 어느 정도 확인하고, 때때로 좋은 피드백을 이야기에 반영하면서 원고를 쓸 수 있습니다.

연속성이 있는 짧은 이야기

웹소설 하면 빠지지 않는 핵심 개념이 바로 '스낵컬처snack culture'라는 것입니다. 마치 과자를 뜯어 먹는 것처럼 언제 어디서나 가볍게 즐기는 문화를 일컫는 말인데요. 웹소설은 언제 어디서나 스마트폰으로 읽을 수 있기 때문에 콘텐츠를 소비하는 데 있어 시간, 장소에 구애를 받지 않습니다. 학생들은 등하교할 때, 점심시간이나 쉬는 시간에, 직장인들은 출근하면서 버스, 지하철 등에서 간단하게 웹소설의 이야기를 소비합니다.

어떻게 이렇게 짧은 시간에 콘텐츠를 즐기는 것이 가능할까요?

앞서도 말했듯 웹소설의 편당 정독 시간이 채 2분이 되지 않는다고 합니다. 작가는 이 글을 쓰기 위해 짧게는 하루, 길게는 일주일간 썼지만, 독자들은 이걸 2분 안에 쫙 읽는다는 겁니다.

그렇다면 웹소설은 정말 짧은 콘텐츠일까요? 한 편을 읽는 데 2분밖에 걸리지 않는 콘텐츠가 자그마치 몇백 회씩 있습니다. 이걸 다 읽으려면 짬짬이 시간 날 때마다 읽어서 몇 날 며칠을 투자해야 해요. 그렇다면 웹소설은 단순히 짧아서 인기가 많은 걸까요? 아니면 연속성이 있어서 인기가 많은 걸까요?

〈해리포터〉의 예로 한번 살펴볼게요. 첫 번째 책 《해리포터와 마법사의 돌》이 나왔을 때부터 엄청난 흥행이 시작되었습니다. 사람들이 기대감을 가진 부분은 이 책이 매년 시리즈가 나온다는 것이었어요. 해리가 한 학년 한 학년 올라가면서 연속성이 있는 이야기가 계속 이어지는 거죠. 독자들이 다음 시즌을 기다리면서 소설은 메가 히트를 기록한 밀리언셀러가 되었고, 전 세계 독자들 모두 해리포터의 출간을 기다리게 되었죠.

웹소설은 기본적으로 상당히 깁니다. 로맨스는 100화, 로판은 200~300화, 판타지나 무협 장르는 500~1,000화까지 이어집니다. 인기 웹소설의 경우에는 이야기를 금세 끝내지 않죠. 이런데도 정말 웹소설이 스낵컬처일까요? 짧아서 인기가 많은 걸까요? 웹소설의 인기 요인은 이야기가 짧아서가 아니라 연속성이 있는 긴 이야기를 '짧게 잘 끊어주었다'에 포인트가 있습니다. 긴 이야기, 즉 연속성이 있는 스토리는 생각보다 파급력이 큽니다. 긴 이야기 속에서 우리는 그 이야기를 또 하나의 세계라고 인식하게 됩니다. 웹소설이 그려내는 세계는 10화, 20화 정도에서 끝낼 수 없을 만큼 굉장히 길거든요.

웹소설 인기의 배경

• • •

우리나라의 스마트폰 보급률은 굉장히 높습니다. 사람들 대부분이 스마트폰을 갖고 있죠. 한 조사결과에 따르면 웹소설은 84.6퍼센트가 휴대전화로, 10.5퍼센트가 태블릿 PC로 봅니다. 즉 독자의 95.1퍼센트가 모바일 기기로 웹소설을 소비한다는 겁니다.

예전에 있었던 도서 대여점을 생각해보세요. 현금을 들고 가서 책을 빌려오고, 집에서 읽고, 다시 반납하러 가고, 인기작은 책이 반납될 때까지 기다리고, 책을 갖고 있다가 연체가 되면 연체료를 물기도 했습니다.

그러나 지금의 웹소설 시장에서는 스마트폰을 통해서 손쉽게 웹소설을 골라서 보고, 다음 편이 궁금하면 곧바로 결제를 해서 봅니다. 스마트 결제 시스템을 통해서 지불 방식이 굉장히 간편해졌기 때문입니다. 다행히 독자들도 돈을 내고 콘텐츠를 소비하는 데 많이 익숙해졌습니다. 웹소설 한 편을 보는 데 100원이 드는데요. 아메리카노가 보통 4,500원이니 하루에 커피 한 잔 값 정도는 웹소설 보기에 부담 없이 소비할 수 있는 거죠.

물론 웹소설도 단행본이 있습니다. 종이책처럼 1권, 2권, 3권처럼 권 단위로 판매를 하는 것이죠. 내용은 거의 비슷합니다. 그런데 같은 내용일 때 연재형과 단행본 중에 더 매출이 잘 나오는 건 조금 의외이긴 하지만 연재형입니다. 매번 100원씩 써서 봐야 하는데도 그렇습니다. 연재형은 중간에 재미가 없으면 언제든 하차할 수 있기 때문인 것 같습니다. 중간중간에 댓글도 달려 있고, 단행본보다 연재형에서 작가와 함께 호흡하는 느낌이 들어서이기도 하겠지요.

【 2강 】

웹소설이라는
새로운 세계

우리가 생각하는 것보다 웹소설 시장의 규모는 엄청납니다. 그 성장 속도 역시 정말 어마어마한 수준입니다. 더구나 코로나 시대 이후 웹소설 시장은 더 급격히 성장하고 있습니다.

'카카오페이지 일 거래액 20억 돌파'

'웹소설 1일 평균 조회 수 201만 2,200회'

'웹소설 전체 시장 규모 약 5,000억 원 추산'

이런 기사들이 연일 쏟아지기도 했습니다. 코로나 시대에 온라인 수업, 재택근무 등으로 학생, 직장인들도 집에 있는 시간이 늘어나다 보니, 콘텐츠를 소비하는 시간이 늘어났습니다. 늘어난 여가시간에 웹소설을 보는 사람들이 많아진 겁니다.

2013년 100억 원 규모이던 웹소설 시장은 현재 50배 이상 성장해 5,000억 원에 이르렀습니다. 이 금액은 종이책 출판사 25개사의 매출 합산을 뛰어넘는 수치로, 현재 웹소설 시장은 종이책 시장 규모의 약 2.5배 수준인 것으로 추산하고 있습니다.

드라마화 된 윤이수 작가님의 〈구르미 그린 달빛〉은 드라마 방영 당시 한 달에 웹소설 유료 결제 금액이 5억 원을 돌파했고, 네이버 시리즈의 인기작인 〈전지적 독자 시점〉의 경우 한 달 매출이 약 16억 원에 이르기도 했습니다. 로맨스 판타지 장르인 〈재혼 황후〉는 누적 다운로드 7,000만 회, 매출 40억 원을 기록했습니다.

이런 웹소설을 누가 보는지(독자 성향), 어떤 시장구조를 가지고 있는지(생태계), 기존 소설과는 구체적으로 어떤 차이가 있는지(특성)를 미리 알고 있다면 웹소설 쓰기에 더 도움이 될 것입니다.

누가 웹소설을 읽는가

• • •

한국콘텐츠진흥원에서 웹소설 이용해본 경험이 있는 2,008명을 대상으로 이용 패턴에 대한 조사를 실시했습니다. 먼저 웹소설 서비스를 얼마나 자주 이용하는지에 대한 답으로 놀랍게도 매일 이용한다는 사람이 35.2퍼센트였습니다. 웹소설을 보시는 분들은 거의

[도표 1-1] 웹소설 이용자 패턴

• 웹소설 이용 빈도

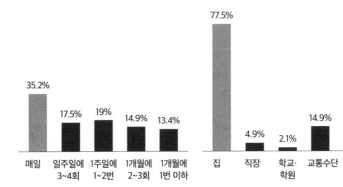

매일	일주일에 3~4회	1주일에 1~2번	1개월에 2~3회	1개월에 1번 이하
35.2%	17.5%	19%	14.9%	13.4%

• 웹소설 감상 장소

집	직장	학교·학원	교통수단	기타
77.5%	4.9%	2.1%	14.9%	0.5%

• 주중 이용 시간대

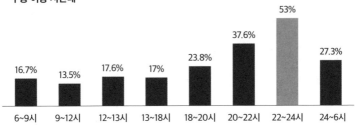

6~9시	9~12시	12~13시	13~18시	18~20시	20~22시	22~24시	24~6시
16.7%	13.5%	17.6%	17%	23.8%	37.6%	53%	27.3%

• 주말 이용 시간대

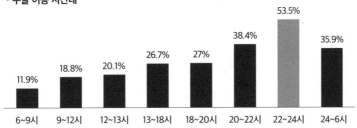

6~9시	9~12시	12~13시	13~18시	18~20시	20~22시	22~24시	24~6시
11.9%	18.8%	20.1%	26.7%	27%	38.4%	53.5%	35.9%

출처 : 한국콘텐츠진흥원(2020), '웹소설 이용자 실태보고서'
주 : 2020년 7월부터 8월까지 전국 만 10~59세의 최근 1년 이내 웹소설 이용 경험자 2,008명을 대상으로 함.

매일 콘텐츠를 소비하고 있다는 뜻입니다.

　웹소설은 스낵컬처이고, 교통수단을 이용하거나 화장실 갈 때 잠깐 짬을 내서 보는 콘텐츠라고 설명해드렸는데요. [도표 1-1]을 보면 아시겠지만, 웹소설을 가장 많이 소비하는 장소는 집입니다. 앞서 말한 대로 코로나 이후 집에 있는 시간이 늘어나면서, 집에서 웹소설을 보는 경우가 가장 많아진 거죠.

　웹소설을 몇 시에 보냐는 질문에는 53퍼센트가 매일 밤 10시에서 12시 사이에 이용한다고 답했습니다. 주중이나 주말이나 수치는 거의 비슷합니다. 네이버 시리즈에는 '매일 밤 열 시 무료'라는 '매열무' 프로모션이 있어요. 가장 접속자가 많은 시간에 이벤트를 해서 최대한 페이지뷰를 늘리는 전략입니다.

　예전에는 매일 밤 10시에 주로 드라마를 봤습니다. 케이블이 없던 시절에는 온 가족이 밤 10시에 TV 앞에 모여서 지상파 드라마를 봤는데요. 지금은 가족 구성원 각자가 개인화된 기기를 가지고 있어요. 엄청 재미있는 프로그램이라든지, 세대를 아우르는 프로그램이 아니라면 굳이 다 같이 모여서 그 시간에 TV를 볼 이유가 없는 것이죠. 아주 재미있는 프로그램이 있다고 하더라도 OTT^{Over The Top}를 이용해서 얼마든지 내가 원하는 시간에 콘텐츠를 즐길 수 있습니다. 예전이라면 매일 드라마를 보던 시각에, 웹소설을 사랑하는 독자들은 스마트폰을 켜서 웹소설을 보고 있는 것입니다.

유료 결제 경험에 대한 답은 나이대별로 조금 다르지만, 나이대
가 높아질수록 결제율도 높아집니다. 웹툰의 경우 학원물이 잘 되
는 경우가 많습니다. 10대들이 웹툰을 많이 보기 때문이죠. 그렇지
만 학원물이 '다음 화 미리 보기' 결제로 넘어가는 비율은 그리 높지
않습니다. 웹툰 조회 수 자체는 그리 높지 않은 무협 작품의 결제율
이 높습니다. 이 장르의 주요 독자는 경제력이 있는 30~40대 남성
독자층이기 때문입니다. 직접 돈을 버는 30~40대 남성 독자층은 웹
툰, 웹소설 다음화 미리 보기를 하는 데 100원 쓰는 걸 아까워하지
않아요. 1만 원, 2만 원씩 넉넉하게 충전해두고 내가 보고 싶은 걸
편하게 봅니다. 웹소설 시장은 10대보다 30~40대 독자층을 굉장히
주요한 소비층으로 보고 있습니다.

[도표 1-2] 웹소설 유료 결제 이용 패턴

· **유료 결제 경험**

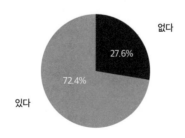

- **유료 결제 빈도**

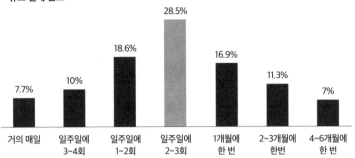

	거의 매일	일주일에 3~4회	일주일에 1~2회	일주일에 2~3회	1개월에 한 번	2~3개월에 한번	4~6개월에 한 번
	7.7%	10%	18.6%	28.5%	16.9%	11.3%	7%

- **1회당 평균 지출 비용**

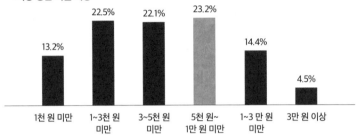

	1천 원 미만	1~3천 원 미만	3~5천 원 미만	5천 원~1만 원 미만	1~3만 원 미만	3만 원 이상
	13.2%	22.5%	22.1%	23.2%	14.4%	4.5%

- **월 평균 지출 비용**

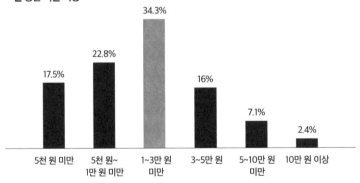

	5천 원 미만	5천 원~1만 원 미만	1~3만 원 미만	3~5만 원	5~10만 원 미만	10만 원 이상
	17.5%	22.8%	34.3%	16%	7.1%	2.4%

출처 : 한국콘텐츠진흥원(2020), '웹소설 이용자 실태보고서'
주 : 2020년 7월부터 8월까지 전국 만 10~59세의 최근 1년 이내 웹소설 이용 경험자 2,008명을 대상으로 함.

유료 결제 빈도를 보면 일주일에 2~3번이라고 답한 응답자가 가장 많았습니다. ([도표 1-2]) 이 또한 유의미한 숫자입니다. 예전에 밤 10시에 가족들이 모여서 드라마를 보았을 때는 이걸 돈 내고 보지는 않았잖아요. 지금은 그 시간대에 소비하는 콘텐츠에 돈을 지출하고 있으니, 이것이 창작자에게는 기회가 될 수 있습니다.

1인당 지출 비용은 5,000원에서 1만 원이라는 답변이 가장 많았습니다. 보통은 5,000원권, 1만 원권으로 한꺼번에 충전할 수 있는데요. 이 금액대에서 부담 없이 지출을 많이 하는 것 같습니다. 1만 원이면 100편 볼 수 있으니까, 그걸 다 읽는 시간도 상당하겠죠. 월평균 지출 비용은 1만 원에서 3만 원 정도라고 답한 응답자가 가장 많았습니다.

누가 이 시장을 움직이는가

• • •

기존 종이책으로 출간되는 소설의 생태계가 작가, 출판사, 서점 등으로 구성되어 있다면 웹소설의 생태계는 이와는 조금 다르게 플랫폼사, CP사, 작가로 구성됩니다. 이들 각각을 알아보겠습니다.

[도표 1-3] 웹소설의 주요 구성원

구성원	설명
플랫폼사	웹소설이 연재되고 유통되는 웹사이트. 주로 CP사를 통해 웹소설을 제공받거나, 작가와 직접 계약하여 웹소설을 제공하는 CP로서의 역할도 병행한다.
CP사	CP는 Contents Provider의 약자로 플랫폼사에 웹소설을 제공하는 업체이다. 작가와 계약하여 출판, 오프라인 유통 등을 통해 매출을 창출하는 사업자이다.
웹소설 작가	웹소설을 만들어내는 주체로, 기존에 종이로 출판되던 무협, 판타지 소설 등의 작가부터, 일반 회사원, 학생, 주부 등 다양한 직업과 연령대를 가진 사람들이 활동하고 있다.

출처 : 한국콘텐츠진흥원(2020), '웹소설 산업 활성화를 위한 정책 연구보고서'

플랫폼사

웹소설이 연재되고 유통되는 웹사이트, 모바일 애플리케이션을 플랫폼사라고 합니다. 네이버 시리즈나 카카오페이지 등이 그 예입니다. CP사인 콘텐츠 프로바이더를 통해서 웹소설을 제공 받거나, 작가와 직접 계약하여 웹소설을 제공합니다. 카카오페이지의 경우 작가 개인이 직접 연재하는 것은 불가능하고, CP사를 통해서만 작품을 올릴 수 있습니다. 네이버 시리즈의 경우는 정식 연재 작가라면 작가가 직접 CP가 될 수 있습니다.

CP사

CP사는 콘텐츠 프로바이더^{Contents Provider}, 쉽게 말해 콘텐츠를 제공하는 업체입니다. CP사는 작가와 계약을 하고, 원고를 편집하여 플랫폼사에 웹소설 콘텐츠를 공급하는 역할을 합니다. 예전부터 장르 소설, 만화 콘텐츠를 제공해오던 출판사들이 진출해 있고, 종이책을 내던 출판사가 레이블을 만들어 웹소설, 이북 시장에 진출하고 있습니다. 대형 출판사들도 웹소설 시장 진출을 위해 공모전 등을 열어 작품을 발굴하고 있습니다.

작가

작가는 웹소설 콘텐츠를 만들어내는 창작자입니다. 주로 CP사와 계약을 하여 플랫폼에 작품을 올립니다.

웹소설의 새로운 문법

• • •

웹소설은 인쇄 매체가 아닌 모바일에서 소비되는 글입니다. 여러분들이 종이책 소설을 보다 보면 중간중간 전개가 시원하지 않은 부분도 있을 수 있고, 주인공의 활약이 두드러지지 않는 부분도 있을 수 있습니다. 그래도 책은 권 단위니까 일단은 끝까지 보고 책에 대한 총평을 내리게 됩니다.

그러나 웹소설에서 중간에 재미없는 부분이 있다면 독자들이 가차 없이 작품에서 하차합니다. 웹소설은 내가 편당 100원을 주고 직접 유료 결제해서 보는 소설입니다. 이야기 진행이 지지부진하거나, 주인공에게 특별한 심경 변화가 없고, 동선이나 감정선이 별다른 게 없으면, 사람들은 100원을 헛돈 썼다고 생각하고 다음 화를 결제하지 않습니다. '돈 아깝다.'고 잔인한 평을 남기기도 하지요.

따라서 웹소설은 매회 '재미 포인트'를 줘야 합니다. 아슬아슬한 지점에서 엔딩을 내는 것 또한 필수입니다.

서술 형식

웹소설은 재미없는 부분, 혹은 전개가 느린 이른바 고구마 부분을 최대한 줄이고 이야기의 재미와 전개에 신경을 써야 합니다. 그러다 보니 인물의 대화나 장면을 중심으로 한 스피디한 전개가 필요합니다.

또한 보통 주인공 시점에서 이야기가 진행되는 경우가 많습니다. 스마트폰으로 소설을 읽다 보니 독자들의 집중력이 길게 유지되는 편이 아니기 때문에 독자들을 붙잡아 최대한 이야기에 빨리 몰입시키기 위해 주인공 중심으로 이야기가 속도감 있게 전개되는 겁니다.

연재시 너무 많은 등장인물들이 한꺼번에 등장할 경우 독자들이 기억을 잘 하지 못하는 편이에요. 인물들이 헷갈리면 이야기를 한 번에 파악하지 못할 수도 있습니다. 등장인물이 많다면 차례차례

천천히 등장시키거나, 그 인물을 이미 까먹었을 독자를 위해 약간의 부연 설명을 해주는 것이 좋습니다.

가독성

종이책 소설이 '읽는 소설', '생각하는 소설'이었다면 웹소설은 빠른 이야기 진행을 보기 위한 '보는 소설'로 패러다임이 바뀌었습니다.

실제로 집필할 때 가독성을 중시해달라는 피드백을 많이 받습니다. 스마트폰으로 웹소설 한 편을 처음부터 끝까지 감상하는 데 채 2분이 걸리지 않는다고 했죠. 그 2분 동안 막히는 부분이나 걸리는 부분, 이해가 안 되는 부분, 두 번 읽어야 하는 부분, 길게 생각해야 하는 부분 없이 이야기를 최대한 시각적으로 전달해야 합니다.

주제

기존 문학상이나 등단을 목표로 쓴 소설과 웹소설은 주제부터 완전히 다릅니다. 우리가 세상을 살아가는 이유에 대해 사색해보는 것이 기존 문학이라면, 웹소설은 그보다 훨씬 엔터테인먼트적인 관점에서 접근해야 합니다. 잠시 지나가다가 딱 보고 '재미있네.'라고 할 수 있을 정도로 짧은 시간에 확실한 재미를 줄 수 있어야 하죠.

웹소설은 주제 또한 장르별로 정해져 있는 편입니다. 이야기의 재미를 위해서 너무 추상적이거나 어둡고 심각한 주제를 피합니다.

원고 분량

플랫폼마다 선호하는 웹소설의 분량이 다릅니다. 카카오페이지 같은 경우는 판형이 정해져 있어서, 4,000~5,000자 정도의 분량을 스마트폰으로 톡톡 탭해서 넘겨보는 방식입니다.

네이버웹소설에서는 6,000~6,500자 정도를 요구합니다. 제가 데 뷔하던 시기에는 7,000~8,000자, 길게는 1만 자 정도를 쓰기도 했는 데요. 지금은 그보다 분량이 더 짧아졌습니다.

연재형

웹소설에는 단편보다 장편 소설이 잘 되는 편입니다. 앞서 언급 한 것처럼 단편은 미리 보기 수익을 발생시킬 수 없기 때문입니다. 장편의 서사에서 다음 내용이 궁금하도록 호기심을 자극해 유료 결 제하게 하는 것이 웹소설의 비즈니스 모델입니다. 계속해서 결제 를 유도할 수 있게, 서사 전체를 연재형으로 100~200화씩, 길게는 1,000화까지 쭉 끌고 가는 것입니다.

소통성

웹소설 시장이 빠르게 변하는 이유 중 하나가 바로 웹소설의 소 통성 때문입니다. 댓글에서 '이제 이런 이야기 질려요.', '빨리 다음 이야기 진행해주세요.'라는 피드백을 본다면 작가도 가만히 있을 수가 없습니다. 혹은 작품을 오픈했을 때 소재적으로도 '요즘 시장에서 이 아이템은 어떤 것 같다.', '신선하다.', '진부하다.' 등의 평가가 달립니다. 작가는 이렇게 독자들의 반응을 체크하면서 차기작으로는 어떤 분위기의 작품을 내는 게 좋을지 판단하게 됩니다. 고정적이었던 독자와 작가와의 관계가 이렇게 댓글 창을 통해 유연해지게 된 것입니다.

웹소설과 순문학의 7가지 차이점

• • •

구체적으로 웹소설과 순문학의 차이점에 대해서 좀 더 살펴볼게요. 심플하게 정리해보면 몇 가지 특징으로 구분 지어볼 수 있어요.

클래식 vs. 대중음악

어떤 사람이 음악을 하면서 클래식을 하든, 대중음악을 하든 그건 그 사람의 선택입니다. 글을 쓰면서 클래식의 길을 가고 싶다면 순문학 쪽으로 계속 도전하면 되고, 대중음악의 길을 가고 싶다면 웹소설의 길에 도전하면 됩니다. 이것은 선택의 문제이지, 어느 쪽이 더 우월하다고 판단할 수 있는 문제는 아닙니다.

예술성 중시 vs. 재미와 흥미 중시

순문학은 그 자체로 완성되는 예술성을 중시합니다. 웹소설은 재미와 흥미를 우선적으로 하되, 약간의 예술성을 갖추면 수작이라는 평을 듣습니다.

메인컬처 vs. 서브컬처

아직까지 사람들은 '글을 쓴다.'라고 하면 순문학의 길을 먼저 생각합니다. 종이책으로 베스트셀러가 된다면 작가로서 명성을 얻을 수 있죠. 그러나 웹소설은 그보다 서브컬처 시장입니다. 웹소설에서 어마어마한 히트작을 냈다고 하더라도, 대중들은 작가도 작품도 잘 모를 수 있습니다.

등단 기회 vs. 데뷔 기회

요즈음은 등단의 개념이 여러 가지입니다. 예전과 달리 신춘문예와 같은 공신력 있는 등단 제도를 통하지 않고도 등단하는 경우도 생겨나고 있습니다. 그러나 여전히 신춘문예 당선, 문예지에 발표되어야 등단을 인정해주는 제도는 유효합니다.

반면 웹소설은 등단 제도가 없습니다. 무료 연재를 꾸준히 진행하다가 독자를 모으고 인기를 끌어서 유료 연재작, 계약작을 내면 데뷔했다고 표현합니다. 등단은 심사위원의 마음에 들어야 하는 것이라면, 웹소설 작가의 데뷔는 독자들의 마음을 얻어야 가능합니다. 확실한 건 등단보다는 데뷔의 기회가 더 넓다는 것입니다. 순문학 작가가 되려는 분 중에는 몇 년째 등단 준비만 하다가 작품을 써내지도 못하고, 작품으로 독자를 만날 기회를 갖지 못한 분들이 있는데요. 웹소설 작가는 그 시간에 한 편이라도 더 써서 직접 독자를 만나고 그들을 울고 웃게 해주고 있습니다. 데뷔하기 전까지 생계수단 없이 버티는 것은 똑같지만, 이것은 무명 배우, 무명 작곡가 등 창작 예술계에 종사하는 사람이라면 누구나 겪는 일입니다. 작가로서 인정받고 활동을 시작하는 방법이 꼭 기존 순문학 부문에서의 등단만 있는 것은 아니라는 것만 기억하세요.

경력 중시 vs. 흥행 중시

순문학에서는 어떤 문예지에서 혹은 어떤 공모를 통해 데뷔했는지 등이 중요합니다. 작가 소개글마다 몇 년도, 어디를 통해 등단했는지를 꼭 적는 편이니까요. 그러나 웹소설은 이보다는 흥행을 중요시합니다. 플랫폼에서도 경력 작가라면 기존 작품이 얼마나 흥행했는지를 보고 작품의 통과 여부를 결정합니다. 작품이 흥행하지 못하면 두 번째 기회가 사라지기도 하죠. 하지만 걱정할 필요는 없습니다. 그럼 세 번째 작품을 써내면 되니까요. 네 번째, 다섯 번째 작품 중 어떤 것이 흥행할지는 작가도 예상할 수 없습니다. 중요한 건 한 작품이 인기를 얻으면 다른 작품들도 동반 상승효과로 기존 작품이 연계 판매가 될 수도 있다는 것입니다.

종이책 인세 수익 vs. 웹소설 인세 수익

종이책과 웹소설은 정산 비율에서 큰 차이가 납니다. 보통 종이책의 인세는 8~12퍼센트 사이입니다. 일반적으로는 10퍼센트의 인세를 받습니다. 반면 웹소설은 60~70퍼센트를 작가가 정산 받습니다. (이에 대해서는 뒤에서 좀 더 자세하게 살펴보겠습니다.) 정산 주기도 종이책은 3개월, 혹은 6개월에 한 번씩 정산해주는 것이 일반적입니다. 반면 웹소설은 출판사에 따라 익월까지 미뤄지기도 하지만 대개는 매달 정산해줍니다. 작가의 생계 안정을 위해서는 매달 정산을 받는 것이 더 좋겠죠.

집필 분량 권 vs. 편

일반적으로 웹소설 작가가 순문학 작가보다 돈을 더 많이 번다고 합니다. 이는 정산 비율이 높아서이기도 하지만, 집필 분량이 많아서이기도 합니다. 순문학 소설가는 1년에 한 권씩 장편 소설을 꾸준히 내는 것도 쉽지 않습니다. 웹소설 작가는 이보다 훨씬 글을 많이 써야 합니다. 짧게는 100회, 길게는 200~300회, 1,000회까지 글을 연재해야 하니까요. 매일매일 꾸준히, 혹은 주 3회 이상 꾸준히 글을 써내야 가능한 분량입니다. 저는 로맨스물을 쓸 때에는 100회 기준으로 작업하고 있는데요. 이를 종이책으로 환산해보면 두껍게 3권이 나옵니다.

장르성이란 무엇인가

• • •

웹소설은 장르 문학으로 장르 고유의 코드 및 패턴을 지니고 있습니다. 이는 대중의 흥미와 기호를 반영하여 만들어진 일종의 카테고리입니다. '장르성'이라는 건 사실 비슷한 코드의 반복입니다. 우리가 이야기를 좀 더 쉽게 이해하게 해주는 틀이기도 하죠. 웹소설에서는 이미 검증된 재미, 규격화되어 있는 재미를 추구합니다. 때로는 장르와 장르끼리 결합되기도 하고, 한쪽 소설 장르의 트렌드가 다른 장르로 넘어오기도 합니다.

독자들은 '아는 이야기'와 '모르는 이야기' 중 어떤 걸 먼저 선택하게 될까요? 대개는 익숙하게 아는 이야기에서 조금 변형된 이야기를 먼저 선택합니다. 모르는 이야기는 읽을 때 더 많은 이해력이 필요하기 때문이죠. 독자는 장르 소설을 읽으면서 명확한 감정선을 느끼고 싶어 합니다. 현대 판타지라면 대리 만족의 카타르시스를, 로맨스라면 달달하고 설레는 감정을 얻기 바라죠. 웹소설 작가는

[도표 1-4] 웹소설의 장르 분류

장르	설명
로맨스	연애 이야기, 연애 사건 등을 중점적으로 다루는 장르
판타지	마법과 초자연적인 현상을 주요한 플롯의 요소, 주제 배경으로 삼는 픽션 장르
로판 (로맨스 판타지)	로맨스와 판타지 장르의 결합
현판 (현대 판타지)	현대를 배경으로 하는 판타지 장르
무협	무술이 뛰어난 협객의 이야기로 통상 무술이 들어간 장르
퓨전·현대물	현대를 살아가는 인물이 무공이나 판타지 소설의 마법 같은 초자연적인 힘을 얻는 것을 소재로 한 장르
게임	게임적 요소를 포함하거나 게임 세계관을 가진 장르
미스터리	미지의 요소를 다루는 장르로 보통 초자연적인 이야기와 수수께끼를 푸는 이야기로 구분
역사물·대체역사	역사적인 사건이나 인물 등을 소재로 하는 장르를 통칭
패러디	기성 작품의 내용이나 문체를 교묘히 모방하여 과장이나 풍자로서 재창조하는 것을 의미, 국내 웹소설에서는 주요 유명 만화나 소설 패러디가 많음
스포츠	축구, 야구 같은 스포츠를 소재로 하는 장르
BL	Boy's Love의 줄임말로 남성 동성애 서사를 포함하는 장르
GL(백합)	Girl's Love의 줄임말로 여성 동성애 서사를 포함하는 장르
라이트 노벨	표지 및 삽화에 애니메이션풍의 일러스트를 많이 사용한 젊은 층을 대상으로 한 소설
SF (Science Fiction)	미래의 배경, 미래의 과학과 기술, 우주 여행, 시간 여행, 초광속 여행, 평행우주, 외계 생명체 등을 소재로 하는 장르
팬픽 (Fan Fiction)	특정 작품이나 유명인의 팬이 작품의 캐릭터, 세계관, 설정 등을 재사용하여 자신이 원하는 방향으로 이야기를 이끌어나가거나, 패러디한 2차 창작물

출처 : 한국콘텐츠진흥원(2020), '웹소설 산업 활성화를 위한 정책 연구 보고서'

장르라는 카테고리 안에서 이 감정선과 욕망에 부응하는 작품을 써야 합니다. 예상되는 지점에서 아는 이야기를 살짝 변형해서 들려줘야 하죠. 웹소설에 어떤 장르가 있는지 [도표1-4]의 웹소설 장르 분류를 먼저 살펴보세요.

이들 장르는 크게 남성향 소설과 여성향 소설로 나뉩니다.

이렇게 장르를 나누는 이유는 독자 패턴이 완전히 다르기 때문입니다. 플랫폼사에서도 여성향 소설 담당자와 남성향 소설 담당자가 나뉘어 있을 정도입니다.

여성향 장르

여성향 장르는 로맨스, 로맨스 판타지, GL$^{Girl's\ Love}$, BL$^{Boy's\ Love}$ 등입니다.

- **로맨스** : 일반 로맨스, 현대 로맨스, 19금 로맨스, 사극 로맨스, 역사 로맨스
- **로맨스 판타지** : 중세 판타지, 동양 판타지, 순수 창작 세계관, 중국식 세계관 등

남성향 장르

남성향 장르는 현대 판타지, 판타지, 무협 등의 장르입니다.

- **현대 판타지** : 게임 판타지, 헌터물, 재벌물, 전문직물, 스포츠물, 연예계물, 요리물 등
- **무협** : 전통 무협, 퓨전 무협
- **판타지** : 전통 판타지, 퓨전 판타지

물론 웹소설을 쓰고 싶다고 하여 이처럼 수많은 하위 장르를 모두 다 알아야 하는 것은 아닙니다. 내가 쓰고자 하는 장르와 그 장르의 트렌드에 대해서만 잘 알면 됩니다.

【 3강 】

콘텐츠 비즈니스의
출발점

IP^Intellectual Property란 원작이 있는 문화 콘텐츠의 판권입니다. 인간의 창조적 활동 중에서도 재산적 가치가 될 수 있는 것이에요. 쉽게 말하면 영상화, 게임화, 웹툰화를 할 수 있는 권리로 저작권과는 다른 개념입니다. 최근에는 웹소설 등의 원작 스토리를 기반으로 드라마, 영화, 웹툰, 게임 등 다양한 문화 콘텐츠를 만드는 일이 많아지고 있습니다.

여러분은 그냥 웹소설을 써요. 그럼 천부적으로 저작권을 가지게 됩니다. 만약 플랫폼과 계약을 한다면, 이는 저작권을 넘기는 계약이 아닌 '공중송신을 할 수 있는 전송권' 계약을 맺는 것입니다. '플랫폼은 몇 년 동안 전송할 수 있는 권리를 갖고, 특별한 협의가 없으면 몇 년이 연장된다.'와 같은 식으로요.

IP 판권을 판다는 뜻은 내 원작 소설을 영상화, 게임화, 웹툰화할 수 있는 권리를 판매한다는 뜻이에요. 몇 년간 내 작품을 영상화할 수 있는 권리, 혹은 웹툰화할 수 있는 권리를 주는 것이지요. 웹소설의 영상화 같은 경우는 적게는 3,000만 원, 보통은 4,000~5,000만 원, 많게는 7,000~8,000만 원 선에서 한꺼번에 판권료를 지급 받습니다. 웹툰화, 게임화의 경우 계약시에 계약금을 받고 RS^{Revenue} ^{Share}라고 하는 수익 판매분에 따른 러닝개런티를 매달 받게 됩니다. 물론 모든 계약은 당사자 간의 협의에 따라서 달라집니다.

웹소설만으로 만족하지 마세요

• • •

최근 웹소설의 판권 계약이 활발하게 진행이 되는 이유는 바로 창의적인 원천 스토리와 서사를 갖고 있기 때문입니다. 새로운 소재, 발상, 설정을 구현하는 데 상대적으로 제약이 적고 진입 장벽이 낮기 때문이죠. 예를 들어 웹툰을 드라마화할 경우, 웹툰 내용을 드라마 대본에 알맞은 분량으로 채우려면 각색 작가가 정말 많은 내용을 새로 써야 하는데요. 웹소설은 그 자체로 서사가 긴 편이기 때문에 드라마화하기에 조금 더 용이합니다.

중국의 경우 전체 IP 콘텐츠 중 56퍼센트가 웹소설을 바탕으로 각색된 작품이라고 합니다. 그 외에 할리우드나 영미 서구권 국가에서도 영상화된 작품 중 원작이 있는 경우가 50퍼센트 이상입니다. 이미 인기가 검증된 원작을 영상화하는 것이 추세라는 뜻입니다. 한국 역시 원작 웹소설의 인기를 바탕으로 이를 영화, 드라마, 웹툰으로 만드는 사례가 많아지고 있습니다. 여러분이 잘 아는 드라마인 〈김비서가 왜 그럴까?〉, 〈구르미 그린 달빛〉, 〈저스티스〉, 〈선배, 그 립스틱 바르지 마요〉, 〈옷소매 붉은 끝동〉, 〈재벌집 막내아들〉 등은 모두 웹소설이 원작인 작품입니다.

이제 웹소설 IP가 어떤 방식으로 확장되는지 살펴보겠습니다.

노블 코믹스의 콘텐츠 패키지

• • •

노블 코믹스란 웹소설의 스토리를 활용하여 비주얼 스토리텔링 콘텐츠인 웹툰으로 시각화하는 것을 말합니다. 이렇게 웹소설을 웹툰화되면 '콘텐츠 패키지'를 만들 수 있습니다. 웹소설을 재미있게 본 독자가 웹툰을 보고, 또 웹툰을 재미있게 본 독자가 웹소설을 읽는 거죠. 웹툰이 인기를 얻으면 결말이 궁금해진 분들이 웹소설을 한꺼번에 결제해서 보게 되기 때문입니다. 기존 웹소설 이용자가 아닌 신규 이용자가 유입될 수도 있습니다. 특히 웹툰의 주요 독자층인 10대의 유입이 늘어납니다. 대형 포털의 플랫폼은 웹툰 이용자와 웹소설 이용자를 같은 플랫폼에 머물도록 유도할 수 있습니다.

실제로 검증된 인기 원작 웹소설이 있는 경우, 웹툰에서도 높은 흥행률을 기록하는 편입니다. 원작이 없는 웹툰보다 스토리가 탄탄하고, 캐릭터가 무너지지 않는다는 평을 받습니다. 웹툰 작가 역시 스토리보다 그림과 연출에 조금 더 집중할 수 있게 됩니다.

이런 장점으로 인해 인기 웹소설의 웹툰화로 선순환 구조를 만드는 추세는 지속될 것이고, 웹소설의 웹툰화, 혹은 동시 기획 작품은 점점 더 많아질 것입니다.

제 작품 중 웹툰화된 사례는 〈금혼령, 조선혼인금지령〉이 있습니다. 웹툰 제작사와의 계약을 통해서 네이버 정식 연재로 론칭되었고, 웹툰 작가님들의 노고 끝에 성공적으로 연재를 마무리했습니다. 이 작품의 경우 각색 작가님과 그림 작가님 두분이 팀을 이루어 협업하며 연재했습니다. 매회 베스트댓글이 '드라마화 해주세요.'일 정도로 독자들의 드라마화에 대한 니즈가 높았는데요. 실제로 편성, 드라마 캐스팅 단계에서 웹툰의 흥행이 도움이 많이 되었습니다.

노블 코믹스 사례

- 네이버 시리즈 : 〈허니허니 웨딩〉, 〈중증외상센터 : 골든 아워〉, 〈재혼 황후〉,

〈전지적 독자 시점〉 등

· 카카오페이지 : 〈나 혼자만 레벨업〉, 〈달빛조각사〉, 〈버림 받은 황비〉,

〈황제의 외동딸〉 등

웹툰화에서 중요한 것

예전에는 웹툰 작가 개개인의 포트폴리오가 중요했다면, 이제는
점점 더 웹툰 제작사의 역량이 중요해지고 있습니다. 플랫폼의 웹
툰 PD들도 웹소설을 얼마나 잘 각색하여 웹툰으로 내보낼 수 있느
냐를 중요하게 봅니다.

웹툰 스튜디오에서 웹소설의 2차 저작재산권을 가지고 있는 출
판사와 컨택하고, 웹툰 그림 작가와 계약을 진행합니다. 경우에 따
라서 그림 작가가 직접 각색 작가(스토리 작가, 콘티 전문 작가)의 역할을
하기도 하고, 때로는 각색 작가가 따로 합류하기도 하며, 혹은 웹툰
PD가 일부 그 역할을 대신해주기도 합니다.

한편 웹툰 수익구조는 앞서 이야기한 것처럼 판권 계약이 주로 RS
로 이루어집니다. 영화에서는 러닝개런티라고 하죠. 웹툰 매출의
일부가 원작 웹소설 작가에게 귀속되는 형태입니다. 웹툰의 수익 배
분도 중요하지만, 웹툰 연재 기간 동안 웹소설 판매분이 늘어나기
때문에 웹소설 작가는 이로 인해 높은 수익을 얻을 수 있습니다.

드라마화되는 웹소설은 따로 있다

• • •

웹소설의 드라마화도 꾸준하게 진행되고 있습니다. [도표 1-5]를 살펴보면 매년 평균 2편의 웹소설이 영상화되고 있습니다. 원작 시장의 열기는 생각보다 굉장히 뜨겁습니다. 드라마 제작사, 방송사, OTT 플랫폼사 모두 더 재미있고 참신한 원작을 찾으려 하며 다들 원작 확보에 굉장히 심혈을 기울이고 있습니다. 점점 더 시장의 기회가 많아지고 있는 겁니다.

그런데 영상화되는 작품의 장르를 살펴보면 대부분 로맨스물입니다. 왜 웹소설의 영상화는 로맨스 장르에 치중되어 있을까요? 우선 웹소설 중에 로맨스 장르의 흥행작이 많은 편이기 때문입니다. 그리고 현대물 로맨스는 배경이나 세트 등을 활용하는 데 있어 판타지 장르보다 용이하기 때문이기도 합니다.

실제 IP 시장에서는 현대물 로맨스나 사극 로맨스의 인기가 가장 높은데요. 웹소설 로맨틱 코미디(로코) 중에서 좀 더 새로운 아이템을 찾는 편입니다. 단, 로맨스가 대중적으로는 친밀할 수도 있지만, 한편으로는 소재적 안정주의, 상투성과 정형성에 갇힐 수도 있습니다. 웹소설은 장르화된 공식이 분명한 편이니까요. 때문에 영상화에 있어서는 기존 로맨틱 코미디의 아이템을 답습하기보다 소재나 캐릭터에 있어 '새로운 무엇'이 있는 작품이 사랑받고 있습니다. 또

[도표 1-5] 드라마화 완료 및 예정 웹소설

	웹소설 타이틀	드라마 타이틀	방송채널	방송연도	장르
1	해를 품은 달	해를 품은 달	MBC	2012	로맨스
2	올드맨	미스터 백	MBC	2014	로맨스
3	당신을 주문합니다	당신을 주문합니다	SBS플러스	2015	로맨스
4	고결한 그대	고결한 그대	네이버TV	2015	로맨스
5	구르미 그린 달빛	구르미 그린 달빛	KBS2	2016	로맨스
6	신데렐라와 네 명의 기사	신데렐라와 네 명의 기사	tvN	2016	로맨스
7	애타는 로맨스	애타는 로맨스	OCN	2017	로맨스
8	김 비서가 왜 그럴까	김비서가 왜 그럴까	tvN	2018	로맨스
9	설렘주의보	설렘주의보	MBN	2018	로맨스
10	진심이 닿다	진심이 닿다	tvN	2019	로맨스
11	누나팬닷컴	그녀의 사생활	tvN	2019	로맨스
12	저스티스	저스티스	KBS2	2019	미스터리
13	선배, 그 립스틱 바르지 마요	선배, 그 립스틱 바르지 마요	JTBC	2021	로맨스
14	재혼 황후	미정	미정	미정	로맨스

출처 : 한국콘텐츠진흥원(2020), '웹소설 산업 활성화를 위한 정책 연구 보고서' 자료를 토대로 작성

한 웹소설을 드라마로 기획 개발하기 위해서는 상당한 시간이 필요하기 때문에 적은 각색으로도 좋은 대본을 뽑을 수 있는 원작을 찾고 있습니다.

그렇다면 웹소설 영상화의 장점은 무엇이 있을까요? 웹소설에서

생긴 팬덤이 드라마 시청자로 옮겨갈 가능성이 높습니다. 이미 웹소설의 흥행에서 대중성을 보장 받기에 드라마 제작에도 흥행성을 담보 받을 수 있습니다. 하지만 웹소설의 영상화 판권이 팔렸다고 바로 제작으로 이어지는 것은 아닙니다. 이후로도 수많은 검증 과정을 거치면서 제작이 무산되는 경우도 많습니다.

오디오 콘텐츠로의 가능성

• • •

네이버는 한국 최초의 오디오북 제작사인 오디언을 인수하여 오디오 콘텐츠 시장의 확장을 도모하고 있습니다. 자사 서비스인 '오디오클립'을 통해서 웹소설을 오디오 드라마로 각색해 콘텐츠를 제공하고 있습니다. 특히 음성 합성 방식뿐 아니라 전문 배우, 성우를 기용해 자연스러운 오디오 콘텐츠를 제작하고 있습니다.

웹소설 오디오북 사례
네이버웹소설 : 〈그대 곁에 잠들다〉, 〈혼전계약서〉, 〈울어 봐, 빌어도 좋고〉 등

이처럼 인기 웹소설 중 다양한 콘텐츠들이 이미 오디오북으로 제작되었습니다. 오디오클립 외에도 스토리텔, 윌라, 밀리의 서재 등

경쟁력 있는 오디오 콘텐츠 플랫폼이 등장하고 있습니다. 이는 곧 웹소설 IP가 오디오 플랫폼이라는 새로운 영역으로 확장될 기회가 늘어나고 있다는 것을 의미합니다.

웹소설의 게임화

• • •

최근에는 웹소설을 게임으로 만드는 움직임도 활발합니다. 게임 판타지 소설의 경우 캐릭터가 게임 속 아바타가 되는 것이기 때문에 게임으로 만들기에 용이합니다.

1인칭 주인공 시점에서 게임 플레이하듯 작품이 전개되어, 웹툰의 텍스트 형식과는 또 다른 재미를 느낄 수 있는 비주얼 노벨Visual Novel로 제작되고 있습니다.

최근에는 게임 판타지 소설뿐 아니라 로맨스 웹소설도 게임으로 제작합니다. 스토리가 A로 갈까 B로 갈까 이용자가 선택할 수 있도록 하는 참여형으로 스토리를 짜는 것이죠. 이를 채팅형 인터랙티브 게임이라고 합니다.

제 작품인 〈금혼령, 조선혼인금지령〉도 스토리플레이라는 게임으로 출시되었습니다. 이 작품의 경우 메인 남자 주인공도 인기가 많았지만, 서브 남주 또한 굉장히 인기가 많았는데요. 웹소설에서는 결국 메인 남주와 이어지니, 서브 남주와의 러브라인에 대해서 아쉬워하는 독자들이 많았습니다. 게임에서는 얼마든지 기존 웹소설과는 다른 결과를 낼 수 있습니다. 웹소설에서는 한가지 결말이 정해져 있다면, 게임은 내가 원하던 서브 남주와의 로맨스를 완성할 수 있는 거죠. 캐릭터와 함께 대화하는 것처럼 UI^{user interface}가 갖추어져 있다 보니 훨씬 더 이야기에 대한 몰입감이 높아집니다.

웹소설 IP의 무한한 확장성

• • •

콘텐츠 프랜차이즈 전략이란, 오리지널 콘텐츠의 IP를 확보하여 여러 미디어 및 플랫폼을 활용하여 각 미디어에 맞는 각색된 형태의 콘텐츠를 제공하고 부가가치를 창출하여 시너지 효과를 내는 것입니다. 예를 들어 할리우드 영화 산업에서 히어로물은 10퍼센트에 불과하지만, 관련 매출은 80퍼센트에 이릅니다. 디즈니의 〈겨울왕국〉과 엘사 캐릭터가 엄청난 인기를 얻었을 때를 생각해보면 쉽습니다. 아이들의 책가방, 필통, 신발, 속옷에 이르기까지 엘사가 새겨져 있고, 엘사 망토가 달려 있는 의류는 불티나게 팔렸습니다. 그야말로 엘사 천국이었죠.

오리지널 콘텐츠가 있으면 그것이 드라마, 웹툰, 게임, 영화, 애니

[도표 1-6] 콘텐츠 프랜차이즈 전략의 예

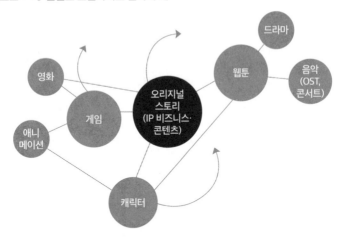

출처 : 한국콘텐츠진흥원(2018), 'IP 비즈니스 기반의 웹소설 활성화 방향'을 토대로 작성

메이션, 캐릭터 산업으로 다양하게 뻗어나갈 수 있습니다. 콘텐츠 프랜차이즈 전략은 방송 산업에서 대중성과 작품성 모두를 공략할 수 있는 주요한 전략 중 하나입니다.

성공한 이야기들은 다른 미디어에 이전되었을 때에도 성공 가능성이 높다고 판단합니다. 흥행 콘텐츠를 다양한 미디어 플랫폼에 걸쳐서 이용하게 만드는 것이 더 큰 수익을 안겨줄 수 있다는 뜻입니다.

오늘날 콘텐츠 산업은 전방위적인 시간 점유율 경쟁을 치르고 있습니다. 다양한 OTT 플랫폼의 등장으로 인해 콘텐츠에 대한 대중의 요구가 더욱 다각화되고 있죠. 한정된 시간 안에 대중의 이목을 사로잡아 콘텐츠를 이용하도록 만드는 것이 어느 때보다 중요해졌습니다. 흥행 웹소설 IP의 확장은 흥행작을 통해 다양한 미디어 접근성을 높이는 데 활용될 수 있습니다.

웹소설의 IP 비즈니스

그렇다면 어떻게 하면 내 웹소설 IP를 영상화할 수 있을까요? 어떻게 하면 내 웹소설 IP를 여러 분야의 미디어 관계자에게 알릴 수 있을까요?

앞서 살펴본 대로 IP 시장에서 인기가 많은 웹소설의 장르는 어느 정도 정해져 있습니다. 로맨스 판타지, 판타지, 게임 소설, 무협 장르는 CG와 배경 세트 등의 제작비 이슈로 영상화가 쉽지는 않습니다. 영상화한다고 하더라도 흥행성이 검증된 원작을 선택하려는 경향이 있죠. 단적인 예로 로맨스 판타지 장르의 만화 〈하백의 신부〉는 세트와 의상비 등 드라마화하기에 제작비가 너무 많이 들어서 결국 이를 현대물로 재각색하여 영상화되었습니다. 즉 IP 시장에서 선호할 만한 장르를 선택하는 것이 첫 번째 단계가 될 것입니다.

저는 웹소설 기획 단계에서부터 IP 시장을 노립니다. IP 시장에서 먹힐 수 있는 웹소설을 집필하는 것이지요. 아이템부터 플롯 전개까지, 내 소설이 영화나 드라마에 적합하도록 유사한 구조를 갖추고 글을 씁니다. 이에 대해서는 뒤에서 실제 사례를 통해 더 자세히 알려드릴게요.

만약 웹소설 IP 확장을 원한다면 '나의 아이템이 영화화, 드라마화되기 적합한가?' 스스로 한번 점검해보세요. 뉴스 기사, 혹은 드라마화된 콘텐츠를 통해 최근 IP 시장의 트렌드를 파악하는 것도 좋습니다.

이제 넷플릭스 등의 OTT의 발전으로 우리의 콘텐츠가 전 세계에 소개될 기회도 넓어졌습니다. 웹소설을 기획할 때부터 단순히 국내만 타깃으로 하는 것이 아니라 해외 시장을 노리는 것이 필요해진 거죠. 웹소설의 창작자는 내 글이 웹소설에서 끝나지 않고, 다양한 미디어로 확장될 수 있다는 점을 유념해야 합니다. 콘텐츠 시장은 점점 더 넓어지고 있고, 기회는 언제 어떻게 찾아올지 모르니까요.

다음으로는 내 작품을 제대로 알려야 하겠죠. 바로 피칭입니다. 피칭이란 미디어 관계자들에게 작품 소개할 기회를 갖는 것입니다. 피치Pitch는 투수가 타자에게 공을 던지는 것을 말합니다. 이처럼 드라마나 영상화 제작사, 웹툰 제작사, 혹은 방송사 등에게 '내 작품을 소개할 테니 받아라!' 하고 던지는 것입니다. 피칭 행사가 있으면 미디어 관계자들이 모인 자리에서 원작 웹소설 IP를 소개하게 되는데 이는 프레젠테이션으로 진행됩니다. 이 PT에서 작품의 셀링포인트를 확실하게 각인시키는 것이 중요해요.

최근에는 정부 주도의 웹소설, 웹툰 IP 피칭 행사가 점점 늘어나고 있습니다. 예를 들어 한국콘텐츠진흥원에서는 '콘텐츠 IP 사업화 상담회'를 개최하여 원작 IP의 2차 저작물로의 확장을 독려하고 있습니다. 매년 1~2회 정도 주최되고 있으니 한국콘텐츠진흥원 홈페이지의 공지사항이나 뉴스레터 등을 통해 관련 내용을 자주 확인해보세요. 피칭을 할 수 있는 자격은 보통 2차 저작재산권을 가진 웹툰 제작사나 에이전시에게 주어지는데요. 제 경우에는 직접 웹소설 CP를 맡고 있고, 출판사업자 등록증을 갖고 있기에 직접 무대에 올라 피칭을 하여 작품을 소개하고 있습니다.

【 4강 】
웹소설 작가
수입의 진실

웹소설 작가가 되고 싶은 분들이 많이 보는 기사 중에 하나가 수입에 대한 내용인 것 같아요. 억대 연봉을 번다는 기사가 많은데, 사실 연봉은 직장에서 받는 돈으로 금액이 정해져 있는 개념이지만 웹소설 작가는 연봉을 받는 직업이 아닙니다. 어떻게 보면 자영업자랑 비슷해요. 연간 어느 정도 매출이 발생했고, 그중 얼마의 수익이 났는가를 보아야 합니다. 판매분에 대한 인세 정산을 받는 것이기 때문에 작가는 매년 자신의 작품이 얼마나 팔릴지 예측할 수 없습니다. 이 세계는 빈익빈 부익부로 극단적으로 양극화되어 있습니다. 당연히 작품이 인기를 얻는 작가는 돈을 많이 벌고, 그렇지 않으면 수입이 적을 수밖에 없습니다.

웹소설 작가의 수익구조

· · ·

그렇다면 웹소설 작가가 실제로 벌어들이는 수익은 어느 정도 일까요? 계약 당사자가 누구인가에 따라서 차이가 있습니다. 먼저 플랫폼사와 직계약한 경우와 CP사와 계약한 경우가 다릅니다.

플랫폼사와 직접 계약한 경우

이는 작가가 CP일 때입니다. 작가와 플랫폼사가 7대 3 혹은 6대 4로 수익을 배분하는 계약을 합니다. 제 경우는 맨 처음 네이버 정식 연재 작가로 데뷔했기 때문에, 플랫폼사인 네이버와 직계약을 했습니다. 네이버에서 이펍 파일을 만들어주면 6대 4, 제가 직접 파일을 만들어 올리면 7대 3의 조건을 제안 받았습니다. 이럴 땐 제가 직접 CP가 되는 것이지요.

CP사와 계약한 경우

이런 경우 일단 CP사와 플랫폼사가 7대 3으로 수익을 배분합니다. CP사는 배분받은 70퍼센트의 수익으로 다시 작가와 7대 3, 혹은 6대 4의 비율로 계약을 진행합니다.

환산하면 작가와 CP사가 7대 3으로 계약했다면 작가는 총수익 중 49퍼센트를, CP사는 21퍼센트를, 플랫폼사는 30퍼센트를 배분받는 것입니다. 작가와 CP사가 6대 4로 계약했을 경우에는 총수익 중 작가가 42퍼센트, CP사가 28퍼센트, 플랫폼사가 30퍼센트로 수익 배분이 이루어집니다.

매출이 잘 발생하는 카카오페이지 '기다리면 무료' 프로모션의 경우 플랫폼사가 자그마치 45퍼센트의 수익을 가져가기도 합니다. 그에 따라 작가와 CP사의 배분율도 달라지는 겁니다. 이처럼 웹소설 작가의 수익배분율을 총수익의 42퍼센트에서 많게는 70퍼센트까지입니다.

앞서 말했듯 종이책의 경우 작가의 인세율은 8~12퍼센트 정도입니다. 책은 정가 기준으로 정산해서 1만 원의 정가라면 권당 800원에서 1,200원 정도 수익을 나눠받는 셈이고, 웹소설의 경우 1만 원의 매출이 발생했다면 4,200원에서 7,000원을 정산받게 되는 겁니다. 당연히 종이책보다 웹소설이 창작자가 배분받는 수익이 높으니 웹소설 작가의 형편이 좀 더 넉넉하다는 것이겠지요.

억대 연봉 진짜 가능할까?

• • •

웹소설의 모든 플랫폼은 판매분을 기준으로 작가에게 인세를 지급하는데요. 그 말인즉슨 1년에 걸쳐 쓴 소설이 고작 1만 원 팔렸다면, 작가가 얻어갈 수 있는 금액이 1만 원에 따른 정산금이라는 뜻입니다. 이는 시간과 노력에 비례해서 돈을 버는 건 아니라는 뜻입니다. 출판사에서 일종의 계약금인 선인세를 줄 수 있지만, 이는 앞으로 판매될 금액에서 미리 당겨주는 것입니다.

만약 웹소설을 쓰면서 억대 수익을 거뒀다, 임원급 이상으로 벌었다는 작가가 있다면 이는 웹소설의 매출이 잘 나와서이지 그만큼의 고료를 보장해주기 때문은 아닙니다.

'나는 웹소설을 쓰면서 직장인처럼 꾸준하게 돈을 벌고 싶어.'라는 바람을 거의 모든 분이 갖고 있겠지만, 내가 쓴 웹소설의 판매분이 올해 얼마나 될지는 아무도 장담할 수가 없습니다.

월평균 등장하는 신규 웹소설은 약 1만 건이라고 합니다. 정말 어마어마한 레드오션 시장이죠. 인기 작가의 작품은 엄청난 매출을 기록하지만, 그 외의 경우 적은 수입으로 버텨야 한다는 걸 각오해야 한다는 뜻입니다.

웹소설 작가로
데뷔하는 법

에리카 종은 "누구나 재능은 있다. 드문 것은 그 재능이 이끄는 암흑 속으로 따라 들어갈 용기다."라고 말했습니다. 일단 작가 되는 데 필요한 것은 노트북 한 대밖에 없습니다. 원고만 있다면 누구나 작가가 될 수 있습니다. 앞서 살펴본 대로 등단 과정은 필요 없고, 유료 연재작을 내면 웹소설 작가로서 데뷔했다고 할 수 있어요. 학벌, 경력, 나이, 사는 지역 같은 것은 전혀 중요치 않습니다. 웹툰의 경우 그림체 등 스토리 이외의 것으로 승부할 요소가 있지만 웹소설은 오로지 스토리, 글로만 승부를 겨뤄야 합니다.

그렇다고 단번에 유료 연재작을 낼 수는 없습니다. 여기에서는 웹소설 작가로 데뷔하는 방법을 몇 가지 살펴보겠습니다.

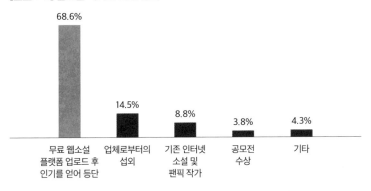

[도표 1-7] 웹소설 작가의 데뷔 경로

출처 : 한국콘텐츠진흥원(2018), 'IP 비즈니스 기반의 웹소설 활성화 방향' 참고로 작성

[도표 1-7]에서 보듯이 웹소설 작가로 데뷔하는 경로는 무료 웹소설 플랫폼에 업로드한 후 인기를 얻어 데뷔한 경우가 가장 많습니다. 그 외에도 출판사나 CP사의 섭외, 공모전 수상, 정부지원사업 등 다양한 경로로 웹소설 작가로 데뷔하게 됩니다.

무료 연재 왜 필요한가

• • •

무료 연재를 시작하는 것은 어렵지 않습니다. 각 웹소설 플랫폼의 무료 연재 공간에 내 글을 올리면 됩니다.

네이버웹소설에는 '챌린지리그'가 있습니다. 웹툰으로 치면 '도전, 만화가' 같은 코너입니다. 이 챌린지리그에서 작품이 흥행하면 베스트리그로 승격되고, 베스트리그에서도 분기당 두 작품 정도가 정식 연재로 승격됩니다. 경쟁이 정말 정말 치열한 편이죠.

카카오페이지, 조아라, 문피아에도 무료 연재를 할 수 있는 공간이 있습니다. 조아라는 편당 조회 수 1만 회일 경우 우선 컨택 가능성이 높다고 합니다. 문피아는 투데이베스트 100위 안에 들면 출판사로부터 우선 컨택 가능성이 높다고 하고요. 이 모두 쉬운 일은 아닙니다.

누구나 노트북만 있으면 원고를 써서 올릴 수 있기 때문에 무료 연재는 정말 치열한 경쟁의 공간입니다. 여러분들이 글을 올렸는데 조회 수가 한 자리 수이고, 내 글이 순식간에 다음 페이지로 넘어가는 일은 비일비재합니다. 죽어라고 열심히 글을 써서 올려도 내 글이 소리 소문도 없이 묻힐 수 있습니다. 조회 수도 안 나오고, 댓글 반응도 없을 수 있습니다. 그렇다고 좌절하지 마세요. 우선은 20화 이상을 꾸준히 써내는 게 필요해요. 작품을 쌓아가는 거죠. 그 작품으로 출판사에 직접 투고해보세요. 작품만 좋다면, 가능성만 있다면 출판사에서 프로모션을 껴서 플랫폼에 넣어줍니다.

무료 연재 공간에서 인기작이 되면 좋겠지만, 안 되었다고 해서 너무 좌절할 필요 없습니다. 일단 좋은 작품을 써내는 게 중요하다는 뜻입니다.

투고부터 계약까지 성공하는 비법

· · ·

무료 연재 사이트에 게재한 20~30화 정도 분량의 원고를 출판사에 투고하면 됩니다. 투고할 때는 먼저 시놉시스가 필요합니다. 기획 포인트, 인물 관계도, 캐릭터 설명 등을 잘 정리해서 시놉시스로 만듭니다.

출판사 리스트 만들기

준비가 되었다면 각 출판사 홈페이지와 블로그에 들어가서 기출판작들을 보며 분위기를 파악합니다. '여기는 로판이 대세네.', '이 출판사는 판타지 작품을 좋아하네.', 이런 식으로요. 그러면서 내 작품과 가장 잘 어울리는 출판사가 어디일지 찾아봅니다.

혹은 플랫폼마다 웹소설 인기 순위를 볼 수 있잖아요. 랭킹에 오른 웹소설을 하나하나 클릭해보면서, 어느 출판사 작품이 많은지 살펴보세요. 그중 나와 성격이 맞을 것 같은 출판사를 리스트로 만들어보세요.

사실 검색창에 '웹소설 투고 리스트'만 쳐봐도 다른 사람들이 정리해놓은 출판사 링크, 메일 주소를 찾을 수 있습니다. 그걸 다시 재편집해서 나만의 투고 리스트를 만들어도 좋습니다. 한군데만 투고했다가 떨어졌다고 낙심할 필요 없이 여러 곳을 준비해두는 게 좋습니다.

그리고 각 출판사에서 제시하는 원고 분량을 확인해야 합니다. 출판사별로 10만 자를 원하는 곳도 있고, 20화 내외의 원고, 혹은 완결 원고를 원하는 곳도 있으니 미리 확인하세요.

마지막으로 메일을 보내면 됩니다. 메일을 보낼 때도 전략이 필요해요. 메일 본문에는 작품에 대한 짧은 소개글을 써서 보내면 좋습니다. 더불어 리스트업한 출판사들에 한꺼번에 동시에 보내면 성의가 없어 보일 수 있으니, 메일의 '개인별 보내기' 기능을 활용해 따로따로 보내는 게 좋습니다.

출판사 선택의 기준

출판사에서 투고 원고를 검토하는 기간은 약 2~4주 정도입니다. 가끔은 더 길어지기도 합니다. 그동안 너무 초조해하지 말고 다른 작품을 쓰면서 마음을 잘 다스리며 기다립니다.

그렇게 투고를 한 결과를 정리해볼까요?

- A출판사 : 답변 없음
- B출판사 : 작가 정산 비율은 6대 4, 중대형 출판사
- C출판사: 작가 정산 비율은 7대 3, 소형 출판사

이런 결과가 나왔다면 작가는 어떤 선택을 해야 할까요? 우선 답변 없는 출판사는 나도 무시하면 그만이에요. 우리 서로에게 관심

없던 걸로 해요. 중대형인 B출판사에서 계약하자면서 작가 정산 비율은 6대 4라고 알려 왔습니다. C출판사는 규모가 조금 작은데, 작가 정산 비율은 7대 3이라고 연락해왔다면 어떤 출판사를 골라야 할지 고민될 거예요.

결론은 가장 좋은 프로모션을 받을 수 있는 출판사를 선택하는 것입니다. 만약 프로모션 없이 작품을 오픈하면 그냥 내 작품은 수많은 데이터 중 하나가 될 가능성이 높습니다. 아무도 내 작품을 몰라줘요. 일단 출판사들과 프로모션에 대해서 논의를 해봅니다.

또한 교정교열을 책임있게 해주는 출판사가 좋습니다. 작가가 쓴 글을 그대로 출간하겠다는 곳도 있을 수 있어요. 내용에 대한 사실 확인, 교정교열은 물론 작가의 책임입니다. 하지만 내 글을 함께 고민하면서 수정해주고, 교정을 봐주는 전문가가 있어야 완성도가 올라가겠죠. 그러나 반대로 지나치게 많은 수정을 요구하면, 작가가 지칠 수 있습니다. 예를 들어 출판사에서 "이 캐릭터 뺍시다."라고 말하면 출판사 입장에선 쉬운 요청일지 모르지만, 작가의 머릿속에선 지진이 일어나거든요. 이미 이야기 속에 녹아든 캐릭터를 빼려고 한다면 수정 범위가 엄청날 수 있습니다. 그만큼 작품 론칭 시기가 늦춰질 수 있고요.

한 가지 더 주의할 것은 선인세를 많이 주겠다고 하는 출판사가 꼭 답은 아니라는 겁니다. 반드시 여러 가지 상황을 종합적으로 고려해보고 결정해야 합니다.

계약 전에 확인해야 할 것

그런데 투고를 한 출판사에서 계약을 하자고 연락을 받았는데 여러 조건이 마음에 들지 않아요. 그렇더라도 계약작을 낼 수 있는 소중한 기회니까 바로 계약을 해야 할까요? 그런 건 아닙니다. 내가 투고를 했다고 해서 그 출판사와 꼭 계약해야 하는 건 아니에요. 계약 조건 등을 살펴보고 "제가 투고했지만, 계약은 안 할래요."라고 할 수도 있습니다.

정말 오래 기다려온 기회라고 하더라도, 작가의 권리를 꼼꼼하게 따져보고 계약해야 합니다. 신인 작가들은 자신에게 무슨 권리가 있는지 잘 몰라서 불리한 조항을 미처 살펴보지 못하고 계약하게 될 수도 있습니다. 내게 불리한 조건이라면 조율해야 합니다. 꼭 물어보고, 협의하는 과정을 거쳐야 해요.

"저 신인인데요? 신인인데 계약서 한 땀 한 땀 고칠 수 있나요?"라고 물으신다면 당연히 답은 "그렇습니다."입니다. 작가가 계약서에 깐깐하게 군다고 해서 계약 자체가 무산되진 않습니다. 작가가 원하는 조건과 출판사가 원하는 조건을 두고 협의를 통해서 어떻게든 조율점을 찾습니다. 계약이란 언제나 서로 조율하는 과정을 거치게 되어 있으니, 처음에는 조항 하나하나를 깐깐하고 세밀하게 보셔야 합니다. 독소 조항이라고 하죠. 나중에 이 계약서 한 줄 때문에 큰 위약금을 물어내는 경우가 있습니다. 굉장히 난감하고 곤란한 상황에 빠질 수 있는 거죠.

계약서를 쓴다는 건 내 인생을 결정하는 굉장히 중요한 순간에 직면하는 것입니다. 특히 작가는 이러한 계약을 스스로 해야 하는 주체입니다. 만약 이 조항이 나중에 어떠한 상황을 초래할 수 있는지 잘 모르겠으면 이걸 잘 아는 사람에게 물어야 합니다. 법률적인 자문을 받을 수 있는 변호사를 만나는 걸 어렵게 생각하지 마시고, 계약을 하기 전에 변호사에게 계약서 검토를 의뢰하세요.

단, 변호사님들이 계약서의 조항이 의미하는 바는 잘 알고 있지만, 웹소설 분야에 대해서 잘 알고 있는 건 아닙니다. 그렇기에 결국은 내가 선택해야 하는 것들이 있습니다. 어쨌건 내가 정신을 똑바로 차리고 살펴봐야 합니다. 작가가 어떤 권리를 가지고 있는지 스스로 아는 것은 너무너무 중요합니다.

거절을 두려워하지 않기

사람들은 대부분 거절당하는 것을 싫어합니다. 누구나 마찬가지예요. 투고를 하고 계약까지 진행되는 경우도 있지만 그렇지 않은 경우가 더 많습니다. 어느 출판사에 투고를 했는데 이런저런 피드백을 주더니 결국엔 "작가님 작품과 우리가 안 맞는다."라고 합니다. 거절이죠. 또 어떤 출판사는 아예 답변이 없어요. 이 또한 거절이죠. 그러면 우리는 마음의 상처를 입겠죠.

"나 거절당할까 봐 두려워서 투고 안 할래, 자존심 상해, 나 속상해." 분명 이럴 수 있습니다. 겉으론 얘기 안 해도 거절당할까 봐 두려워서 투고 안 하는 작가들도 분명히 있습니다. '내가 글을 잘 썼으니 출판사에서 알아서 컨택해 오겠지.' 이렇게 생각하는 거죠. 물론 그런 경우도 있습니다. 하지만 그건 정말 인기작에 국한된 얘기입니다.

프로 작가도 작품의 성격이 출판사와 맞지 않으면 결국 거절당합니다. 거절당하는 것에 대해서 너무 자존심 상할 필요는 없습니다. 눈앞에서 거절당하는 것과 이메일로 거절당하는 것 중 어떤 게 나은가요? 이메일이 좀 더 낫지 않을까요? 답이 없으면 그런가 보다 하시면 돼요. '왜 답이 없지.' 하고 노심초사하실 필요 없어요. 거기서도 얼마나 많은 작품이 투고로 들어오겠어요. 검토하고 답을 줬다는 것만으로도 '그래, 내 작품 읽었네. 감사합니다!' 이렇게 생각하시면 돼요. 개의치 말고 다음 작품을 써나가다 보면 기회는 또 옵니다.

혹은 출판사에서 '이거 말고 다른 작품은 없나요?' 이렇게 요구할 수도 있어요. 만약 준비되어 있는 아이템이 많으면 여기에 바로바로 대응을 할 수 있겠죠. 일단 내가 작품을 많이 갖고 있는 게 중요해요. "이게 마음에 안 들면 이 작품은 어떠세요?" 이렇게 대처할 수 있도록요.

더불어 피드백은 의견일 뿐입니다. 전문가의 의견이라고 해서 100퍼센트 정답은 절대 아닙니다. 이 말이 피드백을 따르지 말라, 그들의 의견을 무시하라는 뜻은 절대 아니에요. 그 어떤 순간에도 작가적 고집을 꺾지 말라는 뜻도 아니고요.

결국 그들의 의견도 틀릴 수 있고, 시간이 지나면 어느 부분은 맞고 어느 부분은 틀릴 수도 있다는 겁니다. 그들의 의견이 맞다고 여겨지면 내가 전적으로 수용하고 고치면 돼요. 만약 어떤 피드백은 적절치 않다고 여겨지시면 그 부분은 작가의 의견을 제시하고, 꿋꿋하게 내 글을 써나가면 돼요. 그 어떤 경우에도 타인의 피드백에 휘둘려서 내 글을 쓰는 힘을 잃어버리지 말라는 뜻입니다.

매니지먼트 계약

때로 출판사에서 매니지먼트 계약을 하자는 제안을 받기도 합니다. 이건 매 작품을 각각 계약하지 않고, '앞으로 5년간 3개의 작품을 함께 하자.'는 식으로 작가 계약을 하는 겁니다. 즉 '작가님이 앞으로 무슨 작품을 쓸지는 모르지만 우리와 함께 하자.'는 뜻입니다. 이런 매니지먼트 계약을 하게 되면 그 출판사의 소속 작가가 되어 활동하게 됩니다.

매니지먼트 계약의 장점으로는 지금 작품을 써나가면서 차기작 기획은 어떻게 할지 기획자들과 함께 의논하면서 진행할 수 있다는 점을 들 수 있습니다. 지금 작품만 하고 끝나는 건 아니기에 개별 작품만 계약한 작가에 비해 더 세심한 관리를 받을 수도 있고, 작품 프로모션에 우선적으로 들어갈 수도 있습니다. 반면 단점으로는 매니지먼트 계약 조건에 2차적 저작재산권을 요구하는 경우가 많은데 이런 경우 추후 애매한 권리 문제가 생길 수 있습니다. 그렇기에 다른 계약과 마찬가지로 신중해야 합니다. 또한 편집이나 교정교열이 마음에 안 들어도 출판사를 쉽게 바꿀 수 없고, 바꾸려면 위약금을 물어야 할 수도 있습니다.

이렇게 장단점이 모두 있으니 이런 계약 역시 자신의 성향과 상황을 여러모로 점검해보고 결정해야 합니다.

공모전 당선으로 가는 길

• • •

웹소설 작가로 데뷔하는 다른 방법으로 공모전이 있습니다. 공모전의 장점은 무료 연재나 투고처럼 무한정 기다릴 필요가 없다는 점입니다. 수상작 발표일이 구체적으로 명시되어 있어 결과를 정확하게 알 수 있습니다. 상금을 받을 수 있는 것도 장점입니다. 가끔은 상금을 선인세격으로 주기도 합니다. 나중에 내가 작품으로 벌

돈의 일부를 먼저 주겠다, 즉 미니멈 개런티 개념으로요. 물론 이런 저런 조건 없이 상금을 주는 공모전도 있습니다. 또한 플랫폼에서 진행하는 공모전의 경우 플랫폼과 직계약을 맺을 수도 있습니다.

웹소설 관련 공모전을 어떻게 알 수 있을까요? 여러 정보 공유 커뮤니티를 이용하면 좋습니다. 예컨대 네이버 카페 '기승전결'에 가입해서 '각종 공모전 소식' 게시판에 들어가시면 웹소설 및 다양한 창작 공모전의 일정을 알 수 있어요. 앞으로의 공모전 일정에 대응하고 싶다면, 지난해에 올라온 공모전들의 일정을 확인해보세요. 달라지는 경우도 있지만 거의 비슷한 시기에 공모를 시작하니 참고하여 나만의 공모전 달력을 만들어놓으면 좋습니다.

'공모전을 알게 되었는데, 마감이 너무 촉박해.' 이럴 때는 작품이 미리 준비가 되어 있으면 가장 좋겠죠. 또한 공모전에서 원하는 분량의 작품이 여러 개 있으면 조금 더 당선 확률이 높아질 수도 있고요.

공모전 형식

공모전은 연재형 공모전과 투고형 공모전이 있는데 웹소설의 공모전은 '온라인 플랫폼에 작품을 직접 올려라.' 하는 연재형 공모전이 많습니다. '최소 30회', 혹은 '15만 자 이상을 연재해야 한다.' 등 어느 정도 분량을 요구하기도 하고요. 이런 연재형 공모전에서 중요한 건 흥미가 생기도록 심혈을 기울여 작품 소개를 써야 한다는 것입니다. 여기서 일단 관심을 끌어야 본 작품도 재미있게 읽을 수 있으니까요.

투고형 공모전의 경우 웹소설 시놉시스에 판가름이 납니다. 즉 '이 작품의 콘셉트가 무엇인가'를 중요하게 보는 거죠. 시놉시스나 기획안을 재미있게 써야 합니다. 그런 다음 공모전 주최측에서 원하는 분량에 맞춰 원고를 메일로 보내거나 온라인으로 접수하면 됩니다.

그 외의 데뷔 방법

• • •

만약 내가 올린 무료 연재가 인기작이 되지 못했고, 공모전도 떨어졌다고 해도 좌절할 필요는 없습니다. 만약 공모전이 300대 1의 경쟁률을 기록했다면, 300명이 한 학년인 학교에서 전교 1등을 해야 하는 거잖아요. 이게 쉽지는 않겠죠. 이때는 좌절하지 말고 출판사 투고를 돌려보세요. 만약 출판사에서도 모두 반려가 되었다고 해도 포기하지 말고 출판사에서 주는 피드백을 수용하여 작품을 수정하거나, 수정하기엔 너무 큰일이다 싶으면 이 피드백을 반영한 두 번째 작품을 쓰면 됩니다. 그런 다음 다시 투고를 돌리면 돼요. 이 외에도 웹소설 관련 분야에서 일하거나 정부지원사업을 통해 데뷔의 기회를 얻을 수 있습니다.

해당 분야에서 일하기

각종 취업 포털 사이트에 '웹소설'이라고 쳐보면 웹소설 편집이나 웹소설 PD 등 다양한 직군에서 웹소설 관련 직종이 나옵니다. 보통 웹소설에 대해서 공부하고 싶다고, 해당 직업을 알아보지는 않습니다. 그런데 생각해보세요. 웹소설 분야의 일원으로서 이 분야의 생리에 대해서 이해한다면, 작가로서 일하기 더 좋지 않을까요? 신인 웹소설 작가는 누구나 알아봐주진 않습니다. 그러나 편집 일을 한다거나 관련 PD로 근무한다면 확실히 인맥도 넓히고 교류를 할 수 있을 겁니다.

저 역시 이런 방법을 활용했습니다. 저는 드라마 작가가 꿈이었는데, 그 꿈을 이루기에는 기회의 문이 너무 좁았습니다. 저는 그때 작가로 데뷔하는 것을 대신해 드라마 제작사 기획 PD로 취업했습니다. 이를 통해 드라마 관련 인맥을 쌓고, 시장이 어떻게 움직이는지 이해하려 노력했습니다. 그렇지 않고 드라마 일을 시작했더라면 여러 번 어려움에 처했을지도 모릅니다.

아직 젊은 학생이라면, 혹은 길게 보고 웹소설 작가로 승부를 걸고 싶다면, 해당 직군에 취업해서 시장을 이해하는 것도 추천합니다. 웹소설 편집자가 되어 CP사에서는 어떠한 기준으로 작가를 선발하는지, 어떠한 작품이 통과되는지, 플랫폼의 온도는 어떤지 등을 직접 느껴보는 것이지요. 편집자적인 관점을 갖게 되면, 추후 내 작품을 쓸 때도 정말 도움이 많이 됩니다.

정부지원사업을 통한 신인 육성

우선 CP사에서 작가를 발굴하는 경로에 대해서 알아봅시다.

[도표 1-8]을 보면 CP사에서 작가를 발굴하는 방법은 작가나 업계 관계자의 지인 소개, 타사 작가의 영입, 무료 연재 작품 서칭, 작가 육성 프로그램을 통한 창작자 육성, 창작자의 직접 투고, 자체 공모전 등임을 알 수 있습니다. 이 중 처음 두 가지는 기존 작가를 발굴한 것이고, 나머지는 신인 작가를 발굴한 것입니다. CP사에서도 재능 있는 신인 작가를 발굴하기 위해서 많은 노력을 기울인다는 뜻입니다.

여기서 작가 육성 프로그램이란 정부나 공사 등에서 신인 작가를 발굴 육성하기 위해 작가 지망생들에게 창작 지원금을 지급하는 것입니다. 보통은 3월에 모집해 5월부터 사업화에 들어가 11월쯤에 결과 보고서를 제출해요. 이것이 정부 예산의 집행 사이클입니다. 이 사이클에 대해서 이해하고 있으면 어느 시기에 집중적으로 지원해야 하는지 알 수 있겠죠.

한국콘텐츠진흥원에서는 수많은 신진 작가 발굴 사업을 진행합

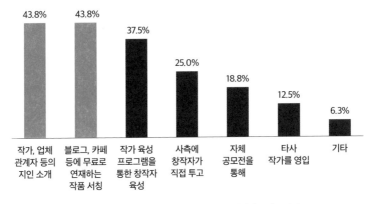

[도표 1-8] CP사의 작가 발굴 경로

- 43.8% 작가, 업체 관계자 등의 지인 소개
- 43.8% 블로그, 카페 등에 무료로 연재하는 작품 서칭
- 37.5% 작가 육성 프로그램을 통한 창작자 육성
- 25.0% 사측에 창작자가 직접 투고
- 18.8% 자체 공모전을 통해
- 12.5% 타사 작가를 영입
- 6.3% 기타

출처 : 한국콘텐츠진흥원(2018), 'IP 비즈니스 기반의 웹소설 활성화 방향'을 토대로 작성

니다. 예를 들면 '창의인재 동반사업'이 있습니다. 해당 멘토와 멘티를 연결해주고 매달 교육비를 지급하여 작가 지망생의 생계 안정에 도움이 될 수 있도록 합니다. 저도 여기 멘티 출신이에요. 그 외에도 플랫폼 기관과 협력한 다양한 신진 작가 데뷔 프로그램, 창작 관련 프로그램 등이 있습니다. 정부지원사업에 도전하여 사업 계획서를 쓰는 것이 공모전에 도전하여 상금을 받는 것보다 빠를 수 있습니다. 공모전은 신인 작가의 밥벌이에는 크게 관심이 없습니다. 좋은 작품을 수급하는 게 목적이니까요. 반면 정부지원사업은 신인 작가의 '생계 안정'이 목표입니다. 그래서 이 작가가 어떻게 성장할 수 있을 것인가, 어떻게 이 업계에서 자리 잡을 수 있게 하는가를 목표로 삼습니다. 그래서 다양한 전문가 1대 1 멘토링, 피드백 등을 통

해서 작가를 육성·성장시켜주려고 지원을 합니다. 이런 정부지원 사업은 홍보가 잘 안 되어 있는 경우가 많습니다. 그래서 신인 작가들이 일일이 사이트를 돌아다니면서 정보를 직접 수집해야 해요. 굉장히 홍보가 잘된 공모전에서 몇천 작품과 함께 경쟁하느니 덜 알려진 정부지원사업에 도전하는 것이 더 나을 수 있습니다.

또한 한국예술인복지재단에서는 예술활동증명을 통해서 예술인으로 등록이 가능합니다. 웹소설이라는 카테고리는 없지만 소설가로 등록이 가능해요. 여기서는 분기에 한 번씩 총 1만 2,000명에게 300만 원의 창작 지원금을 지급하고 있습니다. 이런 지원금에 도전하는 것도 좋습니다. 단, 예술인으로 등록하는 데에는 아주 긴 시간이 소요되니, 미리미리 등록 신청을 해놓는 게 좋습니다.

한국문화예술위원회 사이트에도 들어가보세요. 각 지역별로 '문화재단' 홈페이지에 들어가면 시도 광역자치단체에서 진행하는 각종 창작 지원사업이 있습니다. 생계가 막막한 신인 작가일 때에 이런 정부지원사업을 적극 활용하면 내 작품을 완성하는 데 마중물을 얻으실 수 있습니다.

웹소설 작가를 꿈꿔야 하는 이유 vs. 추천할 수 없는 이유

추천하는 5가지 이유

1. 앞으로의 세대에 익숙한 콘텐츠

앞으로의 세대는 아마 유튜브 콘텐츠 등에 더 익숙하지 않을까요? 요새는 나이가 있으신 분들도 TV 방송보다는 유튜브에서 취향에 맞는 콘텐츠를 찾아보시더라고요. 그럼, 이건 어떤가요? 청소년층이 웹툰을 볼까요? 아니면 만화방 가서 종이책을 빌려 볼까요? 웹소설에 익숙할까요? 아니면 종이책 소설에 익숙할까요?

예능 프로그램인 <놀면 뭐하니?>에서 싹쓰리가 1990년대 레트로 스타일의 음악을 발표해 큰 인기를 끌었죠. 인기의 요인 중 큰 부분은 바로 그 시대에 음악을 향유한 계층이 현재의 주요 문화 소비층이 되었기 때문입니다. 생각보다 사람의 취향은 잘 안 변해요. 10대에 들었던 음악을 계속해서 듣는 거죠.

그렇다면 웹툰, 웹소설을 보고 자라나는 지금의 10대들이 향후 파워풀한 주요 소비층이 되었을 때 그들이 어떤 콘텐츠를 즐겨 볼까요? 창작자는 바로 이렇게 시대 흐름, 즉 문화 소비층의 트렌드에 맞는 콘텐츠를 제공해야 합니다. 그러니 웹소설이 앞으로 대세인 시장이 분명히 올 테니 미리 대비해야겠죠?

2. 웹소설 시장이 커지고 있다

코로나를 경험한 우리는 비대면, 언택트, 콘텐츠 산업의 성장을 지켜봤고, 이런 흐름은 앞으로도 계속될 것입니다. 이런 부분을 이미 경험하면서 즐거움을 느낀 이들이 지속적으로 넷플릭스, 유튜브, 웹툰, 웹소설 등의 콘텐츠를 즐긴다는 거죠.

앞으로 종이책 시장이 더 커질 거라는 전망은 들어보지 못했습니다. 미디어가 아날로그에서 디지털로 바뀌어가고 있기 때문이죠. 순문학 시장은 아직까지 종이책을 전제로 한 시장입니다. 전자책이 있기는 하지만, 웹툰, 웹소설처럼 모바일에 보기 적합한 콘텐츠로 변화했다고 보기는 어렵습니다. 스마트폰 시대에 가장 적합한 스토리텔링 방식으로 진화한 것이 바로 웹툰, 웹소설입니다. 우리가 금을 캐려고 할 때 우리 집 앞에서 캐는 게 좋을까요, 아니면 금광 앞에서 캐는 게 좋을까요? 저는 이왕이면, 점점 더 성장해나갈 시장에서 활동하라고 추천하고 싶습니다. 아무래도 더 많은 기회가 주어질 테니까요.

3. 내면의 창작욕

우리가 학창 시절에 '내 공부'를 했나요? 아니요. 그것은 대학 시절에나 가능한 일입니다. 고등학생까지는 주어진 교과과정을 잘 학습한 친구가 시험 만점을 받고 좋은 성적을 받고, 칭찬받았습니다. 내가 교과과정을 정하는 게 아니었죠.

직장인이 되면 '나의 일'을 하나요? 아니요. 직장은 이윤을 목표로 일을 분배해서 하는 집단입니다. 모든 일을 내 식대로 할 수 있는 건 아닙니다. 회사에서 돈이 안 벌리는 일을 할 리가 없잖아요. 진정한 자아실현을 회사에서 하면 좋겠지만, 회사는 내 뜻대로 움직여주는 곳은 아닙니다.

남이 주는 목표는 그렇게 신나지 않아요. '내 거' 해보고 싶다, '나만의 세계'를 만들어보고 싶다. 이건 누구나 보편적으로 가진 꿈일 겁니다.

그런 분들에게 웹소설로 '나만의 작품'을 만들어보라고 추천해드리고 싶습니다. 시간만 투자하면, 별로 돈은 들지 않아요. 자리에 앉아서 노트북으로 원고를 쓰면 되는 일이죠. 세상의 간섭 없이 나만의 세상을 그려나가고 싶은 분들은 내면의 창작욕을 풀어내기에 웹소설만큼 좋은 건 없을 거예요. 누구나 할 수 있으니 꼭 시작해보세요.

4. 저작권 수입

대부분의 노동자들은 시간을 팔아 돈을 법니다. 보통 아침 9시부터 오후 6시까지 회사에 가면 꼼짝없이 일해야 하는 시간이죠. '나는 3시간만 일할래.'라고 한다면 어떨까요? 함께 일하는 모든 동료들에게 피해가 가는 일이 될 겁니다.

하지만 저작권 수입을 생각하면 조금 이야기가 달라질 수 있습니다. 저작권 수입은 한번 글 쓸 때 고생하면, 이후에도 지속적으로 연금 받듯이 돈을 벌 수 있습니다. 남들은 만 65세가 넘어야 받을 수 있는 연금을 젊은 나이에도 탈 수 있는 거죠.

적정한 시간을 안배해서 일하고, 쉬면서 원고를 쓰면 됩니다. 창작자에게 쉬는 시간은 매우 중요하니까요. 오로지 창작 노동으로 직장인처럼 1년 내내 쉴 새 없이 일만 하면 점점 더 고갈되고 소진되거든요. 더 이상 좋은 작품이 나올 수 없습니다. 그런데 일을 쉴 때 생계가 곤란해진다면 재충전의 시간을 가질 수가 없겠죠. 하지만 내 작품이 스테디셀러가 된다면 계속해서 저작권 수입이 들어올 수 있습니다. "그걸 왜 모르겠어요? 누구나 그렇게 되는 건 아니잖아요?"라고 하실 수도 있습니다. 하지만 웹소설 분야에는 분명 기회가 많고, 방법을 알면 충분히 가능한 일입니다. 그 방법은 이 책에서 함께 찾아보실 수 있을 거예요.

5. 협업이 적다

웹소설은 협업이 적다는 것을 장점이라고 이야기하면 "이게 왜 장점이지?" 하고 되물으실 분도 분명히 있을 것 같아요. 직장생활을 해보지 않은 채 고등학교, 혹은 대학교를 졸업하자마자 글만 쓰고 싶다는 분들도 있겠지만 저는 말리고 싶습니다. 왜냐하면 협업이 뭔지는 일단 배워야 한다고 생각하기 때문이에요. 사회생활은 모든 게 협업이니까요.

우리가 회사를 다닐 때 일 자체로 힘든 것도 있지만, 인간관계에서 더 힘든 경우가 많아요. 어딜 가나 내 인생의 빌런들은 꼭 존재한단 말이에요. 그런 모든 상황들을 어느 정도 겪어보면서 협업과 잘 맞는지, 맞지 않는다면 왜 그런지를 스스로 파악해볼 수 있어요.

물론 웹소설 분야에도 협업은 있습니다. 교정교열을 담당하는 편집자도 있고, 내 작품의 담당자도 있습니다. 하지만 내 상사는 아니에요. 이 분들과의 인간관계에서는 세 가지만 잘 지키면 됩니다.

- 글을 재미있게 쓴다.
- 마감을 잘 지킨다.
- 상대를 예의 있게 대한다.

웹소설 분야는 작가가 마감만 잘 지킨다면 그렇게까지 급한 일은 잘 없어요. '소통은 카톡, 메일로 해주세요.'라고 하면 웬만하면 그렇게 해주십니다. 이러면 작가가 너무 고립되는 건 아닌지 걱정될 수도 있습니다. 하지만 동료 작가들과 친해지다 보면 고립감은 어느 정도 해소됩니다. 오히려 불필요한 인간관계에서 벗어나 나만의 작품에 집중할 수 있는 거죠.

절대 골방에 틀어박혀서 글만 쓰라는 이야긴 아닙니다. 전업 작가가 될 경우 사회생활이 아예 없는 건 아니지만 그래도 선택이 가능하다는 뜻입니다.

이렇게 보면 웹소설 작가, 안 할 이유가 없는 최고의 직업이죠. 하지만 무턱대고 이 직업을 추천할 수 없는 이유가 또 있습니다.

추천할 수 없는 3가지 이유

1. 직업병

'허리디스크, 목디스크, 갑상선 질환···, 급사' 극단적인 얘기 같지만 프로 웹소설 작가 중에 직업병을 하나쯤 안 갖고 계신 분은 없습니다. 어느 웹소설 댓글을 보니 분위기가 추모였는데, 글 쓰다가 과로사, 급사하셨다는 거예요. 저는 너무 충격을 받았습니다. 놀랍게도 이 분야에서는 잊을 만하면 이런 소식들이 꼭 한 번씩 들려와요. 웹소설 작가는 왜 자꾸 과로사한다는 얘기가 들리는 걸까요.

판타지 분야 작가님은 이야기의 끝이 없이 500~1,000회씩 씁니다. 하루에 4,000~6,000자 정도를 이야기를 생각이 나든 안 나든 매일매일 써내야 하는 거죠. 게다가 꾸준한 퀄리티가 나오지 못하면 독자들의 무서운 질책이 이어집니다.

창작의 고통은 단순히 멘탈로 오는 게 아니라, 몸으로 옵니다. 그 정도 과로했을 때 몸이 버티질 못하기 때문에 철저한 자기 관리가 필요합니다. 어느 순간에는 필력보다 체력이 중요한 날이 분명히 옵니다. 이런 걸 알고 시작해야 하고 운동 및 식단, 건강 관리를 필수로 해야 합니다. 모르고 시작하면 건강을 잃고 나서 후회합니다. 건강으로 바닥을 치면, 그래서 또 1~2년 동안 글을 못 씁니다. 남보다 잘 버는 원고료도 1~2년 글을 못 쓰면 다시 원점이에요. 이건 바로 제 이야기이기도 합니다. 글을 써서 번 돈을 모두 다 병원비로 지출해본 자의 후회이죠. 건강해야만 글도 꾸준히 쓸 수 있다는 걸 기억하세요.

2. 엄청난 연재량과 업무량

소위 잘나가는 작가는 연재를 매일 합니다. 일이 되든 안 되든 스스로 일을 마무리해야 합니다. 오늘은 운이 좋아서 3시간 만에 끝냈면 나머지 시간은 종일 놀아도 됩니다. 짜릿하겠죠. 그런데 하루 종일 글이 나오지 않아서 연재를 올리지 못했다는 건 있을 수 없는 일입니다. 작가가 '제가 성실하지 못해서 휴재합니다.'라고 올리면 댓글이 난리가 나겠죠. 웹툰 작가님들은 코로나에 걸려도 마감하고, 마감하느라 결혼식을 못 올린 분도 있을 정도입니다. 그만큼 성실성은 필수입니다. 프리랜서이지만 규칙적으로 일해야만 마감을 소화할 수 있으니까요.

3. 악플

예상하시겠지만 악플이 달렸을 때 작가는 굉장히 고통스럽습니다. 그렇다고 전혀 방법이 없는 것은 아닙니다. 나중에 경험이 쌓이다 보면, 악플이 달리지 않게 이야기를 구성하는 법을 알게 돼요. 주인공이 욕먹지 않게 이야기를 세팅하고, 혹은 마무리를 어떻게 해주느냐에 따라 악플의 온도가 달라집니다. 이건 점점 요령이 생기는 부분도 있어요.

그렇다고 악플을 견뎌야 한다는 건 절대 아닙니다. "나는 어떤 악플도 견딜 수 있어."라는 말은 '내 멘탈이든 몸이든 어디든 고장 날 준비가 될 수 있어.'와 같은 뜻입니다.

누구나 악플을 보면 기분이 확 상해요. 하지만 우리 모두 성인이고 판단력을 갖춘 사람이에요. 사실 악플러는 2퍼센트이고, 나머지 98퍼센트는 그냥 작품을 봐주십니다. 그 2퍼센트의 의견에 내 글에 대한 평가가 좌지우지된다는 게 좀 속상하지만 그래도 묵묵히 봐주고 있는 더 많은 독자들을 생각해주세요.

2장

잘 팔리는 웹소설,
기획에
승부를 걸어라

어떤 스토리가 먹힐까?

웹소설이 무엇인지 알았다면 이제 우리가 고민해야 할 것은 '도대체 무슨 이야기를 쓸 것인가?'입니다. 이에 대한 답을 간단하게 정리하면 이렇게 말할 수 있습니다.

　첫째, 내가 너무 재미있어하는 이야기

　둘째, 내가 너무 사랑할 수밖에 없는 캐릭터

　셋째, 그래서 꼭 완성해보고 싶은 이야기

　내가 가장 재미있어하는 이야기를 찾아야 합니다. 누구보다 나의 취향에 대해 잘 알아야 하죠. 취향에 맞지 않는 글을 길게 쓰는 것만큼 고역은 없습니다. 만약에 내가 싫어하는 글의 장르를 오로지 인기를 위해 성공적인 데뷔를 위해 쓴다면 글쓰기에 흥미를 영영 잃을 수 있습니다.

내가 재미있는 이야기에서 출발하라

• • •

어떤 이야기를 쓸지 결정하기에 앞서 가장 먼저 고민해야 할 것이 '나의 취향은 무엇인가?'라면 어떻게 찾을 수 있을까요? 나의 취향을 찾아보는 방법 중 하나는 어떤 작품을 보고 생각해보는 겁니다. 작품을 그냥 보는 것이 아니라 내가 이 작품을 보았을 때 느꼈던 재미 포인트는 무엇일까, 여기에 어떤 이야기가 보강되면 더 재미있었을까, 나는 어떠한 점에서 감동을 받았을까를 고민해보는 겁니다. 어떤 장르의 콘텐츠이건 다 괜찮습니다. 지금껏 내가 가장 재미있었다고 느낀 작품이 무엇이었나요? 드라마, 영화, 웹툰, 웹소설, 소설 모두 포함해서 꼽아도 좋습니다.

예를 들어 드라마 〈도깨비〉를 재미있게 봤다면 내가 이걸 왜 재미있게 봤는지 분석해보는 것입니다. 배우의 연기나 감독의 연출보다 작가적인 관점에서 스토리나 캐릭터적인 측면을 우선적으로 분석해야겠죠? 도대체 뭐가 그렇게 재미있었지? 천천히 생각해보고, 그에 대한 자신만의 답을 글로 정리해보세요. 말로 설명할 때와 글로 차분히 정리해볼 때는 또 다르기 때문입니다.

반대로 재미가 없었던 작품에 대해서도 왜 그렇게 느꼈는지 일단 적어보세요. 어떤 작품을 감상할 때마다 '감상 노트'에 간단한 평을 적어놓는 것도 방법입니다.

현실에서 출발하기

이야기를 도대체 어디에서부터 시작해야 할까. 이야기의 생동감을 위해서 '나의 경험'에서 출발하는 것도 좋습니다. 자신이 주인공인 이야기를 쓰라는 것은 아닙니다. 웹소설은 장르화된 규칙이 있다고 말씀드렸죠. 웹소설 독자들은 답답한 현실, 팍팍한 세상살이에는 그닥 관심이 없습니다. 그렇다면 어떤 이야기를 듣고 싶어 할까요?

내가 해보고 싶은 연애, 로맨스, 내가 만들어나가고 싶은 세상, 내가 히어로로 인정받고 싶은 세상이 웹소설에 그려져 있습니다.

자신에게 물어보세요. 내 이야기 중에서 사람들의 로망을 자극하는 것이 무엇인지요. 단 여기엔 반드시 상상력이 가미되어야 합니다. 웹소설 시장은 상상을 현실로 만들어내는 곳입니다. 현실에서는 이루기 힘든 일이 웹소설의 세계에서는 마법처럼 이루어집니다. 즉 이야기의 현실은 나에서 출발하지만, 결국은 '내가 되고 싶은 모습'을 그려내야 합니다.

소재는 어떻게 찾을까?

작품을 쓰는 목표는 무엇일까요? 저는 창작자 자신의 재미를 위해서라고 생각합니다. 내가 쓰고 싶은 이야기와 쓸 수 있는 이야기 중에서 내가 가장 재미있게 쓸 수 있는 이야기를 골라서 나라는 청중을 가장 재미있게 해줄 수 있는 이야기를 하는 것이 결국은 내가 가장 즐거워지는 길입니다.

그럼 궁금증이 생길 것 같습니다. 내가 쓰고 싶은 글이 장르 문학 독자들이 좋아하는 이야기일까요? 독자들이 듣고 싶어 하는 이야기일까요?

이를 충족하려면 내 이야기를 장르물로 만들어야 합니다. 각각의 장르 소설에서는 장르 소설 세계에만 통용되는 코드가 있습니다. 이는 다독으로 파악할 수 있습니다. 그리고 내 경험을 코드화시킬 수 있어야 합니다. 장르물에 맞게 캐릭터를 변신시켜야 한다는 뜻입니다.

예를 들어 〈중증외상센터: 골든 아워〉의 한산이가 작가님은 실제로 이비인후과 의사 선생님입니다. 의사로서의 경험을 바탕으로 이 작품을 집필했고, 그야말로 대박을 터뜨렸습니다.

저 역시 웨딩 분야에서 일했던 경험을 바탕으로 웨딩 플래너가 주인공인 소설 〈밀당의 요정〉을 집필했습니다. 신랑 신부를 상대했던 경험이 있으니 아무래도 더 실감 나게 소설에 녹여낼 수 있었습니다. 이처럼 실제의 나를 그대로 소설에 옮기는 것이 아니라 장르물의 코드에 맞게, 법칙에 맞춰 경험을 반영해내는 것이 중요합니다.

계속 쓰고 싶다면 이미 재능은 충분하다

• • •

자, 이제 한 가지 질문이 남았습니다. 과연 내게 글쓰기의 재능이 있는 걸까? 그럼 재능이란 무엇일까요? 재능이란 어떠한 분야에 대해서 지속적인 관심과 흥미를 가지고 도전하는 것이라고 생각합니다. 뭔가를 잘해야 한다는 뜻이 아닙니다.

내가 비행기 조종에 재능이 있는지, 활쏘기나 총 쏘기에 재능이 있는지, 큰 무대에서 코미디를 할 수 있는 재능이 있는지, 알고 계시나요? 그건 나도 안 해봤으니 알 수가 없지요. 아직 충분히 시도해본 적이 없으니까요. 만약 흥미가 있었더라면 도전을 해봤을 겁니다.

얼마 전에 남편의 머리를 직접 잘라주고, 파마를 해줬어요. 근데 평소에 가는 미용실에서 하는 것보다 더 잘된 거예요. 파마를 처음 말아봤는데 말이죠. '어머, 내가 미용에 재능이 있었네. 진작 미용사로 나갈 걸 그랬나?' 하지만 저는 미용에 재능이 없습니다. 지속적인 관심과 흥미를 유지하면서 도전할 마음이 없으니까요. 그 정도로 미용이 재미있지는 않아요. 업으로 삼을 만큼 열과 성을 다할 생각도 없고요.

그런데 여러분이 글을 쓰고 싶어요. 앞으로도 계속 쓰고 싶고, 왠지 글쓰기가 재미있는 것 같다면 이미 재능이 있는 겁니다. 흥미가 있는데 방법적인 부분을 알지 못해 도전하지 못했던 거일 수도 있습니다. 그리고 방법론은 이렇게 책이나 강의를 통해서 알아가면 될 뿐이죠. 〈미생〉의 윤태호 작가님은 "버티는 것까지가 재능이다." 라고 했습니다. 창작계, 예술계에는 정해진 답이 없기 때문이죠.

《그릿》에는 "시작은 누구나 한다. 그러나 완성은 아무나 하지 못한다. 성공의 정의는 끝까지 해내는 것이다."라는 말이 있습니다.

여러분이 만약에 글쓰기를 하고 싶다면, 앞으로도 계속 쓰고 싶다면 그것이 곧 재능입니다. "저에게 가능성이 있나요?" 그건 다른 사람에게 묻지 말고 스스로에게 물어보셔야 해요. 이 글을 완성해낼지, 못할지는 본인만 아는 거니까요. '나는 끝까지 해낼 거야!'라고 다짐했다면 나에게 재능이 이미 있다고 스스로 믿고, 마지막까지 글을 완성해보세요.

매혹적인 로그라인 쓰기

본격적인 글쓰기를 시작하기에 앞서 로그라인 설정이 필요합니다. 로그라인이란 이야기의 방향을 설명하는 딱 한 문장입니다. 혹은 한 문장으로 요약된 줄거리라고 할 수 있습니다.

　로그라인은 작품에서 정말 중요한데요. 왜 그럴까요? 바로 스토리의 차별화 포인트와 특이점이 드러나기 때문입니다. 그 한 줄에 캐릭터와 이야기의 아이러니가 다 보이는 것이 가장 좋은 로그라인입니다. 유명 작가들 역시 공들여 쓴 로그라인을 작품 기획안이나 시놉시스의 가장 잘 보이는 곳에 배치합니다. 바로 로그라인을 통해서 사람들을 유혹하는 것이죠. '내 스토리가 너무 재미있어, 그러니까 한번 읽어봐!' 하고요.

로그라인이 왜 중요한가요?

• • •

세상은 넓고 콘텐츠는 다양합니다. 로그라인이 차별화되지 않으면, 사람들은 그 콘텐츠를 선택할 이유가 없습니다. 이야기가 비슷비슷해 보이거나 뻔해 보이면 작품을 보지 않잖아요. 요즘처럼 많은 선택권이 주어지는 시대에는 더더욱 로그라인 한 줄에 차별화 포인트가 꼭 있어야 합니다.

여러분이 어떤 콘텐츠를 볼 때 이미 머릿속으로 로그라인을 써내고 이걸 볼지 말지 결정하고 있거든요.

그럼 우리가 잘 아는 작품들의 로그라인을 한 번 살펴볼까요?

캐릭터 → 캐릭터의 대립 → 이야기의 장르 →

모니카 벨루치와 일용이가 뜨끈하게 사랑하는 얘기.

근데 맨날 사랑만 하진 않는 얘기. 진짜 사람이 사는 얘기.

휴머니즘 장르 정의 ←

– 임상춘, 드라마 〈동백꽃 필 무렵〉

사건 → 이야기의 차별화 포인트 캐릭터 →

'어느날 돌풍 타고 북한에 불시착한 남한 상위 1% 상속녀와

캐릭터 간의 대립

조국을 버릴 순 없지만 자기 자신은 버릴 수 있는 북조선 특급장교의

캐릭터 →

위험해서 재미있고, 달달해서 더 절절한……

이야기의 분위기

상호불통 절대 극비 통일 염원 러브 스토리!' → 장르

– 박지은, 드라마 〈사랑의 불시착〉

어떤가요? 〈사랑의 불시착〉의 로그라인을 보면 이런 생각이 들겠죠? '현빈이 북한의 특급장교래. 손예진이 남한 재벌이래. 손예진이 패러글라이딩 타고 북한에 불시착하게 되면서 시작되는 사랑 얘기래.'

이렇게 로그라인 안에 대략의 캐릭터와 스토리, 장르가 다 드러나 있으니 이걸로 볼지 말지를 결정하게 되는 겁니다.

심지어 각종 공모전 심사의 경우 로그라인 한 줄로 당락이 좌우됩니다. 내가 몇 날 며칠 열심히 쓴 작품을 공모전 심사위원들이 처음부터 끝까지 세세하게 읽어주면 좋겠지만, 대부분 그렇지 않습니다. 일단 가장 첫째 장에 쓴 로그라인을 보고 일차적으로 거르고, 로그라인이 괜찮은 작품만 집중해서 읽고 심사를 합니다. 본문은 아주 재미있는데, 로그라인이 매력적이지 않아 제대로 평가받을 기회조차 얻지 못하는 억울한 일이 생길 수도 있다는 겁니다.

독자를 사로잡는 로그라인 쓰는 법

• • •

로그라인에 포함되어야 하는 내용을 크게 정리하면 다음과 같습니다.

로그라인의 구성

- **캐릭터** : 간단한 캐릭터 설명

- **아이러니** : 의도했던 것과 상반된 결과가 나온 상황

- **훅** : 이야기에 몰입하게 하는 한 방의 포인트

- **딜레마** : 두 가지 중 하나를 골라야 하는 상황을 나타내는 말. 주인공의

  딜레마까지 로그라인에서 유추할 수 있으면 가장 좋다.

- **엣지** : 이야기에서의 차별화 포인트

- **갈등 포인트** : 캐릭터 간의 충돌과 상호 대립점

로그라인을 잘 쓰고 싶다면 먼저 다른 작품의 로그라인을 직접 써보며 연습을 해보세요. 좋아하는 드라마, 영화, 소설, 웹소설 등의 로그라인을 직접 써봅니다. 10개 이상 정리해놓으면 좋습니다. 그리고 그 로그라인의 성공 비결이 무엇이었는지 분석합니다. 그 한 줄 안에 어떤 흥행 포인트가 있었는지 찾아보는 것이죠.

'북한에 불시착? 지금껏 드라마 중에서 북한을 배경으로 한 이야기는 없었는데? 너무 신선한데?'

이렇게 분석하면서 직접 첫 번째 써놓았던 로그라인을 여러 번 수정해서 더더욱 재미있는 로그라인으로 바꾸어봅니다. 이렇게 하면서 단 한 줄로 승부를 내는 로그라인을 써보는 연습을 해보세요.

로그라인에도 필수템이 있습니다. 간단한 수식어를 붙여 캐릭터

를 설명합니다. 그리고 이 캐릭터 간 충돌, 갈등이 있으면 좋습니다. 주인공의 목표도 설정되어 있습니다. 여기에 상황의 아이러니, 극적 아이러니가 있다면 금상첨화겠죠. 신선함, 대중성, 홍행성까지 있다면 최고입니다.

만약 어느 작품의 로그라인만 봤는데 이야기가 재미없게 느껴질 수도 있습니다. 이야기가 너무 식상하거나, 갈등의 진폭이 작아 보일 때, 이야기의 스케일이 작아 보일 때, 관심 있는 이야기 장르가 아닌 경우, 혹은 캐릭터가 진부해 보일 때가 그렇습니다. 이런 작품을 사람들이 굳이 선택하지 않을 겁니다.

자신이 쓴 로그라인도 이런 기준에 따라서 점검해보고, 수정하면서 보완하면 됩니다.

로그라인
쓰기 연습

먼저 재미있게 본 작품의 로그라인을 정리해보세요. 최소 10개의 작품에 대한 로그라인을 정리합니다. 그런 다음 자신이 쓰고자 하는 이야기를 강렬한 한 줄로 표현해보세요.

캐릭터, 캐릭터의 충돌과 갈등, 주인공의 목표, 차별화 포인트, 장르 등이 잘 드러나게 작성하고 거듭해서 수정해보세요.

아이템, 어떻게 찾을까?

기가 막힌 로그라인을 쓰려면 아이템이 있어야겠죠? 지금부터 어떻게 아이템을 개발해야 하는지 그 방법에 대해서 알아보겠습니다.

아이템 기획하기의 시작

· · ·

일단 무엇이든 생각나는 키워드를 노트에 적습니다. 중요한 건 손으로 적는 겁니다. 손으로 쓰면 워드로 작성할 때와 또 다른 창의성이 나오거든요. 키워드에서 키워드로, 자유롭게 쭉쭉 뻗어 나가면서 마인드맵 형식으로 적어봅니다.

그 아이디어가 처음부터 정리된 언어로 나오지는 않아요. 그리고 스스로 대화를 해봅니다. 혼자만의 아이템 회의를 시작하는 거죠.

> » '밀당'이라는 소재를 가지고 현대물 로맨스를 써보면 어떨까? 제목에 밀당
> 이 들어간 로코는 많지 않았던 것 같은데. 이야기의 전체 콘셉트가 밀당이어
> 도 재미있을 것 같은데.
>
> » '좀비물'을 나만의 색깔로 비틀어내면 어떨까? 좀비가 무식하게 소리 지르
> 는 좀비물 말고, 똑똑한 좀비물이 있으면 좋겠어.

〈밀당의 요정〉은 제목만으로 이야기가 출발했어요. 전작을 쓰다가 이 워딩이 딱 떠오르는 순간! 이건 차기작 제목이라는 느낌이 딱 오더라고요. 제목을 일단 정해놓고, 그 안에 어떤 이야기가 들어가면 좋을 찬찬히 채워 넣는 것이죠.

그다음엔 남에게 설명하듯 이야기를 써봅니다. 옆에 있는 사람한테 "이 아이템 어때?"라고 소개하듯이요.

제가 〈금혼령, 조선혼인금지령〉을 맨 처음 기획했을 때 남동생에게 보냈던 실제 메일을 보여드릴게요. 당시 동생이 상하이로 유학을 가 있어서 메일로 이런저런 아이디어가 어떤가 물어보고, 피드백을 받고는 했거든요.

'금혼령'이라는 키워드가 되게 재미있었어.

나라에서 결혼을 못 하게 하는 거잖아. 왕이 결혼해야 하니까.

거기서 아이디어를 더한 게 '만약에 이 금혼령이 7년째 이어진다면' 이거거

든. 백성들이 전쟁, 가뭄, 천재지변보다도 더 힘들어하지 않을까 싶은 거지.

그때는 자유 연애 시대가 아니었으니까 결혼 전에 남녀는 만나지도 못하거든.

절대 서로 마주치지도 못 하는데 첩실을 들이는 것도 안 되고 노비 반상이 결혼

을 하는 것도 안돼….

나라에서 사랑을 공식적으로 금지한다면 그 시대 남녀들은 '사랑'을 안 하진

않았을 거고 어떻게든 시대의 눈을 피해 '사랑'을 하거나 부부의 연을 맺었을

렌데~. 거기서 나오는 에피소드들이 재미있지 않을까.

예전에 미국에서 '금주령'을 내리고 난 뒤에 더욱 마피아도 많아지고 범죄율도

높아졌다고 하잖아.

친구들한테도 "7년간 금혼령이 내려지면 어떻게 할 거 같애?"라고 물어보니

바로 자신의 이야기로 받아들이더라고.

"난 죽을 거야. 청나라로 이민갈 거야."

"죽어버릴 거야…"라는 의견이 대세임.

센세이션한 소재가 될 수 있을 거라고 생각함!!

아이템이 괜찮다 싶으면 개발해보겠음!!!

이건 당시 긴 시간 동안 자료 조사를 하다가 힘들게 찾은 아이템

입니다. 조선에서 왕실의 간택을 할 때 '금혼령'이 내려졌다는 것은 모두가 알고 있는 사실이잖아요. 그런데 이걸 백성의 입장에서 생각해본 적이 없더라고요. 혼인을 앞두고 있는 청춘 남녀에게 '금혼령'이 내려진다는 것은, 운명이 뒤바뀔 만한 큰 사건이 될 수 있을 것 같았어요. 그렇게 금혼령이라는 아이템을 발견하고 '유레카'를 외쳤지요. 제 동생은 좀 시크한 스타일이라서 '재미있네, 써봐.' 이렇게 한마디로 답장을 주더라고요. 독설꾼 캐릭터인 동생의 반응이 이 정도라면 '매우 좋다는 뜻이구나.' 하고서 그때부터 아이템 개발에 들어갔습니다.

맨 처음에 아이템을 발굴할 때 이런 식으로 누군가에게 설명해주듯이 이야기를 자연스럽게 써보세요. 이때 내용이 구체적일 필요는 없습니다. 마음 가는 대로, 의식의 흐름대로, '어떤 배경에서 어떤 에피소드와 어떤 사건을 엮어서 어떤 분위기의 내용을 진행할 거야.' 이렇게 쓰면 됩니다. 대화체도 좋고 반말로 써도 좋습니다. 초기 아이템과 친해지는 단계라고 할 수 있죠. 이런 아이템 노트를 여러 개 써놓아야 그중에서 가장 좋은 걸 고를 수 있습니다.

> 7년째 금혼령! 조선 청춘 남녀는 그 누구도 혼인할 수 없다?! 과거 조선에서는 왕비나 세자빈을 간택할 때 백성들의 혼인을 금하는 '금혼령'을 내렸다. 그런데 그 금혼령이 7년째 이어졌다고?! 7년 전 세자

빈을 잃고 폭군이 되어버린 왕 이헌에게 죽은 세자빈으로 빙의할 수 있다는 여자, 예소랑이 나타난다! 알고 보니 그녀는 신기라곤 하나도 없는 순 사기꾼! 이 빙의가 모두 뻥이었어?! 이제 금혼령을 끝내기 위한 그녀의 통 큰 사기극이 시작된다!

이것이 바로 최종적으로 완성된 소개글입니다. 맨 처음에 자연스럽게 썼던 글에 캐릭터를 붙이고, '궁중 사기극'이라는 장르를 더해서 아이템을 완성했습니다. 처음부터 바로 로그라인이 나오기 힘들다면, 소개글의 첫 문장, 작품의 메인 카피 등을 써보면서 자연스럽게 살을 붙여나가는 것도 좋습니다.

아이템을 발굴하는 8가지 방법

• • •

수천수만 가지의 이야기 중에서 나만의 아이템을 개발하기 위해서는 어떻게 해야 할까요? 다음의 방법들을 활용해보세요.

아이템 기획의 8가지 방법

- 철저한 시장 조사
- 세밀한 자료 조사

- 장르와 장르를 결합해보기
- 고전 비틀어보기
- 낯선 조합을 시도해보기
- 다른 시대에 던져놓기
- 남녀의 성별 바꾸기
- 이야기 확장해보기

첫 번째는 철저한 시장 조사입니다. 예전에 드라마 제작사에서 기획 PD로 일할 때 시중에 나와 있는 100개 이상의 원작 로그라인을 직접 정리한 적이 있습니다. 아이템의 신선도와 흥행성, 대중성을 나름대로 평가해보면서 원작을 보는 안목을 기르는 훈련을 했습니다. 기존 원작의 아이템 중에서 새롭게 발전시킬 수 있는 코드가 무엇이 있을지 생각해보면서 분석했습니다.

두 번째는 세밀한 자료 조사입니다. 관심 분야의 책을 읽는 것은 물론이고, 사극 혹은 시대극이라면 역사 기록물을 찾아보며 아이템에 관련된 자료를 조사합니다. 요즘은 전문 유튜버가 해당 콘텐츠에 대해서 자세하게 해설해주는 영상도 많은데 이런 자료들을 보면서 그들이 말하는 주요 키워드를 적고, 내 아이템이 될 만한 게 없는지 찾아보세요.

〈그것이 알고 싶다〉와 같은 탐사 보도 프로그램을 보면서는 주로 프로그램이 다루는 '사회악' 관련 내용에서 이야기의 안타고니스트 (추후에 자세하게 설명해드릴게요. 일단은 이야기의 '악당' 개념으로 이해하시면 됩니다.)를 설정하는 아이디어를 얻기도 합니다. 안타고니스트에서 출발하는 이야기가 만들어지는 기초 공사인 셈이죠.

이런 방식으로 자료 조사를 세밀하게 많이 하다 보면 어떤 단어에 딱 꽂히게 돼요. 시대적 상황일 수도 있고, 이야기의 핵심 키워드일 수도 있습니다. '이거 재미있겠는데. 발전시켜볼까?' 하는 생각이 드는 것이 바로 아이템 기획의 시작입니다.

세 번째는 장르와 장르를 결합해보는 것입니다. 요즈음은 두 가지 이상의 장르를 결합해 복합적인 재미를 주는 이야기가 많습니다. 그러려면 일단 각 장르에 대해서 잘 알고 있어야 합니다. 예를 한 번 살펴보겠습니다.

- 가족극 + 블랙 코미디 = 영화 〈기생충〉
- 호러물 + 로맨틱 코미디 = 영화 〈오싹한 연애〉
- 범죄물 + 로맨틱 코미디 = 영화 〈달콤 살벌한 연인〉
- 좀비물 + 로맨틱 코미디 = 영화 〈웜 바디스〉

내가 생각해낸 캐릭터와 아이템이 조금 뻔한 것 같다면 이를 전혀 다른 장르, 새로운 배경에 던져놓는 것도 방법입니다. 그러면 그들이 거기서 살아남기 위해서 나름의 이야기를 창조해낼 것입니다.

네 번째 방법은 고전을 새로운 관점으로 비틀어보는 겁니다. 이미 모두가 알고 있는 이야기를 색다르게 비틀어보는 것도 아이템 개발의 방법입니다.

제 미공개 습작 중에 〈공주와 거지〉라는 작품이 있는데, 고전인 〈왕자와 거지〉를 재해석한 작품입니다. 내용을 간단하게 소개하면 우아한 재벌 2세 상속녀 공주디와 냄새 풀풀 날리는 상거지 여형사 권지호. 두 사람은 일명 '살캥이'라 불리는 그림 도둑을 만나, 얼굴에 큰 상처를 입게 됩니다. 다친 두 사람은 응급으로 성형외과에 실려가게 되는데요. 그 성형외과 원장님은 알고 보니 강남에서 '의란성 쌍둥이' 제조기로 유명한 '의느님'이었습니다. 여자들 얼굴을 모두 똑같이 성형해놓는 사람이었죠. 그렇게 공주디와 권지호, 두 여자는 의란성 쌍둥이가 되어 아주 똑같은 얼굴로 다시 태어났습니다.

이후 공주디가 살캥이로부터 살해 협박을 받자, 똑같은 얼굴인 여형사 권지호가 공주디로 분해 재벌가에 들어가서 잠복근무를 하게 되는 내용이었습니다. 공주디에게는 전혀 흥미를 갖지 않던 약혼남 천상우가 권지호에게 사랑을 느끼게 되는 로맨스도 섞여 있죠.

어떤가요? 고전 〈왕좌와 거지〉의 주인공들을 여자로 바꾸고 장르를 '로코믹 수사 드라마'로 바꾼 것인데 전혀 색다른 느낌이 나지 않나요? 아이템이 모두 이야기로 완성되는 것은 아니지만 이렇게 초기 단계의 아이템들을 모아두면 언젠가 발표할 날이 분명히 올 겁니다.

다섯 번째는 낯선 조합을 시도해보는 겁니다. 내가 재미있어하는 이야기의 키워드들을 쭉 늘어놓습니다. 그리고 가장 낯설어 보이는 키워드를 하나하나 조합해봅니다. 로맨틱 코미디에서도 상극의 남녀가 만나 사랑할 때 극강의 케미가 형성되듯이 아이템도 마찬가지입니다. 가장 어울리지 않을 것 같은 아이템을 잘 조합해놓으면 전혀 예상하지 못한 결과물이 나올 수 있습니다.

여섯 번째는 다른 시대에 던져 놓는 겁니다. 드라마 〈환상의 커플〉의 사극 버전이 바로 〈백일의 낭군님〉입니다. 조선판 〈로미오와 줄리엣〉이 〈공주의 남자〉이고요. 과거의 이야기를 현대로 보내는 것, 혹은 현대의 이야기를 과거로 가져오는 것만으로도 새로운 아이템을 개발할 수 있습니다.

일곱 번째는 익숙한 이야기의 남녀 성별을 바꾸어보는 겁니다. 앞서 소개한 〈공주와 거지〉도 성별을 바꾼 사례인데요. 드라마 〈슬기로운 감빵생활〉은 미국 드라마 〈오렌지 이즈 더 뉴 블랙〉의 남성 버전으로 볼 수 있습니다. 이처럼 우리가 익히 알고 있는 고전이나 유명한 흥행작의 남녀를 바꾸어보는 것도 신선한 시도가 될 수 있습니다.

여덟 번째는 이야기를 확장해보는 겁니다. 영화 〈관상〉의 드라마 버전이 바로 〈왕의 얼굴〉이었고, 영화 〈건축학 개론〉의 드라마 버전이 〈화양연화〉였습니다. 짧게 끝내기 안타까운 아이템이 있다면 그걸 웹소설로 길게 창작해보세요. 다른 세계관, 다른 시대에 던지면서 더 많은 이야기의 굴곡을 줄 수 있다면, 그것 또한 신선한 아이템이 될 수 있습니다.

실제 아이템 개발 예시

제가 실제로 아이템을 개발하는 방법을 하나 소개해드릴게요.

함께 일하고 있는 제작사에서 뱀파이어물을 해보고 싶다고, 써줄 수 있냐고 물어보셨습니다. 제 아이템 노트에 뱀파이어물은 없었지만 이미 잘 쓸 수 있다고 큰소리를 쳤기에 곧바로 자료 조사에 들어갔습니다. 많은 사람들이 잘 알고 있는 〈트와일라잇〉이라는 흥행 시리즈도 있고, 국내작인 〈안녕, 프란체스카〉 등에서도 흡혈귀 코드가 여러 번 소비되었기에 어떤 아이템을 갖다 붙여야 가장 신선하게 느껴질 수 있을지 고민을 많이 했습니다.

여기에 다섯 번째 방법인 '이질적인 조합'을 적용해보았습니다. 가장 낯선 조합이 무엇일지 고민하고 또 고민했어요. 결론은 바로 인어였습니다. 인어와 뱀파이어가 만나 사랑에 빠지는 설정은 기존에 본 적이 없었던 것이니까요.

인어도, 뱀파이어도 지독히 아름다운 세상

제목 : 뷰티풀

인어와 뱀파이어가 꿈꾸는 동상이몽의 키스

사람들이 뱀파이어물에서 기대하는 장르성과 코드가 있습니다. 뱀파이어는 주로 유혹의 귀재이자 섹시함의 상징으로 나옵니다. 여기에서 발상을 시작해봅니다. '만약 그보다 더 유혹의 귀재를 만난다면 어떨까? 어떻게 무너지게 될까?' 그렇게 유혹계의 어벤저스인 뱀파이어와 인어가 만나는 장면을 떠올리며, 이야기의 개요를 짰습니다.

하지만 이 이야기는 어디서도 찾아볼 수 없게 되었습니다.

결론적으로 한국에서 도전하기에는 아직 너무 낯선 조합이라는 이유로 여성 캐릭터를 완전히 수정해달라는 피드백을 받았기 때문입니다. 여자 주인공을 '뱀파이어 세계에 들어온 인간'으로 해주었으면 좋겠다는 구체적인 피드백도 받았습니다. 저는 인어 얘기가 매혹적이라 너무너무 좋았지만, 결국은 기획안까지 모두 나온 이 이야기를 폐기하고 말았습니다.

아쉬웠지만 너무 걱정할 필요는 없습니다. 여기에서 살펴본 여덟 가지 아이템 개발 법칙을 응용해서 다시 개발하면 되니까요.

몰입의 비밀,
훅 만들기

훅hook이란 무엇일까요? 이는 후킹 포인트hooking point라는 말로 쓰이기도 하는데요. 훅은 말 그대로 후크 선장의 갈고리 입니다. 심드렁하게 이야기를 보고 있는 사람에게 갈고리를 끼워 넣어서 끌고 가는 겁니다. 몰입력을 높이는 장면을 통해서 말이죠. 훅이란 이야기에 빠져들게 하는 요소이자 이야기에 대한 집중력을 높이는 요소입니다. 웹소설뿐 아니라 수많은 스토리의 대중적 흥행에서 가장 중요한 역할을 하는 것이 바로 훅입니다.

예를 들어 우리가 음악을 만들거나 듣는다고 생각을 해봅시다. 샤이니의 '링딩동Ring Ding Dong'이라는 노래를 예로 들어보죠. 노래를 떠올리면 가장 먼저 입에 맴도는 부분이 바로 '링딩동 링딩동 링디

기딩 디기딩딩딩' 하는 후렴구 부분입니다.

음악을 만드는 사람들도 어떻게 하면 사람들 입에 후렴구 부분이 맴돌게 할 수 있을지, 굉장히 고민을 많이 합니다. 웹소설에서의 훅도 마찬가지입니다. 음악에서의 후렴구처럼 창작자는 훅을 굉장히 오랜 시간 공들여서 준비해야 합니다.

강렬한 훅을 만드는 비법

• • •

그렇다면 독자들을 단번에 사로잡을 매력적이고 강렬한 훅은 어떻게 찾을 수 있을까요? 모든 답은 여러분의 이야기 속에 있습니다. 먼저 내 이야기를 냉철하게 분석합니다. 그리고 이야기 전체 진행에서 가장 흥미로운 부분을 찾아서 그걸 초반에 배치합니다. 즉 스토리의 기승전결 중 '전'에 나올 만한 이야기를 가장 앞부분에 배치하는 겁니다. 이런저런 지루한 캐릭터 설명, 배경 설명을 장황하게 늘어놓지 않고, 일단 사건부터 터뜨려서 '어? 이거 뭔데, 어떻게 된건데?' 작품에 빠져들게 만드는 것입니다. 독자들이 즉시 몰입할 수 있게 일단 갈고리부터 끼워 넣고 시작하는 것이죠.

인물 간의 대립과 긴장, 혹은 이야기 전체의 아이러니가 드러나는 장면, 추격신, 총격신, 이별신, 사람이 죽는 장면 등의 인상적인 장면 같은 다양한 모든 것이 훅이 될 수 있습니다. 이때 가장 중요한 것은 그 장면 안에서의 '긴장감'이 매우 높아야 한다는 것입니다.

훅의 예시

의학 드라마를 예로 들어볼까요? 의학 드라마의 클리셰 하면 딱 생각나는 것이 무엇인가요? 드라마 첫 시작부터 사람이 막 실려 옵니다. 그리고 사람이 죽네 사네, 혹은 응급처치 이렇게 해야 된다, 말아야 된다, 이렇게 하면 사람이 죽는다, 아니다 등 일단 굉장히 급박한 장면으로 시작합니다. 정말 이러다 사람이 죽을지도 모르니까 거기서 자연스럽게 긴장감이 생겨나죠. 이로써 일단 이 이야기를 보게 하고, 캐릭터에 익숙해지게 만드는 겁니다. 사람을 살리기 위해서 의사들은 뛰어다니고, 심폐소생술을 하고, 주인공 의사는 남들이 반대하는 의료 처치를 해서 결국에 사람을 살려냅니다. 일단 '사람이 살았네, 어휴.' 하면서 보는 사람의 가슴을 쓸어내리게 하면서 이야기를 시작하는 거죠.

다른 예를 들어볼까요? 영화 〈남산의 부장들〉의 첫 장면은 가장 중요한 내용, 즉 박정희 대통령에게 총을 겨누고 쏘는 장면에서 시작합니다. 먼저 사람들을 깜짝 놀라게 만드는 겁니다. 그런 다음에 이 사람이 왜 총을 쏘게 되었는지 그 과정에 대해서 천천히 설명합니다. 이야기의 가장 핵심적인 장면을 첫 부분에 훅으로 배치한 것입니다.

흥미진진한 이야기일수록 초반에 대담한 훅을 넣습니다. 영화 〈다크 나이트 라이즈〉에서는 초반부터 비행기를 비행기로 납치해서 허공에서 추락시키고 폭파해버립니다. 굉장히 긴장감 넘치는 장면이죠. 일단 이 내용이 뭔지는 모르겠지만, 사람들은 그 훅이 담긴 신scene에 매료돼서 몰입하기 시작합니다. 수많은 영화, 드라마의 첫 장면에서 빌딩이나 다리가 폭파되거나, 커다란 화재가 발생하거나, 총격이 일어나는 이유가 바로 이 때문입니다. 일단 보는 사람들로 하여금 깜짝 놀라게 해서 주의를 집중시키는 겁니다. 주인공도 굉장히 급박하게 달려가고, 웅장한 음악이 깔리고, 응급차 소리도 내주고, 긴장감을 극도로 높이면서 이야기를 시작하는 거죠.

웹소설에서의 훅의 예시

이제 웹소설에서의 훅이 어떻게 사용되는지 살펴볼까요?

먼저 유오디아 작가님의 웹소설 〈반월의 나라〉를 살펴보겠습니다. 1화의 주요 내용은 '부모님을 죽인 원수, 나는 그 원수를 사랑했다.'로 정리할 수 있습니다.

여자 주인공이 죽을 위기에 처해 있어요. 형장의 이슬이 될 위기입니다. 옆에선 망나니가 칼춤을 춥니다. 여주의 눈에서 눈물이 막 떨어집니다. 여주가 정확히 무슨 죄를 지어서 여기서 죽을 위기에 처해 있는지 우리는 모릅니다. 중요한 건 이 여자가 이야기의 시작부터 곧 죽을지도 모른다는 것뿐입니다. 그때 저기서부터 '다그닥 다그닥' 소리를 내며 말이 달려옵니다. 어, 왕인 것 같아요. 남자 주인공인 왕이 나타나서 이 사형 집행을 중단시킵니다. 여자 주인공이 이제 죽을 위기에서 겨우 벗어났습니다. 그런데 이 여자가 자기를 살려준 남자한테 고맙다는 말은 커녕 "내가 당신을 못 죽일 것 같아요?"라고 소리칩니다. 바로 그 순간 남자 주인공이 그 여자에게 키스를 합니다. 그 여자가 눈물을 펑펑 흘리면서 이런 말을 합니다.

"부모님을 죽인 원수. 나는 그 원수를 사랑했다."

이게 도대체 무슨 말일까? 둘이 무슨 사연일까? 도대체 그가 왜 원수일까. 남주는 왜 여주의 부모님을 죽였으며, 그리고 이 여자는 어찌하여 이 망나니 칼춤 아래 죽을 위기에 처했으며 둘은 어쩌다 서로 사랑하게 된 것일까? 궁금한 게 너무 많습니다. 1화에서 나오는 이 초반의 후킹으로 앞으로 펼쳐질 이야기에 대한 기대감을 높이고 있습니다.

다른 작품으로도 살펴볼까요? 루치아 작가님의 웹소설 〈깬다깨 커플〉입니다. 1화의 주요 내용은 남녀 주인공의 대립 장면에서 나오는 한마디로 설명됩니다. "깡패 새끼든, 검사 새끼든, 지금은 제가 응급 실장이에요."

남자 주인공은 검사입니다. 무대는 응급실이고, 조폭들이 서로

패싸움을 벌이다 다쳤는지 남자 주인공인 검사는 네놈들이 다쳤건 안 다쳤건 조폭을 잡아가야 합니다. 여자 주인공은 이곳 응급실의 실장이고, 담당의입니다. 당신이 검사든 말든 이 조폭은 환자이고, 나는 이 환자를 치료해야 하니까 건드리지 마라, 하면서 바로 앞에 언급한 대사가 나옵니다. "깡패 새끼든, 검사 새끼든, 지금은 제가 응급 실장이에요."

성격 강한 의사와 캐릭터 센 검사의 대립을 초반에 배치한 것이죠. 여기서는 이 두 주인공의 대립 관계가 훅이라고 할 수도 있고, 바로 이 대사 자체가 훅이 될 수도 있습니다. 로맨스 장르니까 앞으로 이 두 캐릭터가 어떤 케미를 보여줄까, 어떤 로맨스를 보여줄 것인가에 대한 기대감이 높아진다면 1화는 성공이라 말할 수 있습니다.

사람들은 훅만 기억한다

• • •

모든 이야기에는 훅이 필요합니다. 영화에서는 초반 5분이 가장 중요하다고 강조합니다. 그래서 제작비 중 상당히 많은 부분을 5분 안에 투자합니다. 비행기 폭파시키고, CG를 넣고, 웅장한 음악을 넣는 겁니다. 일단 보는 사람들을 버스에 태워서 끌고 가야 하니까요. 광고계에서도 이른바 '야마'라는 은어로 훅을 지칭합니다. '야마'란 산을 뜻하는 일본어로 평평하다가 뾰족하게 솟아나는 산처럼 핵심을 뜻합니다. 광고에서 말하는 야마는 15초 안에 전달력 있게 확박히는 게 있어야 한다는 의미입니다. TV를 틀면 굉장히 많은 광고가 나오지만 그중에 기억에 남는 광고는 몇 가지 없습니다. 우리는 주요 장면, 혹은 주요 대사라든지 어떤 장면 하나만 기억합니다.

사실 바로 이 때문에 스토리와 광고 등에 훅이 필요한 겁니다. 우리는 영화나 드라마 전체를 기억하는 것이 아니라 명대사, 명장면 그 강렬한 한 가지만 기억합니다. 시간이 지난 뒤에도 그 명대사, 명장면만 회자되는 것도 마찬가지 이유입니다.

예를 들어 드라마 〈파리의 연인〉에 "애기야, 가자."라는 대사가 있습니다. 지금은 그 드라마의 세부적인 내용이나 스토리 라인은 잊어버렸을지라도 "애기야, 가자."라는 이 대사 하나만은 길이길이 살아남아서 지금까지도 패러디가 되고 있습니다. 게다가 이 대사는 드라마의 전체 내용을 떠올리게 만듭니다.

어떤 영화나 드라마의 한 장면이나 대사가 계속 기억에 남는다면 그것은 훅 장면이거나 핵심 대사일 가능성이 높습니다. 사람들은 대개의 경우 전체 내용을 기억하지 못하기 때문에, 창작자는 뭔가 강렬한 한 가지를 전달해야 합니다. 그렇기에 훅이 중요하다는 것입니다.

이번 장에서 소개해드린 웹소설 〈반월의 나라〉, 〈깬다깨 커플〉은 네이버웹소설 초창기에 연재된 작품입니다. 그만큼 시간이 오래되었는데도 여전히 이 작품을 기억하는 이유는 1화에서 이렇게 강렬한 훅을 보여줬기 때문입니다. 시간이 지나도 1화가 굉장히 잘 쓰여진 소설이 뭐가 있을까 생각해보면 딱 이 두 작품이 먼저 떠올라요. 사실 뒤의 내용까지 상세하게 기억나지는 않습니다. 1화에 나왔던 주요 대사들만 제 기억에 남아서 오랜 시간이 지난 지금도 훅의 좋은 사례로 꼽고 있는 겁니다.

스토리를 접하는 독자들도 마찬가지입니다. 독자들은 정말 많은 스토리를 접합니다. 그런데 기억에 남는 한가지 후킹 포인트가 없다면 여러분의 창작물을 기억하기 어렵습니다. 앞으로 펼쳐질 긴 내용이나 주요 아이러니를 1화에 압축하는 것이 중요합니다.

훅의
예시 정리해보기

자신이 읽었던 웹소설이나 시청한 드라마에서 강렬했던 훅을 한 번 정리해보세요. 주요 대사와 핵심 키워드를 함께 정리해두면 나만의 훅을 쓰는데 도움이 됩니다.

제목	
핵심 대사· 주요 장면	
주요 내용	

제목	
핵심 대사· 주요 장면	
주요 내용	

【 10강 】

밀당에서 이기는
기획 포인트

웹소설은 독자들을 위한 하나의 상품이며, 작가는 상품 기획의 관점에서 웹소설에 접근해야 합니다. 어떻게 하면 웹소설이라는 상품 기획을 잘할 수 있을까요? 먼저 기획이 무엇인지부터 알아볼게요.

기획이란 상대방의 '리얼 와이real why'를 찾아주는 겁니다. 상대방의 속마음, 속뜻을 찾아주어야 한다는 겁니다. 즉 웹소설에서는 독자가 이 웹소설을 읽는 실제 이유가 무엇일까를 찾는 겁니다.

팔리는 기획, 즉 인기가 많은 기획, 잘나가는 기획이란 내가 팔고 싶은 것을 상대방의 리얼 와이와 정확하게 연결해주는 것입니다. '니가 진짜로 원하던 것은 바로 이거야.' 이렇게요. 혹은 '나 이런 거 좋아했네.' 이런 반응이 나올 수 있도록 말입니다.

그들이 읽고 싶은 것은 무엇인가

• • •

기획의 출발은 이야기의 수신자에서부터 스토리텔링을 시작하는 겁니다. 예를 들어 우리가 부모님 세대랑 대화하는 걸 떠올려보죠. 부모님께서 우리 듣기 좋고 듣기 편한 얘기만 해주시는 건 아니잖아요. 보통은 당신들이 하고 싶은 말부터 쭉 하시고 "그래, 이거에 대해서 어떻게 생각하니?"를 마지막에 물어봅니다. 안 물어보시기도 하죠. 이것은 발신자를 중심으로 시작된 스토리입니다. 부모님께서 "네가 요새 듣고 싶은 이야기가 무엇이니? 그 얘기부터 해줄게."라고 자식들 관점에서 이야기를 시작하지 않습니다. 부모님께서 하시고자 하는 얘기만 너무 장시간 동안 하시면 우리는 그게 잔소리로 들리고, 지루할 수밖에 없습니다. 반면 듣는 사람 입장에서 이야기를 시작하면 그 대화가 좀 더 재미있어지지 않을까요?

웹소설, 혹은 수많은 스토리의 기획도 마찬가지입니다. 내가 하고 싶은 얘기를 하는 것도 물론 중요하지만, 상대방의 리얼 와이, 즉 진짜로 웹소설을 읽는 목적이 무엇인가에 대해서 파악하고 그 얘기를 해주는 것이 중요합니다. 내가 팔고 싶은 콘텐츠와 상대방의 리얼 와이를 연결시키는 게 바로 기획입니다. 제대로 된 소통을 하기 위해서는 발신자가 원하는 말만 해서는 안 됩니다. 수신자가 원하는 것이 무엇인지 알아야 소통이 쉬워집니다.

남성향 독자와 여성향 독자의 욕망은 다르다

• • •

소통이란 메시지를 던지고 그 메시지에 대한 해답을 다시 듣고 이해하면서 이어지는 것입니다. 모든 작품은 그 시대의 사회와 호흡하며 소통합니다. 소통 없이는 이야기가 존재하지 않아요. 이야기라는 건 결국 지금의 현실이 반영되어야 한다는 의미입니다. 지금 시대 사람들에게 가장 중요한 것이 무엇인가. 관심사나 고민거리가 무엇인지를 담고 있어야 한다는 말이기도 합니다.

사극을 예로 들어볼게요. 사극을 쓸 때 중요한 것은 과거와 현재가 이어지는 지점이 무엇인지 파악하여 이를 연결하는 것입니다. 사극을 조선 시대 사람이 보는 게 아니라 현재 시대를 사는 사람들이 보는 것이니까요. 이 현재를 사는 사람들의 고민거리라든지, 공감 포인트라든지, 중요한 이슈 등을 이야기에 녹이는 것이 지금 시대에 필요한 사극 기획이라고 할 수 있습니다.

좋은 작품이란 알림, 혹은 설득이 아니라 소통하고 싶은 욕구의 결과물입니다. 대중과 잘 소통하는 것이 중요합니다.

이런 관점에서 보면 웹소설에서는 이야기를 찾아 읽는 사람, 이야기를 결제해서 보는 사람, 즉 독자에 대해서 자세하게 알아야 우리가 그들이 원하는 이야기를 기획할 수 있습니다.

남성향 소설에서의 독자

먼저 남성 독자들이 웹소설을 읽는 이유를 알아볼게요. 현실은 굉장히 답답한 요소들로 가득 차 있습니다. 그들에게 이 사회는 맞서 싸워야 할 정글과 같은 곳이에요. 맨날 부동산 가격이 오른다 하고, 나는 주식 상승장에 못 올라탔는데 변동성이 너무 심하고, 또 막상 투자하면 수익은커녕 손해만 봅니다. 내 월급 통장은 빈곤하고, 이 사회에서 살아남기 굉장히 힘들어요.

이 힘든 현실에서 나는 그저 평범한 직장인 혹은 학생이지만, 사실 그 안에는 욕망이 숨겨져 있습니다. 내가 이 사회를 한번 제패해 보고 싶은 욕망 같은 것이요.

웹소설 속 주인공은 소드마스터가 되어서 인류를 구원하거나 회귀자가 되어서 특별한 능력을 갖게 되어 나쁜 놈들을 턱턱 물리칩니다. 이렇게 대리 만족할 수 있는 주인공을 통해서 독자들은 카타르시스를 느끼게 됩니다. 현실은 별로 그렇게 카타르시스를 느낄 만한 일이 없거든요. 학생이면 성적이 잘 안 오르고, 직장인은 고정된 월급만 받고 등등. 별로 성취감을 느낄 일이 없는데 웹소설에서는 주인공이 눈앞의 난관들을 멋지게 헤쳐 나가면서 여러 가지 카타르시스를 느끼게 해줘요. 바로 이 대리 만족이 남성향 웹소설의 중요한 존재 이유입니다.

여성향 소설에서의 독자

여성향 소설의 독자는 어떤 니즈가 있는지 한번 살펴볼게요. 그들은 실제로 연애하는 듯한 감정을 원합니다. 로맨스 웹소설은 대체로 그 욕망에 부응하는 작품입니다. 처음부터 달달하고 꽁냥꽁냥하는 이야기를 원하는 건 아닙니다. 갖가지 갈등을 겪으며 로맨스를 이루어나가는 과정에서의 섬세한 정서와 감정을 전달받고 싶어합니다. '로맨스면 그냥 막 서로 죽고 못 사는 것을 쓰면 되는 거 아닐까?' 생각할 수도 있지만 그렇지 않습니다. 사랑이 깊어지는 과정이 중요한 것이죠. 설렘, 달콤함, 질투, 애틋함 등 로맨스 소설을 통해서 독자들이 얻고 싶어 하는 감정들이 무엇인지 좀 더 세밀하게 살펴야 합니다.

웹소설의 창작자는 사람들의 이런 욕망을 자연스럽게 끌어낼 수 있어야 합니다. '너희가 이런 거 원하지, 너 이런 이야기 원했잖아.'라고 대놓고 말하는 것이 아니라 그 감정들을 교묘하게 감추고 숨기면서 끌어낼 줄 알아야 하죠. 사람들은 자신이 원하는 걸 대놓고 말하면 오히려 낯부끄러워하고 숨고 싶어 하거든요. 독자들 안에 있던 욕망을 자연스럽게 끌어내는 것이 웹소설 창작 과정에서 중요합니다.

기획 포인트 작성할 때 고려할 점

• • •

기획 포인트는 글을 쓰는 과정에서 길잡이 역할을 합니다. 이 작품의 지향점을 보여주는 내용이니까요. 웹소설을 집필하다 보면 한 작품 쓰는 기간이 6개월 이상, 1년 혹은 2년씩 가기도 해요. 더 길게는 5년째 완결이 나지 않는 작품들도 있어요. 그 긴 시간 동안 작가는 하나의 이야기에 매진합니다. 이렇게 장기간에 걸쳐 집필할 때 기획 포인트를 따로 써놓지 않으면 초반의 기획 의도를 잊어버리는 경우가 많습니다. '어? 내가 이걸 왜 썼더라. 뭔가 초심이 있었던 것 같은데?' 이야기의 디테일에서 헤맬 때는 전체적인 큰그림이 안 보일 때가 있거든요. 그럴 때 미리 적어둔 기획 포인트를 보면서 방향을 명확하게 잡아야 합니다.

기획 포인트 작성할 때 중요한 것

- 흥행을 가능하게 할 만한 뚜렷한 기획 포인트
- 반드시 시장에 먹혀들어 갈 수밖에 없겠다 하는 요소를 넣는다.
- 장르적 요소를 섞는다.
- 이 시대와 소통하는 트렌드적 요소가 있다면 금상첨화

기획 포인트의 분량은 한 장이 될 수도 있고, 더 길면 두세 장이

될 수도 있고, 짧으면 다섯 줄 내로 끝날 수도 있습니다. 그렇게 한 두 장 쓰는 거 금방이지 않을까 생각할 수도 있습니다. 하지만 저는 이 기획 포인트의 워딩을 그렇게 급하게 쓰지 않습니다. 워딩만 놓고 하루 이틀, 길게는 일주일 이상 고민하는 편입니다. 그만큼 기획 포인트가 중요하기 때문입니다.

기획 포인트 예시

드라마 〈경성 스캔들〉을 먼저 살펴볼까요?

> 1. 만화적 상상력을 뛰어넘는 유쾌한 캐릭터 플레이.
>
> 2. 극단적인 윤리관과 가치관을 가진 두 남녀의 최강 로맨스.
>
> 3. 낭만과 비밀이 공존했던 1930년대 경성의 모습을 통해 다양하고 신선한 볼거리 제공.
>
> 4. 일제 식민지 치하. 한 시대를 치열하게 살아갔던 젊은 청춘들의 모습을 통해 가슴 찡한 감동과 카타르시스를 제공한다.
>
> 출처 : KBS 드라마 홈페이지

짧지만 전달하고자 하는 내용이 굉장히 명확하게 쓰여 있습니다. 시대 배경, 주인공의 성격, 전달하고자 하는 메시지까지 이 기획 포인트만 보더라도 어떤 이야기가 펼쳐질지 예측해볼 수 있고, 이야기를 궁금하게 만듭니다.

다음으로 제 작품인 웹소설 〈밀당의 요정〉을 살펴볼게요.

1. 밀당 고수 vs. 밀당 고자!

결혼이 너무 하고 싶은 웨딩플래너 vs. 비혼주의자 웨딩홀 대표!

상극의 남녀가 만나 벌이는 캐릭터 대격돌!

의외의 케미 폭발 로맨스!

2. 밀당, 그 미묘한 심리전에 대하여.

과연 누가 먼저 넘어갈까? 한 치 앞도 예측할 수 없는 박빙의 승부!

두근두근 스릴 넘치는 아찔한 밀당 공방전!

그 오묘한 심리 로맨스의 세계를 모두 파헤친다!

3. '오구 오구 그랬쪄요?'

당사자들은 치열하게 밀당하는데, 보는 이들은 자꾸만 광대 승천

이 된다?!

'저 친구들 보니 나도 사랑에 빠지고 싶다!'

첫사랑보다 설레고 솜사탕보다 보드라운, 초특급 스윗 달달한

드라마가 찾아온다!

4. 남의 결혼 문제는 프로! 본인 결혼 문제는 쑥대밭으로?!

'하아, 결혼이란 게 이렇게 원래 어려운 거였나요?'

자칭 타칭 결혼 전문가들의 제 코 못 닦는 허당 플레이!

깨방정 코미디 열전!

5. '감정'이라는 것이 폭발한다

결혼을 앞두고 갈등의 클라이맥스를 맞이한 위기의 커플들!

그들이 벌이는 불꽃 같은 감정 활극! 각양각색의 에피소드 대잔치!

6. 이거 실화야? 거의 실화일걸?!

'뽐베'나 '네이트판'에 오를 것 같은 코믹한 사건 사고들로 시작하

지만, 종국엔 우리 시대 결혼의 현주소를 짚어보는 현실적인 공감

드라마!

'결혼이란 건 뭘까?' 진짜배기 고민이 담긴 솔직한 이야기!

7. 결국은 관계 회복과 성장에 대한 드라마!

산 넘어 산인 양가 부모님, 아직 청산ing 중인 전 애인들,

비교의 늪에 빠진 친구들… 그렇게 다양한 인간관계의 갈등을 거쳐,

결혼이라는 인생의 커다란 관문을 지나, 점점 더 '진짜 부부'가

되어가는 두 주인공의 고군분투 인생 성장기!

저도 실제로 글을 쓰면서 이 기획 포인트를 길잡이처럼 의지하면
서 썼어요. 초반에 로맨스에 치중하다 보면 원래 내가 하려던 얘기
가 뭐였더라, 잊을 수 있거든요. 하지만 내가 하고 싶은 이야기가 결
국 '인생 성장기'였지, 이 기획 포인트를 보고 원래 하려던 이야기를
명확하게 써낼 수 있었습니다.

내 작품의
기획 포인트 써보기

내 작품의 길잡이가 되어줄 방향성을 설정하는 작업입니다. 독자의 니즈, 시대적 배경, 트렌드를 고려해 장르적 성격이 드러나도록 작성해보세요.

	작품명	후킹 포인트
1		
2		
3		

1. 내가 쓸 작품의 제목을 정해주세요.

---

2. 내가 쓸 작품의 장르는 무엇인가요?

---

3. 내가 쓸 작품의 로그라인을 작성해보세요.

---

4. 내가 쓸 작품의 기획 포인트를 작성해주세요.

❶

---

❷

---

❸

---

❹

아이디어의 보고, 레퍼런스 스터디

우리가 소설을 쓰려면 아이디어가 있어야 하죠. 그런데 그 아이디어를 어떻게 얻죠? 박웅현 CD님은 《인문학으로 광고하다》라는 책에서 아이디어와 창작자를 전파와 라디오에 비유했어요. 아이디어는 전파이고 창작자는 안테나라는 겁니다. 평소에는 느끼지 못하지만 우리 주변에는 전파가 가득합니다. 그런 전파가 우리 눈에는 잘 안 보이잖아요. "어? 여기 99.1㎒, 107.7㎒가 있네?" 하고 발견할 수 없습니다. 전파를 잡으려면 내가 라디오의 안테나를 세워야 합니다. 세상에 아이디어는 이미 둥둥 떠다니고 있어요. 그것을 캐치하지 못하고 있을 뿐입니다. 스스로를 라디오라고 생각하세요. 평소에도 안테나를 세우고 있어야 아이디어를 얻을 수 있습니다.

아이디어 발상법

. . .

글을 쓰려고 키보드에 손을 얹기만 해도 어디선가 아이디어의 요정이 사르륵 나타나서 마법의 가루를 뿌려주는 것처럼 아이디어가 떠오르면 좋겠지만 실제로는 그렇게 되지 않아요.

'아이디어 어디 없나?' 안테나를 뾰족하게 세우고 주변에 모든 걸 콘텐츠화하겠다는 다짐으로 치열하게 세상을 바라봐야 아이디어의 피라미 새끼 같은 것들이 그물망에 아주 조금 걸립니다.

사소한 일들에 자주 감탄하기

"짜내도 안 나와요. 아이템도 생각이 안 나고요. 후킹 포인트에 대한 아이디어도 없어요. 이럴 때 어떻게 해야 하나요?"라고 말하는 분들이 많습니다.

그럴 때 저는 이렇게 말씀드리고 싶습니다. 아이디어의 출발은 인풋이라고요. 뭔가 들어오는 게 있어야 나오는 것도 있다는 거죠. 일단 전파가 쏟아지는 곳으로 가서 안테나를 세워야 한다는 뜻이기도 하고요.

앙드레 지드는 "지혜로운 사람이란, 모든 것에 경탄하는 사람이다."라고 했어요. 예를 들어 오늘 굉장히 자극적인 뉴스가 있었어요. '어, 그러네. 음 그래.' 하고 지나가버리면 이것은 유의미한 아이디어가 되지 않아요. '어? 그 얘기 재밌겠는데, 어! 오우! 오오!' 이렇게 많이 감탄사를 내뱉어보세요. 자주 경탄할수록 사소해 보이던 것들도 새로운 의미로 다가오게 마련이고, 당연히 더 많은 창의력이 생깁니다. 인풋 없이 창의력이라는 아웃풋이 나오지 않는다는 걸 기억하세요. 세상의 모든 인풋을 의미 있게 바라보세요. 감탄하면서 말이죠!

레퍼런스 스터디와 웹소설 다독

아이디어를 얻기 위해서는 방대한 양의 자료 조사가 필요합니다. 레이더를 켜놓고 '나는 이 책에서 반드시 아이디어를 얻고야 말겠어.'라는 굳은 의지를 다지면서 자료 조사에 들어갑니다. 우리가 논문을 봤을 때 그 출처가 있잖아요. 소설에서는 기존에 이미 나온 관련 작품이 바로 레퍼런스라고 할 수 있습니다.

내가 로맨스를 쓰고 싶다면 이 이야기의 레퍼런스가 어떤 작품이 있는지 연구해야 합니다. 범죄물을 쓰고 싶다면 그동안 나왔던 범죄물 작품은 무엇이 있는지 조사를 해봐야 해요. 어떤 필드에서 성공하기 위해서는 그 필드의 성공 법칙에 대한 조사가 필요합니다.

나아가 웹소설의 성공 법칙을 제대로 이해하기 위해서는 어떻게 해야 될까요? 웹소설은 장르적 특성이 있고, 그 장르적 특성은 바로 코드라고 부를 수 있는데요. 웹소설의 코드를 파악할 수 있는 방법은 오로지 다독밖에 없습니다. 다독을 통해 현재 웹소설의 가장 인기 있는 장르나 소재, 키워드를 분석합니다. 이것이 모두 레퍼런스 스터디예요. 여러분들이 만약에 웹소설의 장르와 기획 방향을 잡았다면 그 비슷한 이야기가 뭐가 있었는지 과거에 나온 작품에 대해서 수집하고 분석하는 과정이 필요합니다.

자료 조사의 기술적 방법

• • •

이처럼 아이디어의 시작은 일상을 제대로 관찰하고, 주변에 관심을 더 넓게 기울이면서 감탄사를 찾는 것이고, 제대로 자료를 조사하는 것이라고 할 수 있습니다. 이런 웹소설 자료 조사를 하는 몇 가지 방법을 좀 더 자세하게 살펴볼게요.

종이책 읽기

인기 웹소설은 종이책으로도 나와 있습니다. 사실 웹소설은 스마트폰으로 읽는 게 가장 재미있도록 짜여 있고 엄지로 읽는 게 가장 좋지만, 이야기의 전체적인 구조를 정리해보기 위해서는 종이책으로 구매해서 읽어보는 것도 추천합니다. 아무래도 스마트폰에 동그라미, 밑줄을 쳐가면서 공부하기는 어려우니까요. 좀 더 분석적으로 접근하기 위해서는 종이책을 구매해서 구조와 플롯, 유니크 포인트, 후킹 포인트 등을 책에 직접 표시해두고 참고하면 좋습니다.

전자책 앱 사용하기

수많은 전자책 애플리케이션 중 YES24 ebook은 전자책 분야의 넷플릭스처럼 구독형으로 사용이 가능합니다. 매달 구독료를 내면 수많은 전자책을 다운받아서 볼 수 있습니다. 웹소설이 많은 편은 아니지만, 다른 여러 분야의 전자책이 많은 편이라 자료 조사 하기에 적합합니다. 제 경우에는 '나의 전자책 서재'에 192권의 책이 담겨 있어요. 자료 조사를 위해 이것저것 담아놓은 것입니다. 만약에 어떤 자료가 필요하면 일단 여기에 전자책이 있나 먼저 검색을 하고, 없으면 종이책으로 추가적으로 구매해서 공부하는 편입니다. 이 외에도 리디북스, 밀리의 서재 등의 전자책 애플리케이션도 좋습니다.

자료 수집툴 사용

손쉽게 활용하기 좋은 자료 수집툴은 마이크로소프트 원노트 프로그램입니다. 윈도우즈 OS에는 이미 설치되어 있고, 스마트폰 애플리케이션도 있습니다. 동기화하여 사용할 수 있기 때문에 이 원노트가 의외로 방대한 양의 자료 수집과 정리에 용이합니다. 우리가 자료를 기사에서도 많이 찾잖아요. 만약 여주의 직업을 음향감독으로 설정했는데 이 음향감독이라는 직업에 대해서 잘 모른다면, 먼저 관련 기사들이나 인터뷰를 쭉 살펴봅니다. 그런데 그 기사들을 그냥 워드 파일에 붙여 놓으면 스크롤이 너무 길잖아요. 원노트는 이 기사 자체를 거의 원문 그대로 복사해줍니다.

원노트에 '자료 조사'라는 폴더를 만들고 그 밑에 페이지들을 만들어서 내가 참고해야 될 기사들을 붙여넣기 해놓습니다. 그중에서 중요한 건 형광펜 표시를 해두고, 그 옆에 포스트잇을 붙이듯 바로 메모를 적을 수 있습니다.

허공에 둥둥 떠다니는 아이디어들은 메모를 해놓지 않으면 흘러 나가서 사라지고 맙니다. 어딘가 바로 메모를 해둬야 하는데, 우선은 손쉽게 휴대전화에 메모해두면 편리합니다. 그런 다음 원노트 프로그램을 통해 자료 수집, 키워드 정리, 메모 정리를 해두고 나만의 자료 저장소를 만들어두는 겁니다. 이야기한 것처럼 원노트는 PC, 태블릿PC, 스마트폰 모두 동기화가 되기 때문에 통합적으로 메모 관리를 할 수도 있고, 어떤 기기로든 자료 조사한 내용을 바로 볼 수도 있는 편리성이 있습니다.

원노트 이외에도 에버노트, 님부스노트 등 다양한 노트 애플리케이션이 있으니, 직접 사용해보고 편리한 앱을 용도에 맞게 잘 선택하시면 좋을 것 같습니다.

웹소설 트렌드
분석하기의 실제

1. 내가 쓰고자 하는 장르의 카테고리로 들어가 베스트 1위부터 10위까지,
혹은 내가 마음에 드는 작품 제목 10개를 적어줍니다.

- 어느 플랫폼의 작품인가요? (네이버 시리즈, 카카오페이지, 기타 등등)

- 내가 쓰고자 하는 장르는 무엇인가요?

웹소설 베스트셀러 분석	
게재 플랫폼	
집필 예정 장르	
베스트셀러 순위별 혹은 관심 작품 제목	
1	
2	
3	
4	

5	
6	
7	
8	
9	
10	

2. 이 10개 작품의 출판사 소개글을 필사합니다.

3. 10개 작품의 무료 5화까지 읽고 스토리를 요약합니다.

4. 여기서 발견되는 공통되는 코드, 키워드가 무엇인지 적어봅니다.

❶
_____

_____

❷
_____

_____

❸
_____

_____

5. 10개의 작품 중 가장 좋았던 3작품을 고르고 그 작품의 후킹 포인트가 무엇인지 적어보세요.

	제목	후킹 포인트
1		
2		
3		

6. 그중 가장 좋았던 작품 하나를 선정하고, 로그라인을 정리해주세요. 그리고 가장 좋은 작품으로 선정한 이유를 적어보세요.

제목	
로그라인	
선정 이유	

7. 앞서 발견된 트렌드, 코드, 후킹 포인트를 내 웹소설에 어떻게 적용할 것인지 정리해보세요.

8. 시장의 선호도를 반영하여, 내 웹소설의 제목을 정해주세요.

캐릭터 원형 이해하기

당신이 가장 좋아하던 이야기 속 캐릭터는 누구였나요? 〈해리포터〉의 해리? 헤르미온느? 혹은 셜록 홈즈? 〈쾌걸 조로〉의 조로?

글쓰기에서 캐릭터 기획하기에 들어왔다면 일단 당신이 사랑했던 캐릭터의 매력 포인트를 분석해볼 필요가 있습니다. 그들은 왜 그렇게나 오래도록 사랑받았는지 생각해보면서 그만큼 매력 있는 캐릭터를 만들기 위한 사전 조사를 해보는 것이죠.

이번 챕터에서는 본격적인 캐릭터 기획에 들어가기에 앞서 캐릭터의 원형을 이해하는 시간을 먼저 가져보도록 하겠습니다.

웹소설의 프로타고니스트

· · ·

프로타고니스트protagonist는 고대 그리스 연극의 주연 배우를 뜻하는 말이었습니다. 현재는 소설이나 연극 등의 중심 인물을 뜻하는 말로 쓰이고 있습니다. 쉽게 말해 주인공인 셈이지요.

- 주인공, 주동 인물
- 이야기에서 사건의 중심이 되는 인물
- 어떤 일에서 중심이 되거나 주도적인 역할을 하는 사람

이야기에 따라서 가끔은 중심인물이 여러 명일 수도 있습니다. 보통 영화 기획에서는 티켓파워를 높이기 위해서 스타급 배우 여러 명을 내세워 여러 명의 주연으로 구성하고는 합니다. 주인공이 여러 명인 것이죠. 영화 〈도둑들〉이나 〈관상〉을 보면 스타급 배우들의 분량이 적절히 안배되어 있습니다.

그러나 웹소설은 그렇지 않습니다. 여성향 소설, 로맨스 소설에서는 여자 주인공의 시점에서 이야기가 진행되는 편이고, 남성향 소설에서는 남자 주인공의 시점에서 이야기가 진행됩니다. 이렇게 웹소설에서 프로타고니스트를 중심으로 이야기가 진행되는 이유는 바로 독자들을 주동 인물의 입장에 놓이게 하여, 몰입도를 높이

기 위해서입니다. 웹소설은 욕망의 서사라고 말씀드렸죠. 마치 내가 주인공이 된 것처럼 감정 이입을 하여 사건들을 느끼게 하기 위해서란 뜻입니다.

감정을 자극하는 프로타고니스트 설정법

• • •

프로타고니스트를 정말 잘난 사람으로 설정할 수도 있습니다. 하지만 주인공에게 공감할 수 있는 요소가 하나 정도는 있어야 합니다. 뭔가 삐끗하는 점이 하나쯤은 있어야 한다는 것이죠.

너무 완벽하게 잘난 주인공에게는 독자들이 몰입하기 힘들어요. 나와는 너무 다르기 때문이죠. 주인공이 겪고 있는 결핍을 자연스럽게 담아내고 연민의 정서가 담기도록 하는 게 중요합니다.

'저 주인공은 왜 저러는 걸까?'라는 데 답을 찾을 수 있을 만큼 몰입하고 공감하지 못하면 사람들이 이야기에 탑승하지 못하고 버스에서 내리고 맙니다.

주인공의 입장에 공감할 수 없으니 왜 저런 행동을 하는지 이해할 수 없기 때문이죠. 공감의 정서를 전혀 일으키지 못한 채 주인공과 독자가 따로 놀아서는 안 됩니다.

주인공의 결핍 세팅하기

수많은 작가들이 주인공의 결핍을 어떻게 세팅할지를 두고 굉장히 오랜 시간 동안 고민합니다. 이것이 정말 중요한 이유는 주인공의 결핍이 천천히 채워지는 과정 자체가 스토리가 되기 때문입니다. 우리는 프로타고니스트가 나름대로 결핍을 극복하는 방식을 이야기로 보게 되는 거죠.

결핍 없이 살아가는 사람이 있을까요. 아니요, 우리는 모두 결핍을 숨기고 살아갑니다. 만약 내 욕망이 너무 크다면 지금 현재 상태 모두가 결핍이 됩니다. 욕망은 큰데 현실은 그렇지 못하니까요. 그것이 주인공 캐릭터의 강력한 에너지, 즉 '추동'이 됩니다. 원대한 욕망과 그렇지 못한 현실. 이 현실을 타개하기 위해서 주인공이 높은 열망, 욕구, 에너지를 가지고 목표를 이루려고 할 테니까요.

주인공에게 극적 상황 부여하기

이야기에서는 주인공 앞에 어떤 극적 상황을 놓아줄 것인가도 매우 중요합니다. 어떤 미션을 줄 것인가? 어떤 딜레마를 줄 것인가?

예를 한번 들어볼게요. 넷플릭스 오리지널 드라마인 〈스위트홈〉을 보면, 처음부터 남자 주인공이 죽으려고 합니다. 삶에 미련이 없어서 자살하려고 하는데요. 그 인물이 왜 그렇게 되었을까. 결국엔 학교 폭력 때문에 인간성이 메말라갔다는 것이 나중에 드러납니다.

드라마에서는 처음부터 극적 상황이 펼쳐집니다. '나는 죽고 싶은데, 밖에선 사람들이 괴물이 되고 있어. 생존자들을 구해야 할까… 아니면 그냥 괴물이 되는 게 나을까…?'

그러다 어느 날 나도 막 괴물이 될락 말락 합니다. 그럼 나도 세상에서 없어져야 할 존재가 되잖아요. 사람들한테 해를 끼칠 수도 있으니까. '이거 어떡하지…? 막상 죽으려고 하니까 겁이 나는데?'

이것이 바로 캐릭터가 처한 극적 상황이자 딜레마입니다.

주인공에게 연민의 정서 세팅하기

주인공에게 연민의 정서를 담는 방식은 주인공의 내적 결함과 외적 장애로 이루어집니다. 넘어야 할 결핍과 욕망 사이의 간극이 얼마나 크고, 채워지기 힘든지, 예측 불가능한 수준으로 설정하는 것이지요. 이에 따라 주인공이 겪게 될 변화와 성장은 마치 롤러코스터를 타듯 상승과 하강을 반복합니다.

다음 웹툰을 원작으로 한 드라마 〈경이로운 소문〉을 예로 들어볼게요. 주인공 소문의 내적 결함은 일단 '나 때문에 부모님이 돌아가신 것 같다.'는 트라우마입니다. 그리고 그날의 교통사고로 인해 생긴 발목 장애가 있어요. 이건 실질적인 외적 장애이죠.

이 인물의 욕망은 무엇이냐. 악귀 안에 우리 부모님의 영혼이 갇혀서 천국도 못 가고 있대요. 그럼 그 악귀를 얼른 때려잡아서 부모님을 보내드려야 하잖아요. 하지만 소문이의 힘은 아직 충분치 않아요. 욕망과 현재 상황 사이에 간극이 있죠.

여기서 힐러 캐릭터가 장애가 있던 그의 발목을 고쳐줍니다. 그러고 나서 소문이는 점점 더 성장해서 악귀를 때려잡고 다닙니다! 때로는 악귀한테 당할 때도 있고 악귀 잡는 자격을 박탈당해서 다시 다리를 절기도 해요. 그 변화와 성장은 상승과 하강을 반복합니다. 이렇게 이야기에서는 주인공의 내적 결함과 외적 장애를 통해서 보는 이들이 인물에게 충분히 동화될 수 있게 합니다.

이야기 속 주인공은 다양한 선택을 하고 성장하고 진화해나갑니다. 딜레마적 상황에서 문제(사건)를 해결할 수 있는 능력을 키워나가게 되죠. 이야기의 출발점부터 이 모든 특별한 능력을 갖출 필요는 없습니다. 스토리가 전개되는 과정 곳곳에서, 혹은 클라이맥스 지점에서 이 능력을 발휘할 수 있으면 됩니다.

무엇이 주인공을 특별하게 하는가

연민을 불러일으키는 결핍, 그리고 결핍을 넘어서기 위해 추구하는 욕망. 이것이 주인공을 특별하게 만듭니다.

가끔은 다른 이야기에서는 악역으로 나올 법한 캐릭터가 주인공을 맡기도 해요.

예를 들어 드라마 〈사이코지만 괜찮아〉에서 여자 주인공 고문영 캐릭터는 안티 소셜이에요. 반사회적 인격 장애로 사람들한테 욕하고, 계단에서 사람을 밀고, 칼로 사람을 찌르고, 뾰족한 거 있으면 훔치고, 담배 피우지 말라는 데에서 담배를 피우고. 직업이 동화작가인데도 아이들의 동심을 잔인하고 무참하게 짓밟는 인물이죠.

그러나 어렸을 때 엄마에게 정서적 학대를 당했던 기억, 그리고 아버지에게 방치되었던 기억들 때문에 애가 이렇게 사이코가 되었다는 연민을 주는 지점이 분명히 있습니다. 악다구니를 쓰지만 굉장히 사랑을 원하는 캐릭터고요. 나중에 우리는 이 캐릭터가 왜 이런 행동들을 하는지 충분히 이해하게 됩니다. 만약 연민의 정서를 세팅해놓지 않으면 이 캐릭터는 정말 악당이 되겠죠.

프로타고니스트의 필요 조건

이렇게 연민과 결핍의 정서를 기본으로 프로타고니스트를 설정할 때는 다음의 네 가지를 반드시 충족시켜야 합니다.

1. 인물은 선해야 한다. - 겉으로 선해 보지 않더라도 내적으로는 선한 가치를 품고 있어야 한다.
2. 인물은 스토리에 적합해야 한다.
3. 인물은 사실적 또는 실재적이어야 한다.
4. 인물은 일관성이 있어야 한다. - 일관성 없는 캐릭터인 사람을 그릴 때도,

그의 일관성 없음이 드러나야 한다.

아리스토텔레스는 〈시학〉에서 "인물 묘사에서도 창작자는 언제나 개연성과 필연성을 추구해야 한다. 그래서 특정 인물은 개연성과 필연성의 원칙에 따라 고유의 말과 행동을 해야 한다."고 말했습니다. 이 말은 우리가 프로타고니스트를 설정할 때 항상 염두에 두어야 할 말입니다.

안타고니스트의 정의

· · ·

안타고니스트antagonist는 작품 속에서 주인공과 대립하거나 적대적인 관계를 맺는 인물을 말합니다. 안타고니스트라고 해서 항상 못된 사람은 아닙니다. 주인공을 방해하는 모든 것이 바로 안타고니스트예요. 때로는 사회적 시선이나 압박일 수도 있고, 그 분위기가 될 수도 있어요. 바뀌지 않는 사회적 관념일 수도 있고요. 결국 주인공과 대립되는 모든 것이라고 할 수 있습니다.

· 반대자, 경쟁자, 라이벌
· 주인공을 방해하는 '모든 것'

- 프로타고니스트에 비해 훨씬 더 복잡하고 다층적인 뜻을 가지고 있다.
- 꼭 '나쁜 악당'일 필요는 없다.
- 적대자, 악당이라고 단순화할 수 없다.

소설을 원작으로 한 영화 〈82년생 김지영〉에서의 안타고니스트를 찾아볼까요? 남편, 너무 잘해줍니다. 시어머니는 어떤가요? 가끔 얄밉긴 하지만 이야기 전체의 안타고니스트는 아닙니다.

이 작품에서는 자신의 본성을 숨기고 살아야 하는 여성상, 항상 눈치를 봐야 하는 여성상, 이 사회에서 여성을 보는 시선 전체가 안타고니스트예요. 때문에 지영은 자신을 잃어가고 있다는 느낌을 계속 받죠.

저는 이 작품에서 남편이나 시어머니가 너무 못된 사람이 아니어서 이야기가 좋았어요. 남편이 나쁜 사람이면 이 사람 한 명의 문제가 되잖아요. 그런데 남편이 잘해주고 도와주는데도 지영은 인생이 힘듭니다. "쯧쯧…. 맘충이네…"라며 뭐만 해도 색안경을 끼고 보는 모든 사람들의 시선 때문에 힘이 들죠. 경력 단절부터 시작해서 나를 점점 더 잃어가는 느낌도 갖고 있습니다. 이렇기 때문에 이 이야기에서의 문제는 사회 전체로 확장될 수 있는 거죠. 이처럼 작가가 어떤 문제의식을 느끼고 있느냐에 따라서 안타고니스트는 달라집니다.

자극적인 안타고니스트 설정법

· · ·

작가들이 안타고니스트 세팅에 심혈을 기울이는 이유는 바로 안타고니스트가 이야기의 긴장감을 유발하는 요소이기 때문입니다.

안타고니스트를 어떻게 세팅하느냐에 따라서 스토리의 완성도와 매력도가 달라집니다. 사실 실무에서는 프로타고니스트보다 안타고니스트라는 단어가 훨씬 더 많이 쓰여요. "이야기의 안타가 너무 약하지 않나요? 좀 다르게 설정해봐야겠는데?" 하는 식으로요. 어떻게 하면 더 매력 있는 스토리를 만들 수 있을지 고민하는 작업 중 하나이기 때문입니다.

셜록이 프로타고니스트일 때의 안타고니스트는 바로 범죄자가 되겠죠. 범죄자인 루팡이 프로타고니스트일 때, 안타고니스트는 경찰이 됩니다. 배트맨의 라이벌인 조커가 활개를 치고 돌아다니고 악행을 저질러야, 배트맨이 해야 할 일이 많아집니다. 특히 히어로물에서 빌런 설정이 중요하다고 하는 이유이기도 하죠.

안타고니스트를 어떻게 설정하느냐 따라서 이야기의 방향은 완전히 달라집니다.

무논리 악역의 문제점
이야기를 쓰다 보면 논리가 없는 악역으로 인해 이야기 전반을

무너뜨리는 실수를 많이 하게 돼요. 악역인데 논리가 없고 그냥 나쁘면 어떨까요? 행동과 말의 이유도 없고 성장 과정도 없이 '얘는 악당이니까 그래도 돼.' 하는 식으로 설정하는 거죠. 그런데 그렇게 되면 이야기의 탄력이 붙지 않습니다. 주인공이 안타고니스트를 극복하기 위한 모든 노력과 행동이 곧 이야기가 됩니다. 만약 아무 이유 없이 나쁘기만 한 무논리 악역이 등장한다면 이야기 전체의 논리가 무너지고, 주인공 또한 악역을 상대할 때의 명분이 없어서 힘이 빠집니다.

안타고니스트 다양하게 설정하기

"안타고니스트를 하나만 설정하면 되나요?"라고 물으시는 경우가 있는데 그렇지 않습니다. 재미있는 이야기에서는 안타를 1차, 2차로 겹겹이 설정해봐요. 이번엔 이놈이 방해되고, 이번엔 이런 상황이 방해되고 이렇게 다양하게요. 권선징악은 재미없거든요. 1대 1 싸움은 재미없잖아요. 주인공이 마치 17대 1로 싸우듯이 다양한 얼굴을 한 안타고니스트가 끝끝내 발목을 잡는 이야기가 더 재미있습니다.

이야기가 아직 한참 남았는데 악역이 너무 빨리 무너지는 것도 문제가 됩니다. 더 이상 사람들이 이야기를 봐야 할 이유가 없어지는 것이나 마찬가지니까요. 그럴 땐 재빨리 2차적 안타고니스트가 등장해야 합니다. 이 모든 것을 컨트롤하고 있었던 새로운 악역이 등장하는 것도 방법이고, 주인공이 더 싸우지 못할 만한 상황적 이유를 만들어주는 것도 방법입니다.

악역 없는 선한 안타고니스트의 힘

악역이 없다고 해서 나쁜 글인지 고민하실 필요는 없습니다. 절대 그렇지 않으니까요. 선한 사람들이 서로의 안타고니스트 역할을 한다면 그게 더 섬뜩한 일일 수도 있어요. 선한 사람들을 그렇게 만든 상황이 안타고니스트가 되는 경우도 많습니다. 좋은 의도로 했던 일이 좋지 않은 결과로 돌아오지 않는 것도 섬뜩한 일이 될 수 있고요.

꼭 이러한 이야기가 아니더라도 이야기에서 긴장감을 유발할 수만 있으면 됩니다. 주인공이 맞서 싸워야 할 모든 요소가 바로 안타가 되기 때문입니다.

【 13강 】
누구나 반할 만한
캐릭터 설정하기

여러분들이 웹소설을 쓰려고 할 때, 가장 중요하게 공을 들여야 할 것이 캐릭터 만들기입니다. 이야기의 전면에 나서서 이끌어가는 게 바로 등장인물이니까요. 과연 이 캐릭터를 재미있게 만들 수 있는 방법은 무엇일까요? 여기에서는 제 작품 〈밀당의 요정〉의 캐릭터를 가지고 캐릭터 기획의 전체 과정을 살펴볼게요.

Step 1. 이미지 기획하기

• • •

다양한 방법들이 있지만, 저는 '실제 배우를 캐스팅한다!'라는 느낌으로 캐릭터를 잡는 편입니다.

〈밀당의 요정〉에서 '권지혁'이라는 남자 주인공 캐릭터는 '조정석 배우가 해주면 좋겠어!'라고 정하고 시작했는데요. 그러니 좀 더 캐릭터 잡기가 쉬워졌습니다. 왜냐하면 조정석 배우가 연기했던 수많은 작품들을 보고 원하는 부분, 그 이미지만 골라서 캐릭터를 만들 수 있거든요. 그렇다면 조정석 배우가 어떤 표정을 가지고 있는지 알아보면 좋겠죠? 검색창에서 이미지 검색을 눌러서 내가 원하는 캐릭터의 이미지를 여러 장 골라 놓습니다.

캐릭터 잡기는 글로 시작할 줄 알았는데 이미지로 잡기 시작한다는 것이 조금 의외일 수도 있습니다. 그런데 이렇게 하면 캐릭터의 느낌을 입체적이고 또렷하게 잡을 수 있습니다.

그간 했던 작품이나 화보 등 수많은 사진에서 내가 원하는 이미지를 뽑아 PPT 등으로 정리합니다. '나는 이런 표정들을 내 캐릭터에 활용할 거야.'라고 정해놓는 거죠. 내가 원하는 캐릭터가 어떤 스타일인지 아직 잘 보이지 않을 때는 이렇게 어떤 배우를 캐스팅할지부터 생각해보세요. 마찬가지로 여자 주인공이 아이유인 것과 유인나인 것과 김태리인 건 굉장히 차이가 크겠지요? 그중에 나는 어떤 배우를 좋아하는지 고민해봅시다. 사심 캐스팅도 환영입니다. 물론 나중에 다른 배우로 바뀔 수도 있어요. 이건 어디까지나 가상 캐스팅이니까요.

Step 2. 인물 핵심 태그 쓰기

・ ・ ・

다음은 인물의 태그를 써봅니다. 성별, 나이, 직업, 직업의 변화 등을 간단하게 적고, 다음으로 이 인물의 주요 캐치프레이즈 등을 핵심 태그로 써봅니다.

권지혁 남 / 30대 중반 / 성진건설 상무 - 로안웨딩홀 대표

#철벽 같은 비혼주의자 #좀 생겼고, #기럭지 훌륭하고

#언변 좋고 내가 바로 #밀당의 요정?!

#마성의 승부사!

　한번 찜한 여자는 놓치지 않는다. 물론 결혼은 안 할 거지만.

#매력이 철철, #섹시미가 뿜뿜

#이런 나에게서 벗어날 수 있겠니?

#재벌 2세라기엔 #압도적인 실적 #카리스마

#나 일까지 잘해, 어떻게 해.

#건설계의 다크호스 #성진건설을 세계 일류의 기업으로!

#천상천하 갑질 독존

#을이란 거 어색해, 어떻게 하는 건지 모름.

　내가 고개 숙이고 허리 굽히는 거, 이거 굉장히 흔치 않은 일이라고.

이렇게 인물의 핵심 태그만 정리해봅니다. 바로 이 인물의 가장 주요한 키워드가 뭔지 써보는 건데요. 첫 단계의 가상 캐스팅으로 만들어놓은 이미지보드(PPT 파일)를 뚫어져라 쳐다보면서 연상되는 키워드 등을 적어보는 겁니다.

Step 3. 캐릭터 트렌드 연구하기

• • •

그다음에 해야 할 것은 이 시대가 원하는 캐릭터가 무엇일지 연구하는 겁니다. 그것도 다 트렌드가 있거든요. 저는 주로 시대적 니즈가 무엇지 고민하면서 캐릭터 기획을 시작했어요. 또한 '이 캐릭터가 어떠한 대리 만족을 줄 수 있는가?'에 대해서 연구했습니다. 독자들에게 어떤 감정을 줄 수 있는 캐릭터인지 방향성을 잡는 거죠.

이야기 속에서 가공된 캐릭터 말고, 요새는 실제로 어떤 캐릭터가 유행인지도 살펴봅니다. 우리가 어떤 스타일을 원해왔는지도요. 예전엔 육식남, 초식남 등의 분류 등을 많이 했다면 또 한때에는 '남친짤'이 유행처럼 돌면서 친근한 남친 느낌도 인기가 많았죠. 그런 이미지들을 분석해 어떤 캐릭터가 대세였었는지 찾아봅니다.

그리고 '내가 만든 이 캐릭터를 실제로 본다면 어떤 느낌일까?'에 대해서 디테일한 반응들을 써봅니다. '이 인물을 실제로 대했을 때,

주변에선 어떤 반응일 것인가?' 등을 써보는 겁니다.

저는 지나치게 유머 감각이 없고 딱딱하고 경직된 남자보다 이런 저런 농담을 자연스럽게 던지는 캐릭터를 좋아하는 편인데요. 그런 느낌을 모아서 내가 원하는 캐릭터의 디테일을 정했습니다. 그의 평소 표정은 어떨지, 그와 실제로 연애한다면 어떤 느낌일지, 일할 땐 어떤 모습일지 등을 구체적으로 상상해서 적어봅니다. 아무래도 이미지가 있으니까, 좀 더 구체적으로 상상할 수 있을 겁니다.

Step 4. 캐릭터 Q&A

• • •

그리고 나서 해야 할 일은 바로 Q&A를 통해 캐릭터 디테일을 다듬는 겁니다. 내 캐릭터에게 몇 가지 중요한 질문을 해보는 것인데요. 설정해둔 〈밀당의 요정〉으로 예를 들면 캐릭터인 권지혁을 두고 '권지혁, 그의 매력은?'이라는 질문을 던지고 스스로 답변을 하기 시작합니다. '이 남자의 매력은 이러이러할 것이다.'

마찬가지로 계속하여 스스로 질문하고 답해봅니다. '그의 일은?' '이 남자의 연애 방식은?', '여자를 유혹하는 그의 비법은?', '그의 반전 포인트는?', '이 남자의 결혼에 대한 생각은?', '이 남자의 가족 관계는?', '이 남자의 트라우마는?', '그런 그가 이야기에서 어떠한 입체

적인 변화를 보여줄 것인가?' 등등 묻고 답해보세요. 몇 가지 살펴볼
게요.

Q. 권지혁, 그의 매력은?!

A. 항상 여유 넘치는 미소가 디폴트되어 있다. 입꼬리 끝에 대롱대롱
매달려 있는 매력! 거기에 달콤한 말로 여심을 설레게 하고 스스
럼없는 농담으로 여자를 웃게 하니…!

이 남자, 아무래도 바람둥이 같다!

'저 남자, 나쁜 남자일 거야. 분명 어딘가에 뒤통수 한 방이 있을
거야. 저렇게 완벽한 남자가 나한테 왜?'

그렇게 잔뜩 의심을 하다가도,

그가 내 남친이 되면 어떨까, 상상하게 되는 그런 남자…!

"저런 남자, 진짜 별로야" 겉으론 그렇게 얘기해도

자꾸 호기심이 들고 왠지 모르게 끌리는 남자…!

그게 바로 원조 밀당의 요정, 권지혁이다.

Q. 여자를 유혹하는 그의 비법은?

A. 살짝 능청이 있다. 들이댈 땐, 거절 못하게 은근슬쩍 능청으로 휘
감았다가 정확하게 돌직구를 던진다.

"예쁘시네요. 내가 아는 여자 중에서 제일."

틱틱거리는 듯하면서도 은근히 잘해주고,

여자가 조금 삐졌다 싶으면 특유의 매력적인 미소를 날린다.

"어차피 나한테 반했잖아?" 이럴 땐 좀 재수 없는데,

여자가 원하는 점을 콕! 집어서 칭찬해준다.

아닌 척하지만, 여자들은 결국 여기서 사르르 녹게 되어 있다.

초장에 확실한 임팩트로 다가가 초면에 사귀기, 하루 만에 키스하

기 등의 미션을 줄줄이 클리어 한다.

비결은 거부할 수 없는 섹시함?!

왠지 재력 있어 보이는 이 느낌적인 느낌?! 뛰어난 언변?!

이렇게 쭉 캐릭터에 대한 스토리를 질문과 답변 형식으로 적다 보면 좀 더 그 사람의 히스토리에 대해서 구체적으로 상상할 수 있게 됩니다. 캐릭터의 디테일은 최대한 구체적으로 짜야 하기에 그 사람의 모든 것에 대해서 꼬치꼬치 캐묻는 게 중요합니다.

Step 5. 캐릭터 말투 설정하기

• • •

다음으로 캐릭터의 말투를 정해야 합니다. 캐릭터를 표현할 수 있는 정말 다양한 방법이 있지만, 그중에 가장 대표적인 한 가지가

바로 말투거든요.

캐릭터의 말투를 정하는 법 가장 쉬운 방법은 역시나 레퍼런스 스터디입니다. 저는 시대의 화두가 되었던 남자 주인공들의 대사를 연구하면서, 캐릭터의 디테일을 공부하고는 합니다.

대사만 보아도 캐릭터가 보이는 인물, 혹은 매력적인 캐릭터의 대사들을 따로 정리해두었습니다. 지금도 대사를 연구할 때는 지금 가장 인기 있는 캐릭터들의 대사를 쭉 다시 한번 타이핑해보는 등의 필사 공부를 합니다.

주변 인물의 대화를 녹음해서 타이핑해보는 것도 도움이 됩니다. 그러면 분명히 특징적인 말투가 존재하거든요. 녹취록을 만들면 그냥 귀로 들어서는 파악할 수 없는 특징을 파악할 수 있습니다. 주변 인물 중 마땅한 사람이 없다면, 독특한 말투를 쓰는 한 명의 연예인을 정해서 그 사람의 대사들을 받아쓰기해보는 것도 좋습니다.

Step 6. 인물 관계도 그리기

• • •

그렇게 한 명 한 명 캐릭터 기획을 했다면 다음 할 일은 인물 관계도를 그리는 겁니다. 현대물 로맨스 웹소설은 지나치게 많은 인물을 등장시키는 편은 아니에요. 가볍게 읽는 스낵컬처이다 보니, 너무 인물이 많으면 오히려 복잡해지는 면이 있기 때문입니다. 메인 주인공 네 명 정도에 힘을 주고 나머지는 그의 가족과 친구, 조력자, 회사에서 만나는 사람 등으로 주변 인물 관계도를 정리합니다.

이 인물 관계도는 PPT로 작업을 해도 좋고, A4용지에 인물 관계도를 그려놓고 스캔을 해도 좋습니다. 이 인물 관계도는 글쓰기 전, 잘 보이는 데 붙여두고 항상 숙지합니다. 안 그러면 글을 쓰다가 세부 인물을 잊고 가는 경우가 생길 수 있거든요.

〈밀당의 요정〉 인물 관계도

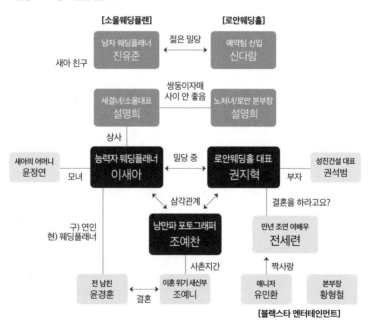

Step 7. 인물별 자기소개서 쓰기

• • •

다음으로 해야 할 것은 각 인물들의 자기소개서를 써보는 것입니다. 내가 그 인물이 된 것처럼 자기소개서를 써봅니다. 그 과정에서 자연스럽게 그 인물이 인생에서 목표로 하는 것과 현재 상태 등이 드러나게 됩니다. 그냥 편하게 누군가와 대화나 인터뷰를 하는 것처럼 자기소개서를 써내려 갑니다. 처음부터 모든 인물을 다 쓸 필요는 없고요. 일단은 주요 인물 네 명 정도만 자기소개서를 써봐도 좋습니다.

이새아 여 / 30대 초반 / 소울웨딩플랜 팀장급 웨딩플래너

#전천후 웨딩 스페셜리스트 #능력자 웨딩플래너

#SNS 소통 종결자 (feat. 본인 홍보만이 살길)

#차도녀 페이스 but #반전 성격 #감수성 풍부 #눈물 많음

#아낌없이 퍼주는 호구 플래너?! (그래서 신랑 신부들에게 인기가
   많음!)

#지금은 투병 중, 병명은 #결혼병 말기 (나 꼭 결혼하고 싶어요~)

'새아'라는 이름에 '가' 자만 붙여도 '#새아가'가 되는데,

결혼해서 '#며느리'가 되는 게 이렇게 힘든 일이었단 말인가?

#내 일도, 결혼도 모두 다 성공할 거야! #연예인 결혼 포트폴리오?

이거 한 방이면 나 빵 뜰 텐데. 근데, 신랑이 누규?

안녕하세요, 이새아입니다.

저는 지금 소울웨딩플랜이라는 웨딩컨설팅 회사에서 일하고 있고요.

아, 아세요? 맞아요. 그냥 스드메 판매하는 게 아니라 광고회사처럼

각자에게 맞는 결혼 계획을 프레젠테이션하고, 진짜로 맞춤 결혼 기

획을 해주는……

거기서도 제가 쫌 유명하답니다. 총예산 500만 원짜리 결혼식부터

상류층 결혼식까지 막힘없이 착착 해낸다고.

아, 블로그 보신 적 있다고요?

사실, 신부님들도 블로그 보고 많이 문의 주세요.

요샌 또 셀프 홍보를 잘해야 살아남을 수 있거든요. 혹시 주변에 결

혼 준비하시는 분 있음 꼭 좀 소개해주세요. 여기, 명함^^

아, 남의 결혼 그렇게 잘 준비해주는 사람이 왜 본인은 막상 솔로냐

고요? 결혼 계획 없냐고요. 결혼이야 하고 싶죠.

행복한 신랑, 신부님 보면 저도 사실 많이 부러워요. 내 결혼식엔 이

렇게 해야지, 저렇게 해야지, 생각해놓은 것도 엄청 많고요.

근데 제가 남자 복이 좀 없어요. 밀당도 잘 못하고요. 그래서 결과가

좀 안 좋아요. 제가 거절을 잘 못하는 성격이거든요. 싫은 소리도 잘

못하고.

그러니까 남자들이 금방 기고만장해지더라고요. 싸가지 없는 소리

를 해도, 상처받은 내색도 잘 못하고, 일부러 더 쿨한 척하고.

밀당만 좀 잘했더라면, 지금 이 모양 이 꼴은 아니었을 텐데.

제가 어느 정도로 거절을 잘 못하냐면요.

전 남친들이 딴 여자 데리고 저한테 결혼 준비해달라고 많이 찾아와

요. 제 성격 쿨한 줄 알고요. 근데 그걸 거절을 못하겠더라니까요.

그놈 성격 뻔히 아는데, 그걸 누구한테 맡겨요. 내가 하고 말지.

얼마 전엔 무슨 일이 있었냐면,

전 남친 결혼식에 신부가 늦는 거예요. 요 앞에서 난 교통사고 때문에.

신부 도망간 거 아니냐고 하객들 술렁거리니까,

저보고 웨딩드레스를 입고 대리 신부를 해달라는 거예요.

신부 대기실에 앉아서 실루엣만 좀 비춰달라고.

결국 그걸 제가 했네요. 후, 어쩔 수 있나요. 조금 기다리면 온다는데.

참 웃기죠?

맞아요. 외강내유형. 다 센캐인 줄 아는데, 사실 속은 안 그래요.

그래도 끝나고 고맙단 소리 들으니까 속도 없이 기분 풀리는 거 있죠?

이새아 플래너 덕분에 결혼식 잘했다, 고마웠다….

집이 좀 엄해서, 칭찬을 많이 못 듣고 자랐거든요.

그래서 더욱 인정받고 싶은 욕구가 좀 강한 것 같아요.

그래서 이렇게 일도 빡세게 하고 있는 것 같고.

절 있는 그대로 인정해주고, 사랑해줄 사람, 잘했다고 잘하고 있다고

칭찬도 많이 해주고, 아껴줄 사람. 그런 사람, 꼭 나타났으면 좋겠어요.

그런 사람 나타나면…… 이번엔 진짜 '밀당'을 잘 해보려고요.

지금까진 털털한 척하다가 다 털털털 털어먹었으니,

이젠 내숭도 좀 떨어보고, 팅기기도 해보고,

그렇게 그 사람 마음 제대로 사로잡고 싶어요.

할 수 있겠죠? 이 미모에, 이 성격에, 이 벌이에, 내가 빠질 게 뭐야?

이번엔 꼭 '밀당의 요정'으로 거듭나보겠습니다.

이젠 남의 결혼식 말고 진짜 내 결혼식 준비하고 싶어요. 파이팅!

작품 집필에 들어가기 전에 실제로 이렇게 캐릭터 기획안을 디테일하게 잡냐고요? 물론이지요! 모든 작가님들이 그런 건 아니지만, 저는 이런 방식으로 세세하게 캐릭터를 설정해주는 편이에요. 기획이 탄탄해야 중간에 캐릭터가 무너지는 일이 없기 때문입니다.

캐릭터 기획의
7단계

캐릭터를 설계할 때는 다음의 각 단계를 따르면 효과적입니다. 기획 단계부터 캐릭터를 탄탄하게 설정하려면 시간이 걸리더라도 이 단계를 꼭 거쳐야 합니다.

3장

이야기를
흥미진진하게 만드는
플롯 설계법

플롯이란 무엇인가

플롯은 스토리에서 주인공이 펼치는 행동 중 원인과 결과의 상관관계를 갖는 핵심 행동의 짜임새를 말합니다. 원인 → 핵심 행동 → 결과 / 원인 → 핵심 행동 → 결과로 주인공의 스토리를 짜는 것이죠.

플롯의 구조

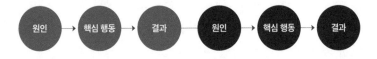

이렇게 설명하면 다소 어려워 보이죠? 조금 더 쉬운 말로 다시 얘기해볼게요. 플롯은 간단히 말해서 인과관계이자 흐름입니다. 또한 이야기의 구조이기도 합니다.

〈로미오와 줄리엣〉 같은 플롯이라고 하면 이 이야기의 흐름이 어떤 것인지 딱 알 수 있겠죠? 예를 들어 '비빔냉면 나라의 공주와 물냉면 나라의 왕자가 있는데, 두 사람이 로미오와 줄리엣 같은 사랑을 하게 된다.'라는 로그라인이 있다면 '금기시된 것을 헤쳐 나가고자 하는 두 남녀의 사랑 이야기가 펼쳐지겠구나.'라고 바로 이해할 수 있을 겁니다. 만약 〈돈키호테〉의 플롯이라고 하면 어떨까요? '어떤 캐릭터가 무엇인가를 추구하면서 모험을 떠나게 된다.'는 흐름이 그려지죠? 〈테이큰〉의 플롯이라고 하면 '내게 소중한 사람이 납치당해서 그를 구하러 간다!'는 플롯이겠죠.

잘 짜여진 플롯의 힘

• • •

어떤 웹툰을 봤습니다. 처음에 시작은 좋았어요. 비장하고 관심을 끌기에 충분했습니다. 그런데 점점 진행될수록 플롯 없이 이야기의 인과관계가 약하고, 개연성이 느슨했어요. 이야기가 어떻게 흘러갈 것인지 예측이 안 됐고요. A라는 이야기의 시작점을 주면, 어느 정도 예측이 가능한 B라는 흐름을 줘야 하는데, 혹은 개연성이 있는 C라는 반전을 줘야 하는데 갑자기 Y라는 전혀 생뚱맞은 흐름이 진행되는 거죠. 아니면 A라는 이야기를 제대로 마무리 짓지 못한 채 X라는 새로운 이야기가 진행되었습니다. A의 결말은 어떻게 된 것인지 흐지부지해지면서 인과관계가 흐트러지고 말았어요.

만약 창작자가 플롯을 조금 더 공부했다면, 이런 실수는 하지 않았을 것입니다. 여러분들도 마찬가지입니다. 플롯을 연구하지 않고도 이야기가 술술 나오는 경우는 없어요. 사실 거의 모든 이야기들이 막히는 이유는 플롯의 흐름을 타지 못했기 때문입니다. 이야기를 다 보고도 '이게 대체 무슨 얘긴지 모르겠어.'라는 말을 듣는다면 그것은 눈에 확 들어오는 구조를 보여주지 못했기 때문입니다.

플롯은 뼈대이다

스토리에서 플롯이 중요한 첫 번째 이유는 플롯이 뼈대이자 받침대로 모든 것을 받쳐주는 막강한 역할을 하기 때문입니다. 골조 없는 건축물이나 차대 없는 자동차를 상상해보세요. 구조가 허약해서 바로 무너지겠죠. 이야기에도 전체적인 구조인 플롯이 없다면 인과관계가 금방 느슨해지고 맙니다.

우리가 집을 짓는 과정을 생각해봅시다. 집을 짓다 보니 부엌이 너무 좁은 거예요. 그러면 뼈대를 무너뜨리고 무리하게 부엌을 확장하고 싶을 때도 있겠죠. 하지만 집안의 뼈대를 잘못 건드렸다가는 집이 무너질 수도 있습니다. 인테리어는 마음껏 예쁘게 하셔도 좋아요. 즉 디테일은 마음껏 변형해도 됩니다. 그러나 구조는 함부로 건드리면 안 됩니다. 오랜 시간 다듬어진 구조적 리듬을 놓쳐서는 안 된다는 뜻입니다.

플롯은 이야기의 나침반이다

플롯은 또한 이야기의 나침반입니다. 플롯을 정하지 않고 글을 쓸 수는 없어요. 플롯이 이야기의 방향을 결정해주는 요소이기 때문이죠. 이 패턴을 구조적으로 의지하세요. 결말을 정하지 못한 채 글을 쓰더라도, 플롯이 내 이야기가 어디로 가야 하는지를 보여주는 나침반이 되어줄 것입니다.

플롯이 없으면 긴장도 없다

이야기에서는 어떠한 행동이 원인과 결과의 사슬로 연결되어 있습니다. 어떠한 행동을 보여주면 '그다음엔 무슨 일이 일어날까?' 하는 궁금증, 앞으로 벌어질 사건에 대한 기대감이 생깁니다. 어떠한 행동을 보여주면, 독자들은 반사적으로 그 결과를 예측하기 위해 노력합니다. 이야기의 씨앗인 A가 흥미롭게 구성되어 있다면 이야기의 결과인 B도 흥미로울 것이라 기대하는 것이죠. 어떤 이야기가 이어질 것인가. 내 예상이 맞을까, 틀릴까 하는 긴장감에서 이야기의 재미가 발생하는데요. 촘촘하게 이야기의 씨앗을 직조하고, 이야기의 결과가 또 다른 이야기의 씨앗이 되는 과정에서 이야기의 재미는 점점 더 커집니다. 긴장감이 없으면, 읽는 재미가 없습니다. 결국 플롯이 없다면, 혹은 플롯이 약하면 이야기의 재미가 없어집니다.

플롯은 공공재다

'나는 첫 작품부터 세상에 없는 놀라운 플롯을 쓸 거야.'라고 다짐하는 창작자도 있겠지만, 사실 처음부터 새로운 플롯을 제시하기란 어려운 일입니다. 독창적인 글을 쓴다는 것이 아무도 사용해본 적 없는 새로운 플롯을 창작하는 걸까요? 아닙니다. 플롯은 인간의 경험을 바탕으로 합니다. 독창성은 플롯의 창작 여부보다 기존에 존재하는 플롯을 어떻게 색다르게 전개하느냐에 좌우됩니다. 우리는 일단 세상에 나와 있는 플롯부터 공부해야 합니다. 세상에 존재하는 플롯 패턴의 본질을 완벽히 이해해야 한다는 뜻입니다.

놀랍게도 플롯은 '공공재'라고 일컫습니다. 물이나 바람, 땅처럼 모두가 공유하며 함께 쓰는 것이란 의미입니다. 이미 세상에 존재하는 플롯을 우리는 공공재처럼 가져다 쓰기만 하면 됩니다. 어떤 플롯을 가져다 쓸 것인가. 우리는 기존에 나와 있는 플롯 중에서 나의 이야기에 가장 잘 어울리는 플롯을 찾아야 합니다. 리듬감 있는 플롯은 이미 오랜 세월에 걸쳐 다듬어진 것입니다. 이 기본 플롯을 마음대로 바꾸고 꾸미고 변형하되, 구조적 리듬을 놓쳐서는 안 될니다. 플롯의 리듬이 주는 추진력을 따라야 하는 것이죠. 이미 기존에 떠도는 플롯들, 이야기 속의 흐름들을 완벽하게 내면화시켜야 해요. 법칙을 깨고 싶으면, 반드시 법칙을 배워야 합니다. 첫 시작은 구조적으로 유명 작품을 의지하면서 가세요. 구조를 그대로 따와도 괜찮습니다. 대신에 디테일은 더 재미있게 변형시켜주세요.

플롯의 마술사 되기

• • •

플롯을 잘 설계하려면 기존 스토리들의 플롯을 연구해야 합니다. 수많은 소설과 영화, 연극, TV 드라마 등의 스토리 콘텐츠들이 성공과 실패를 반복하는 현상을 분석하고 연구해, 새롭게 진화된 스토리 플롯이 탄생합니다. 기존 이야기를 분석하지 않으면 나 또한 이미 망해버린 스토리 라인을 그대로 따라갈 수도 있습니다.

강조해서 말씀드리는데 처음 시작할 때는 이미 성공한 기존의 플롯에서 출발하세요. 이야기 창작에 점점 더 익숙해지면 기존의 플롯을 더 신선하게 비틀어 더욱 진화된 플롯을 설계해갈 수 있습니다.

웹소설의 플롯

먼저 웹소설은 영화, 드라마와 같은 비주얼 스토리텔링이라는 점을 기억해야 합니다. '나는 기존 웹소설에서는 본 적 없는 대단한 구성을 해볼 거야.', '새로운 플롯을 창작해낼 거야.' 이런 건 사실 웹소설 창작에는 적합지 않습니다. 엄청난 플롯, 어마어마한 구성이 있으면 좋죠. 하지만 장르 소설을 클릭한 독자들은 어느 정도 이야기를 예측하면서 들어오고, 내가 예측한 이야기보다 재미있길 바랍니다. '통통 튀는 로코인줄 알고 봤는데 청승맞은 멜로네'. 이러면 읽다 말겠죠. '내가 예측한 얘기랑 다르잖아.' 하면서요.

플롯과 스토리텔링 순서는 다르다

스토리텔링은 시간 순서대로 순방향으로 할 수도 있고, 역순으로 할 수도 있고, 또는 작가가 원하는 대로 순서를 정할 수도 있어요. 플롯과 스토리텔링 순서는 다릅니다. 플롯은 이야기 속에 존재하는 인과관계에요. 이를 결과부터 들려줄지, 시작부터 들려줄지는 작가의 선택입니다.

이야기가 완전히 역순으로 진행되거나, 시간 순서를 뒤집은 작품도 있어요. 영화 〈메멘토〉나 〈범죄의 재구성〉을 예로 들 수 있습니다. 영화를 다 보고 나서 우리가 머릿속으로 시간 순서를 다시 짜 맞춰야 하는 작품이에요. 이런 이야기는 어떻게 쓰여질까요?

일단 시간 순서대로 이야기를 쭉 씁니다. 앞뒤의 인과관계를 쭉 짜는 것이지요. 그다음에 이야기를 거꾸로 스토리텔링합니다. 명확한 플롯이 존재한다면 스토리텔링을 역순으로 하는 것도 가능해요. 단 이럴 때 이야기의 논리적 하자가 있어서는 안 된다는 것을 꼭 기억하세요.

아이템을 플롯에 태워라

만약 새로운 아이템이나 주인공이 떠올랐는데 아직 매력적인 로그라인을 뽑지 못했다면 그 인물이나 아이템을 플롯에 태우는 것도 한 방법입니다. '나는 이번에 뱀파이어물을 써보고 싶어. 그런데 기존 뱀파이어물보다 새로운 플롯으로 진행해보고 싶어.' 이런 생각이 든다면 나의 아이템을 이미 존재하는 플롯에 태워보세요.

- **추구** : 뱀파이어계의 돈키호테라면 어떨까?
- **모험** : 바람둥이 뱀파이어가 세계 각국의 여자를 만나러 떠나는 모험은 어떨까? 그러다 소중한 단 한사람을 찾게 된다면?
- **구출** : 누군가 뱀파이어의 소중한 사람을 납치했다면? 그 뱀파이어가 리암 니슨처럼 소중한 사람을 구하기 위해 종횡무진한다면?
- **수수께끼** : 뱀파이어가 형사라면? 검사라면?
- **성장** : 뱀파이어 학교에서는 무슨 일이 벌어질까?

이렇게 뱀파이어라는 굉장히 익숙한 아이템을 새로운 플롯에 태우는 것만으로도 꽤 신선해 보이는 이야기가 탄생할 수 있습니다. 이 중엔 이미 나와 있는 얘기도 있지만 기존 뱀파이어물의 클리셰를 비트는 것만으로도 상당히 재미있는 스토리가 된다는 뜻입니다.

웹소설에서 먹히는 플롯

• • •

플롯은 크게 두 가지 방향으로 분류할 수 있습니다. 행동에 기초를 둔 액션이나 모험 이야기인가(몸의 플롯), 아니면 등장인물의 내면적 세계와 인간의 본질을 다루고 있는가(마음의 플롯)에 따라 구분합니다.

마음의 플롯

주로 순문학 작품이나, 예술 영화 등에서는 마음의 플롯을 따릅니다. 사건이 마음의 플롯을 따라가는 것이지요. 마음의 플롯은 내면적으로 인간의 본질과 인간 사이의 관계에 파고듭니다. 이는 믿음과 태도를 시험하기 위한 내면적 여행이에요. 인생을 비현실적인 방법으로 묘사하기보다는 담담하게 인생을 점검합니다.

만약 굉장히 교과서적인 순문학 작품이 있다면 결론적으로 등장인물이 대단한 걸 성취하고 뿌듯하게 끝나는 것이 아닙니다. 그저 조용하게 자기 인생을 돌아보고 약간의 다짐 정도를 합니다. 이것이 마음의 플롯이에요. 철저하게 정해진 인과관계에 따라서 이야기가 진행되기보다는 그냥 사건은 벌어지고, 그에 대해 소란스럽지 않게 조용히 반응하는 형태로 플롯이 짜여집니다.

몸의 플롯

대중 시장을 겨냥하는 대부분의 이야기는 몸의 플롯을 따릅니다. 독자와 관객들의 주요 관심은 '다음엔 어떤 일이 벌어질까?' 하는 것입니다. 앞으로 무슨 일이 일어날 것인가에 대한 긴장감, 기대감이 필수입니다. 이야기에서 이 다음 사건이 일어날 수밖에 없게 하는 뚜렷한 인과관계를 보여주는 것이 중요합니다.

순문학에서도 '장르 소설 같다.'라는 평을 얻는 작품이 있어요. 그건 마음의 플롯이 아닌 몸의 플롯을 따라간 작품입니다. 사건이 정신없이 벌어지고, 인과관계에 따라서 그다음 사건이 유발되고, 주인공은 그 사건을 해결하기 위해 적극적으로 뛰어들고, 이런 것이 모두 '장르적 플롯'이라고 볼 수 있습니다.

【 15강 】

탄탄한 구조를 만드는
구성법

구성이란 바로 이야기의 '구조를 만드는 작업'입니다. 이야기를 감각만 가지고 쓸 수 있을까요? 대부분의 웹소설 작가들은 굉장히 다독을 하시고, 장르적 코드에 대해서 정통하시기 때문에 구성 작업, 구조 만드는 작업 없이 이야기를 써낼 수 있습니다. 이미 이야기의 구성을 내재화한 덕분인 거죠. 그런데 우리는 초보잖아요. 앞으로 100화, 200화, 300화를 쓸 건데 내가 무슨 얘기를 써나갈지 나도 몰라요. 안 써봤으니 당연한 일입니다. 웹소설은 상당히 긴 이야기인데, 중간에 흔들리지 않을 수 있나요? 헤매지 않을 수 있나요? 절대 장담할 수 없습니다. 그래서 글쓰기를 시작하기 전에 구성을 해두는 것이 필요합니다.

막힘없는 이야기 전개를 위한 첫 단계

· · ·

구성을 철저히 해놓을수록 나중에 이야기를 집필할 때 막힐 확률이 적어집니다. 이야기 전체에서 쓸데없는 부분 없이 '탄탄한 논리 구조'의 스토리텔링을 할 수 있게 됩니다. 구성 없이 내가 이야기에 기승전결 중 '기'에 와 있는지 '승'에 와 있는지 어디서 '전'을 쳐줘야 하는지 모를 수 있어요. 구성이라는 것은 이야기의 큰 틀을 잡는 것입니다.

제가 데뷔한 지 오래된 프로 작가이니 구성 없이 그냥 글을 쓸 것이라고 생각하실 수도 있지만 구성과 구조도 만드는 작업 없이 바로 장편을 쓰라고 하면 저 또한 절대 쓰지 못합니다.

그럼 100회가 넘는 이야기를 재미있게 쓰려면 어떻게 해야 할지 생각해볼까요? 마감 날마다 그때그때 번개처럼 떠오르는 아이디어에 의존하면 될까요? 오늘의 임기응변으로 어떻게든 이야기를 때우면 될까요? 할 수 있을 것 같겠지만 그건 불가능합니다.

결국 구성은 예상치 못한 부분에서 막히지 않게, 글을 쓰며 발생할 수 있는 문제점을 설계 단계에서 미리 파악하고, 해결 방안을 찾아놓는 과정입니다. 결국 웹소설 쉽게 쓰기란 구성과 구조도를 탄탄하게 세워두는 것이 좌우합니다.

스토리 구조 분석해보기

• • •

앞서 하나의 플롯만 잘 익혀두고 이를 활용하면 누구나 멋진 스토리를 만들 수 있다고 설명했습니다. 내가 쓰고자 하는 장르의 플롯을 분석하는 것은 필수입니다. 그리고 플롯 분석에 좋은 방법은 좋아하는 작품의 구조도를 역으로 만들어보는 것입니다. 장르의 독창적인 패턴을 익히고 자신의 작품에 활용할 수 있도록 내재화하기 위해서이죠. 예를 들어 거의 모든 로맨틱 코미디는 다음과 같은 구조로 진행됩니다.

로맨틱 코미디의 기본 구조

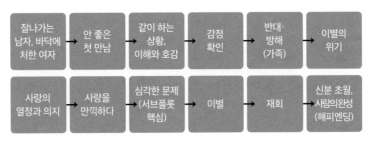

출처 : 김태원, 《매혹적인 스토리텔링의 탄생》

《매혹적인 스토리텔링의 탄생》에서는 드라마 〈파리의 연인〉과 〈시크릿 가든〉을 다음과 같이 분석했습니다. 두 작품의 세부 구조도를 그려보면, 메인 구조는 비슷한데 아이템과 캐릭터에 따라 이야기의 디테일이 다르게 진행됩니다.

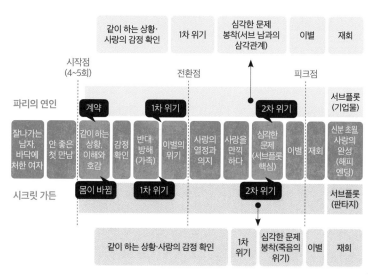

출처 : 김태원, 《매혹적인 스토리텔링의 탄생》

다른 작품으로 다시 한 번 살펴볼까요. 마찬가지로 김은숙 작가 님의 드라마 〈도깨비〉의 구조도입니다.

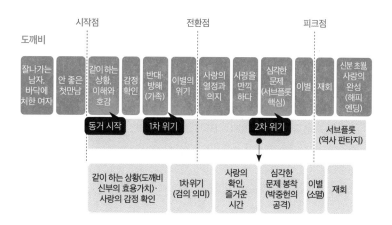

기억할 것은 역시 로맨틱 코미디의 메인 구조는 동일하다는 것입니다. 이를 어떻게 변형하느냐의 차이입니다.

만약에 여러분이 '나는 웹소설 100화를 쓸 거야.'라고 다짐을 했어요. 그런데 구조를 짜지 않고 '그때그때 생각나는 대로 이야기를 전개할 거야. 이쯤 되어서 위기가 올 때가 되었으니까 위기 한번 주고, 이쯤 되어서 달달한 신 하나 배치해주고.'라고 한다면 어떻게 될까요? 물론 이렇게 쓸 수도 있습니다. 그런데 이렇게 하면 항상 비슷한 퀄리티의 작품을 내기 어렵습니다. 어떤 날은 글이 잘 써지겠지만, 또 어떤 날은 또 안 써지는 순간이 분명히 옵니다. 오늘은 새로운 사건이나 아이디어가 떠오르지 않으니, 기존 사건에서 이야기를 쭉 늘리기도 합니다. 전체적인 구조로 봤을 때는 필요 없는 부분, 혹은 쓸데없는 부분이 늘어나고 마는 거죠.

그러니 글을 쓰기 전에 꼭 전체 구조도를 그리고 시작하세요. 글을 쓰다 중간에 막혀서 고생하기 전에, 구조도를 그리며 다층적인 위기를 설계하고, 다각적인 재미 요소를 넣어주는 작업을 해두면 처음에는 조금 귀찮을지라도 나중에는 훨씬 더 도움이 될 것입니다.

기존 작품 구조 분석 예시 – SKY 캐슬

저는 드라마 〈SKY 캐슬〉을 너무 재미있게 봤는데요. 그래서 〈SKY 캐슬〉의 각 회별 구조도를 직접 그려놓고 공부했습니다.

전체 구조도 그린 걸 보고 설명하면 좋겠지만, 그러면 너무 내용이 많으니 여기에서는 8부까지의 주인공 한서진의 플롯, 그 인과관계가 어떻게 구성되었나 살펴볼게요. 이렇게 자세하게 구조 분석을 해보면서 구조에 대한 이해를 높일 수 있습니다.

〈SKY 캐슬〉 구조 분석

1부

예서의 입시를 위해 영재의 포트폴리오를 원하는 서진 vs. 그런 것 없어도 된다는 준상

이명주 축하파티

나 우리 영재 포트폴리오 공개 안 해! vs. 언니?!

대신 입시 코디를 만날 수 있는 방법이 있어!

호텔 입시 설명회

코디를 차지하기 위한 승혜 vs. 서진

김주영 선생을 만나는 한서진

여행을 간다고 말했던 명주가 돌아와서 갑자기…

이명주의 자살

2부

장례식신 : 도대체 이명주는 왜 죽었을까?

예서의 모든 것을 관리하기 시작하는 김주영!

태블릿PC를 돌려받은 한서진! 예전 영재의 일기를 보게 되는데!

영재네 가족의 비극은 김주영 때문이다!

죽은 이명주의 집으로 이사오는 이수임네 가족

동창이었던 서진을 알아보는 수임. 너? 혹시 곽미향?!

사교육 안 시킨다는 이수임 vs. 사교육 골수들인 엄마들

가출해버린 영재 vs. 난리가 난 명주네 가족

가출한 영재를 찾아가는 명주 vs. 가을이와 살겠다는 영재

이명주의 사인을 알게 된 한서진! 김주영의 뺨을 때린다!

2부에서는 이명주의 자살 이후로 '와이더닛whydunnit'(범죄의 동기에 초점을 맞춰 전개되는 이야기)의 구조를 갖고 있습니다. 이명주가 왜 자살을 했는지를 추적하는 것이지요.

3부

(과거) 영재의 복수심을 부추겨 공부하게 했던 김주영

너 때문에 명주언니가 죽었어! 코디를 그만둔다!

팀을 짜서 예서에게 내신 강사를 붙이려 하지만 쉽지 않고

코디를 그만두자 너무 불안해하는 예서!

캐슬 내 독서토론

"갑자기 분탕질이야?" 한서진 vs. "너, 곽미향 맞구나?" 이수임

우리 집에 살던 사람이 자살을 했다고? 이수임이 알게 된다!

이 사건에 대해 궁금해하는 이수임 & 작가면 독서토론에 들어오라고 권유하는 노승혜

잘난 체하느라 바쁜 예서 vs. 독서토론이 아이들에게 가혹하다고 말하는 이수임

4부

과거 곽미향이었다는 게 밝혀질까 봐 두려워하는 한서진

영재네 가족은 영재네 문제야. 우린 달라. 다시 코디해달라고 사정하는 한서진

심지어 예서를 다시 맡아달라고 금괴까지 보내는 한서진

예빈이의 편의점 도둑질

김주영이 노승혜네 집을 컨택 중인 걸 알고 마음이 조급해지는데…

김주영에게 무릎까지 꿇고 다시 예서를 맡아달라고 한다

약점을 잡힌 한서진

책을 쓰기로 결심한 수임. 예빈이를 만나기로 하는데…

이를 보고 충격받는 수임

다시 코디를 해주기로 했는데… 거지 차림으로 나타난 영재

5부

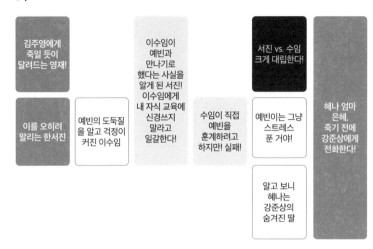

김주영에게 죽일 듯이 달려드는 영재!

이를 오히려 말리는 한서진

예빈의 도둑질을 알고 걱정이 커진 이수임

이수임이 예빈과 만나기로 했다는 사실을 알게 된 서진! 이수임에게 내 자식 교육에 신경쓰지 말라고 일갈한다!

수임이 직접 예빈을 훈계하려고 하지만! 실패!

서진 vs. 수임 크게 대립한다!

예빈이는 그냥 스트레스 푼 거야!

알고 보니 헤나는 강준상의 숨겨진 딸

헤나 엄마 은혜, 죽기 전에 강준상에게 전화한다!

6부

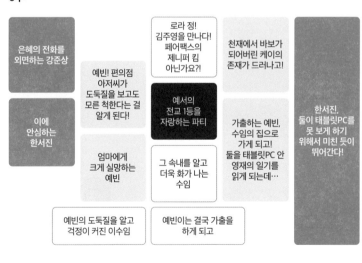

은혜의 전화를 외면하는 강준상

이에 안심하는 한서진

예빈! 편의점 아저씨가 도둑질을 보고도 모른 척한다는 걸 알게 된다!

엄마에게 크게 실망하는 예빈

예빈의 도둑질을 알고 걱정이 커진 이수임

로라 정! 김주영을 만나다! 페어팩스의 제니퍼 킴 아닌가요?!

예서의 전교 1등을 자랑하는 파티

그 속내를 알고 더욱 화가 나는 수임

예빈이는 결국 가출을 하게 되고

천재에서 바보가 되어버린 케이의 존재가 드러나고!

가출하는 예빈, 수임의 집으로 가게 되고! 둘을 태블릿PC 안 영재의 일기를 읽게 되는데…

한서진, 둘이 태블릿PC를 못 보게 하기 위해서 미친 듯이 뛰어간다!

7부

한서진, 둘이 태블릿PC를 못 보게 하기 위해서 미친 듯이 뛰어간다!

서진, 예빈을 혼내고 달랜다.

니가 뭘 알고 떠드냐는 서진 vs. 영재 가족의 불행이 코디 때문이라고 말하는 수임

그저 공부만 잘하면 된다고 말하는 강준상 vs. 시대가 달라졌다고 말하는 서진

황치영에게 자신의 입지를 위협당하는 강준상! 예서에게 어떻게든 전교회장에 당선되어 황치영의 아들, 우주를 눌러주라고 말한다!

한서진, 김주영에게 어떻게든 예서를 당선시키라고 지시한다!

이때 나타나는 박수창, 김주영을 옆에 두고 김주영 연락처를 아냐고 묻는다.

수임은 코디 때문에 영재가 스트레스 받았다는 사실을 알게 되고…

8부

김주영 vs. 박수창 총을 들고 김주영을 쏘아버릴 것처럼 협박한다!

박수창은 한서진에게 경고한다. "우리 집사람짝 나고 싶습니까?"

자신의 실력을 증명하기 위해 예서를 전교회장으로 만들려고 하는 김주영

헤나를 사퇴시킬 방법을 찾는 김주영. 도훈의 수행평가를 대신해 주었다는 증거를 찾는다!

김은혜, 강준상에게 문자를 보내려다 죽는다. "당신에게 딸이 있……"

그 여자를 뭘 믿고 맡기냐고 말하는 강준상 vs. 신경 쓰지 말라고 말하는 한서진!

예서가 전교회장이 되려면 김주영을 믿어야 한다고 말하는 서진 vs. 준상

이수임은 강주영을 만나보려고 하는데…. 강주영은 이수임에 대해서 뒷조사를 하라고 시킨다.

헤나를 사퇴시키고 예서가 전교회장이 되는데!

구조만 봐도 이야기가 너무 재미있죠. 그리고 각 회차별로 거의 비슷한 밀도로 타이트하게 이야기가 짜여 있어요. 만약에 이야기의 가운데가 비어 있다면, 혹은 이번 화를 이끌 큰 사건이 발생하지 않는다면, 시청자들은 이걸 금세 알아차리고 '이번 화는 좀 재미없었네요.', 혹은 '지지부진하네요.' 이런 댓글을 답니다.

즉 이야기의 구조도에서부터 빈 곳 없이 굉장히 탄탄하게 꽉 차 있어야 한다는 겁니다. 또한 이렇게 이야기의 구조도를 그려놓으면, 어디에서 인과관계의 허점이 생기는지, 개연성이 부족한 부분이 없는지 좀 더 쉽게 찾을 수 있습니다.

플롯 설계의 7단계

내가 쓸 작품에 대한 탄탄한 플롯 설계를 하고 싶은데, 어디서부터 시작해야 할지 막막한 경우가 있습니다. 내 플롯 설계가 막히는 건 구조도 그리기 연습을 충분히 하지 않았기 때문입니다. 내가 단 한 번도 다른 작품의 구조도 분석을 하지 않았다면, 즉 그저 줄글로만 이야기를 파악했다면 이는 당연히 막힐 수밖에 없습니다. 그 상태에서 내 구조도가 한순간에 나오기는 어렵습니다. 만약 내 작품의 구조도를 잘 만들고 싶다면, 앞에서 보여드린 것처럼 다른 작품의 구조도 그리기 연습을 10작품 이상 해보고 연습해두어야 해요.

플롯은 공공재라고 말씀드렸죠. 다른 작품의 디테일이 아닌 구조와 형태는 누구나 가져와서 쓸 수 있어요. 그렇게 가져오려면 직접 그 작품의 구조도를 그려봐야 내 작품에 적용시킬 수 있으니까요. '그 이야기들 내 머릿속에 있어요.' 정도로는 부족합니다. 다른 작품의 구조도를 그리면서 이야기가 어떻게 맞물려 가는지 파악해야 합니다. "나는 작품 구성이 안돼요. 나는 내 작품 구조도 못그리겠어요."라는 말은 '나는 다른 작품의 구조도를 단 한 번도 그려본 적이 없어요.'라는 뜻이기도 합니다. 내가 목표하고 있는 장르, 웹소설에 대한 구조도를 꼭 그려보시길 추천드립니다.

자, 이제 그런 연습이 충분히 되었다면 직접 자신만의 플롯을 설계해보도록 하죠.

Step 1. 인물부터 설계하기

• • •

플롯 설계에는 인물이 필요합니다. 인물 없이 이야기, 에피소드를 짤 수 없습니다. 일단 몇 명의 인물이 활동할 것인지 정해야 합니다. 앞에서 소개해드린 방식으로 캐릭터별로 인물 설정, 혹은 자기소개서를 꼭 써놓으세요. 이를 바탕으로 플롯 설계에 들어갑니다.

대표 인물 설계의 예

〈밀당의 요정〉에서는 대표 인물 네 명을 일단 설정했어요.

낭만과 현실 사이에서 갈등하는 여자, 이새아

여성이 바라는 남성의 연 소득은 2014년 4,700만 원에서 올해 5,000만~6,000만 원으로 증가했다. 남성이 바라는 여성의 연 소득은 2014년 3,500만원에서 올해 3,000만~4,000만 원 정도로 변화했다.

여성은 남성보다 재산이나 소득(92.7%) 직업과 직위(87.1%), 학력(여성 55.0%), 가정환경(89.8%)을 중시하는 등 경제력과 관련 높은 조건을 우선시.　　　　　　　　　-보건복지포럼 '미혼 인구의 결혼 관련 태도'

이젠 나도 뭐가 중요한지 모르겠어!ㅠㅠ

솔직히 나도 93%중 한 명 아닐까?

이기적인 비혼주의 남자?! 권지혁!

결혼보다는 일이 더 중요해서

행복하게 해주지 못할 거면, 책임지지 않는 게 낫지 않나?

지금 누리고 있는 자유를 포기하고 싶지 않다.

아쉬울 건 하나도 없다. 결혼한 친구들 모두들 나를 부러워한다.

우리 집 들어오면 백퍼 시집 갑질 당해~

뭣하러 내 여자를 피곤하게 만들어~

내가 이기적이어서 결혼을 안한다고?!

책임지지 않을 거면 결혼하지 않겠다!

사실은 이타적인 비혼주의남, 권지혁!

난 비혼이 아니라, 피혼이라니까~ 진유준!

스펙 쌓느라 취업이 늦어져 서른에 취직, 이제 3년차 (요새 다 이럼)

아직도 학자금 대출 다 못 갚음. 사회 나오자마자 채무자 신세;;

결혼해도 어차피 빚잔치 or 부모님 노후자금 빼먹기.

차라리 나 혼자 단칸방 사는 게 가장 돈이 덜 들어.

이건 비혼을 선택한 게 아니라, 선택할 기회조차 박탈당한 거

아니야? 이건 피혼이라고!

결혼할 수 없는 웨딩플래너, 진유준

현재 감정에 가장 충실한 그녀! 신다람

소확행 = 결국 미래가 안 보인다는 뜻!

인생 IS YOLO = 한번 사는 인생, 번 돈 다 쓰면서

행복하게 살자는 주의!

어두운 사회에 매몰되지 말고 당차게 내 삶을 살아보자!

신입이라 인생이 미생이지만, 그래도 내 방식대로 행복을 추구할 것!

이 시대 젊은 20대를 대표하는 캐릭터.

지금이야말로 가장 재미있게 연애해야 할 때!

Step. 2. 플롯 포인트를 분할하라

• • •

이렇게 인물 설정을 완료했다면 그다음은 중요한 작업을 해야 합니다. 바로 플롯 포인트를 분할하는 것입니다. 처음에는 이야기를 크게 쪼갭니다. 2개, 혹은 4개 정도. 전체 이야기 흐름을 4개의 덩어리로 만드는 것이죠. 그다음엔 8개, 다시 16개로. 이런 식으로 쪼개면 됩니다. 만약 드라마 구조에 맞춘다면 16개로 쪼개면 되겠지요. 몇 개로 쪼갤지는 작가의 마음이에요. 20개로 쪼개도 되고, 10개로 쪼개도 됩니다.

제 경우에는 〈나의 수컷 강아지〉는 12개로 쪼갰었고, 〈금혼령, 조선혼인금지령〉은 20개로 쪼갰습니다.

이렇게 분할한다는 건, 이야기 중간 중간에 엔딩 포인트를 내준다는 것입니다. 그러면 훨씬 이야기를 쓰기가 쉬워지기 때문입니다.

앞에서 분석했던 〈SKY 캐슬〉을 예로 들어볼게요.

1-2부는 이명주의 죽음과 죽음의 이유, 입시 코디를 알게 되고 맡겼다가 취소하는 이야기. 3-4부는 코디 없이 해보려다가 안 되어서 다시 코디에게 무릎 꿇고 부탁하는 이야기. 5-6부는 예빈이가 편의점 도둑질을 하고, 이수임이 코디의 존재를 알게 되고 책을 쓰려는 이야기로 구성됩니다. 7-8부는 예서가 전교 회장에 어떻게 당선되는지에 대한 내용이 그려집니다.

플롯 포인트를 분할하는 건 이렇게 큰 이야기의 구조부터 짜는 것이지요. 일단은 크게 크게 토막부터 냅니다.

플롯 포인트로 구성하기

흰 벽에 1부터 16까지 숫자를 적어서 붙여 놓습니다. 그리고 이야기상에서의 큰 사건을 적어서 포스트잇으로 붙여요. 처음엔 4개의 엔딩을 붙이고 그다음엔 8개, 다음엔 16개의 엔딩을 먼저 짭니다. '여기서 이 사건은 좀 빠른 것 같은데?'라고 생각든다면 포스트잇을 떼어다가 뒤에 붙이고, '여기서 이 구간이 좀 지루한 것 같아.'라고 생각이 들면 뒤에 있던 강렬한 사건이 담긴 포스트잇을 앞으로 가져와 붙입니다.

그렇게 16개의 네모 칸이 포스트잇으로 쫙 채워지면 한번에 전체적인 큰 흐름을 살펴볼 수 있습니다. 그러면 그 긴 이야기가 이 구조도 안에 싹 들어오게 되는 거예요. 흰 벽 대신 커다란 칠판에다가 구조도를 적어놓으셔도 좋고, PPT나 엑셀로 작업해도 좋습니다.

에피소드로 구조도 칸 채우기

여러분들이 각 구조도의 칸을 채우려고 해도 에피소드가 없다거나 아이디어가 없을 수도 있습니다. 그럼 왜 스토리가 없을까요? 왜 이야기가 빌까요? 그것은 바로 에피소드 아이디에이션^{ideation}을 충분히 하지 않았기 때문입니다. 다양한 방식으로 시장 조사, 취재 등을 충분하게 해서 이런저런 에피소드를 찾아놔야 한다는 뜻입니다.

모든 사건들을 일단 생각나는 대로 모두 적어놓습니다. 처음에는 브레인스토밍하듯이 일단 에피소드를 거르지 않고 최대한 많이 적습니다.

예를 들어 〈밀당의 요정〉은 소울이라는 웨딩컨설팅 회사와 로안이라는 예식장이 배경이었어요. 주 에피소드가 바로 웨딩인데요. 주변의 사연들, 제 경험, 네이트판, 웨딩 관련 카페 등에 올라오는 글까지 총동원하여 최대한 많은 에피소드를 써두었습니다. 웨딩이라는 배경에서 나올 수 있는 에피소드 아이디에이션을 일단 최대한 많이 해둔 다음에, 구조도에 이를 녹인 것입니다.

자, 수많은 에피소드 자료를 모았다면 그걸 구조도 칸 안에 포스트잇으로 붙입니다. 이 에피소드는 초반에 나오는 게 좋겠어, 혹은 이 에피소드는 뒤에 나오는 게 좋겠어, 포스트잇을 떼었다 붙였다 하면서 적정한 흐름을 만듭니다.

내가 수집한 에피소드를 모두 다 쓰는 건 아닙니다. 그중에 골라서 흐름에 맞는 에피소드만 이야기에 녹이는 거예요. 그렇게 구조도의 16개 칸을 채웁니다. 그러다 보면 중간에 구조도가 비어서 이야기가 루즈해지거나 긴장감이 떨어지는 일이 적어집니다. 일단 사건 자체가 꽉 차 있기 때문이죠. 이 작업을 할 때는 전체적인 감정의 흐름을 살펴보면서, 어느 시점에 어떤 에피소드가 나오는 게 좋을지에 초점을 맞추어야 합니다.

큰 사건부터 배치하기

이렇게 에피소드들을 모은 다음 그 에피소드 중에서도 메인이 될 사건을 칸마다 배치를 합니다. 사건을 겪는 주인공의 기승전결을 가장 먼저 기획하는 것이죠. 이제 구체적으로 플롯 분할의 예를 〈밀당의 요정〉을 4분할, 8분할, 16분할한 것으로 보여드릴게요.

4분할

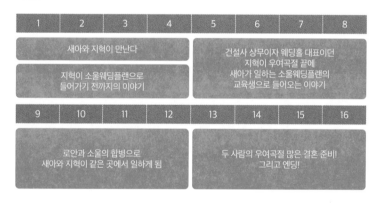

4분할에서는 이렇게 큰 흐름으로 이야기를 쪼개줍니다. 다음으로 각각의 4개의 이야기 덩어리를 한 번씩 쪼개서 8개로 만듭니다.

8분할

1	2	3	4	5	6	7	8
새아와 지혁이 만난다		지혁의 정략결혼 준비를 새아가 해준다?! 결혼 파투!		지혁이 새아 밑의 교육생으로 들어온다?		로안, 웨딩쇼를 벌이고, 담당자는 새아가 된다!	

9	10	11	12	13	14	15	16
마음으로 이어진 지혁과 새아! 지혁의 프로포즈!		프로포즈를 거절한 새아? 결국 결혼하기로 한 두 사람!		가족의 반대에 부딪히는데…!		우여곡절 끝에 결혼 성공! 해피엔딩!	

이렇게 4개를 8개로 나누어 각각의 에피소드를 정해둡니다. 각 에피소드 간의 인과관계를 염두에 두면서요.

16분할

1	2	3	4	5	6	7	8
새아에게 첫눈에 반한 지혁! 사귀자고 한다!	지혁에게 정략결혼이 추진되고 있는데!	지혁의 정략 결혼이 파투나고!	지혁이 새아 밑의 교육생으로 들어온다!	과학자 부부의 결혼식 준비를 함께해주는 두 사람!	로안으로 돌아간 지혁, 웨딩쇼를 기획하는데!	웨딩쇼의 신랑, 신부로 서게 된 두 사람?!	해명기사를 위해 제주도로 간 두 사람!
		결혼식 담당자가 새아?				스캔들 난 두 사람!	제주도 동침

9	10	11	12	13	14	15	16
새아는 예찬에게 이별을 고하고, 지혁에게로 온다!	두 회사는 합병되고! 함께 워크숍을 떠나는데!	지혁, 새아에게 프로포즈 한다!	고민하던 새아, 결국 프로포즈를 승낙한다!	가족들의 은근한 어깃장! 결혼 파투날 위기?!	진짜 결혼이 파투났다! 수습하고!	드디어 무사히 결혼하나 했더니?!	결국 해피엔딩! 행복해진 두 사람!

이렇게 디테일한 사건과 에피소드들을 다시 16개로 분할을 합니다. 큰 사건을 배치하고 분할을 거듭하면서 각각의 사건을 배치해 이야기의 흐름을 만들어가는 겁니다.

〈꽃미남을 빌려드립니다〉의 플롯 설계 예시

이렇게 플롯 포인트를 분할하여 플롯을 설계하는 방법을 한 가지 더 살펴볼게요. 그만큼 중요한 과정이니 꼭 습득해두세요.

〈꽃미남을 빌려드립니다〉를 예로 들어볼게요. 이 작품은 모델 에이전시를 하던 여지현이라는 주인공이 네 명의 꽃미남을 모아놓고, 꽃미남이 필요한 곳에 대여해주는 사업을 벌이는 이야기였어요. 먼저 이 '꽃미남 대여 센터'의 기승전결을 짰습니다.

〈꽃미남 대여 센터〉의 기승전결

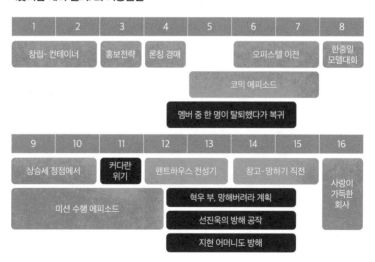

이렇게 전반적인 흐름을 먼저 써둔 다음에 메인 로맨스 설계 구조를 짰어요. 보통의 로맨스물이라면 인물들이 천천히 가까워져서 마지막에 로맨스의 정점을 찍는 편이잖아요. 그러나 이야기 구성을 조금 더 강렬하기 위해, 로맨스 포인트를 조금 앞당겨 배치했습니다. 대신 뒤쪽에 이야기상 위기가 될 수 있는 부분을 다양하게 넣기로 하고요. 중간 중간 메인 사건들이 흥미롭게 배치되었는지 확인합니다.

가끔은 이야기의 흐름에서 변화 포인트를 주기 위해서, 뒤에 있는 이야기를 앞으로 땡기기도 합니다. 조금 재미없거나 지루해 보이는 부분을 그렇게 보강하는 것이죠.

메인 로맨스 설계 구조

그 다음에 서브 로맨스 설계 구조를 짰습니다.

메인 사건에 따라서 서브 인물의 동선 및 감정선을 설계합니다. 이 서브 인물들 역시 하나의 사건에 휘말려야 하기 때문에, 이 인물들이 플롯 포인트에 따라서 어떻게 움직이면 좋을지 적어놓습니다.

서브 로맨스 설계 구조

	1	2	3	4	5	6	7	8
호 - 현		호의 코믹 에피 담당				여고생 설현 등장	코믹 에피 담당	
상군 - 주은	남편 불륜 확인	이혼	꽃미남 필요	상군의 미션 수행		상군의 거짓말		

	9	10	11	12	13	14	15	16
호 - 현	법적인 에피 담당		큰 위기	사귀기로 함			헤어질 위기	호 - 군대 감 현 - 기다림
상군 - 주은	상군의 고백	상군, 주은 미묘한 사랑 시작			전 남편의 방해		상군, 주은 결혼	

이런 식으로 각각을 설계한 다음 이 이야기를 하나로 합해서 하나의 파일로 만들어둡니다. 이렇게 하면 전체 이야기의 구조를 파악할 수 있어서 글을 쓰기가 훨씬 수월해집니다.

쉽게 얘기하면 1-16개 스토리가 있고 각 인물별로 기승전결이 어떻게 흘러갈 것인가, 메인 사건에 따라서 인물들이 어떻게 행동할 것인가를 짜는 것입니다.

이런 식으로 작성한 꽃센터의 스토리, 메인 로맨스 스토리, 서브

〈꽃미남을 빌려드립니다〉 전체 플롯

	1	2	3	4	5	6	7
꽃센터	아이디어 단계	창립	트레이닝	홍보	미션 수행	오피스텔 이전	
큰 에피				론칭 행사 - 경매			
지현	혁우의 짝사랑 시작		진욱 잊음	진욱 횡포	혁우 들이댐	혁우에게 마음이 가는데	혁우가 좋다?
혁우	첫눈에 반함	따라 다니면서 도와줌		진욱 견제	야채 견제	지현에게 들이대는 혁우	
야채		등장	사랑에 빠지는 계기		야채 본격 짝사랑 시작		고백 준비
진욱	지현과의 이별	광고모델 해약 등		경매 행사 참여 - 삼각관계			
지현 모	시집 가라	니가 무슨 사업이냐				지금이라도 그만둬라.	
혁우 부	혁우 부 몰래 입국			홍보 때문에 아버지에게 들킴		니가 잘하나 보자	
호-설현	등장			코믹 에피 담당		여고생 설현 등장	
상군-주은	남편 불륜 확인	이혼	꽃미남 필요	상군 등장	상군의 미션, 거짓말		상군, 주은 한창 싸우다가
봉식	혁우 등장 좌절		KL그룹에겐 비밀이야		혁우 미션 대신 수행, 코믹 에피		

8	9	10	11	12	13	14	15	16
미션 수행		꽃센터 상승세		펜트 하우스 -전성기		창고 -쪽딱 망하기		해결
한중일 모델 대회			설현 자살 시도		혁우 - 지현 사내 연애		망하기 직전	
야채 고백	야채 - 혁우 - 지현 삼각관계	야채에게 거의 넘어갈 듯 1	혁우의 반전 1	야채에게 거의 넘어갈 듯 2	혁우의 반전 2	진욱 방해	야채의 좌절	혁우와 이어짐
	야채 때문에 주춤하지만 계속해서 지현에게 들이대기				결정적 고백	사내 연애 시작	헤어졌다가	사랑 성공
야채 고백		야채 들이댐		야채 들이댐			야채 눈물	다른 사랑 만남
모델 대회- 꽃미남들과 경쟁		지옥의 하락세		모든 걸 잃은 진욱 - 지현을 데려와야 겠다				
다시 선진욱이랑 잘해봐라				해외 보낼 계획 세움		해외 보내기 직전		혁우를 받아들임
어서 그룹으로 들어와라				회사 망해버려라- 방해 시작		혁우 부 방해 성공		혁우를 인정함
법적인 에피 담당			설현 자살 시도	사귀기로 함		헤어질 위기		호- 군대감 / 설현 - 기다림
		상군, 주은사랑 시작				전 남편의 방해		상군 - 주은 결혼
혁우와 지현 이어주려 노력함				미션 때문에 아내와의 오해				아내와의 행복한 결말

로맨스 스토리, 각각의 에피소드 등을 하나로 합칩니다. 이 전체적인 구조도(앞의 전체 플롯 도표)를 보면서 인과관계, 사건의 흐름, 순서 등을 조정합니다. 만약 구조도에서 비어 있는 부분이 있다면 어떤 이야기로 채울지 고민해봅니다. 에피소드의 순서를 바꾸고 싶으면, 지금 뒤바꿔야 합니다. 나중엔 순서를 정리하기 힘들어질 수 있어요. 이런 정리를 통해서 전체 이야기를 명확하게 파악하고 있어야 합니다. 믹스된 이야기를 벽에 붙여놓고 틈날 때 보면, 전체적인 흐름을 잊지 않을 수 있어서 좋습니다.

Step. 3 강렬한 엔딩 포인트 구상하기

• • •

이렇게 구조도를 짰다면, 그 다음엔 엔딩 포인트를 구상합니다. 각 이야기에서 가장 강렬한 장면을 엔딩에 배치합니다. 이 이야기 중에서 가장 강력한 엔딩이 될 수 있는 게 무엇일까, 고민하면서 처음엔 4개의 엔딩, 8개의 엔딩, 다시 16개의 엔딩을 짭니다. 엔딩으로 가기까지 과정이 없다고 해도 괜찮습니다. 강렬한 엔딩을 먼저 잡아놓으면 그 엔딩까지 가기 위한 인과관계가 곧 스토리가 됩니다. 다시 〈밀당의 요정〉으로 돌아가서 엔딩 포인트를 살펴볼게요.

〈밀당의 요정〉 엔딩 포인트

1부 새아 집 앞에서의 첫 키스신	**2부** 썸남에서 신랑으로 나타난 지혁, 경악하는 새아	**3부** 파국으로 치닫는 결혼식, 스프링쿨러 키스신	**4부** '같이 살고 싶다.' 나름의 돌직구를 던지는 지혁
5부 폭우를 뚫고 새아에게 손 내미는 지혁	**6부** 예찬의 마음을 전하는 키스신	**7부** 웨딩플래너와 신랑의 열애설! 기사가 터지는데…	**8부** 제주도 호텔신. 일은 벌어지고…
9부 지혁의 고백. 받아들이는 새아	**10부** 워크숍, 둘의 비밀 연애가 만천하에 공개되고…	**11부** 지혁이 내민 뜻밖의 프로포즈 반지	**12부** 결국 프로포즈를 받아들이는 새아
13부 결혼 준비, 난관을 만나는 두 사람	**14부** 이 결혼 파투 위기?! 진짜 결혼 하는 거야?!	**15부** 뭐? 예식장이 펑크 났다고? 둘은 무사히 결혼할 수 있을까?	**16부** 지혁과 새아의 행복한 신혼일기

Step. 4 디테일한 이야기 구성하기

· · ·

구조도에 큰 흐름과 사건을 크게 적어놓은 다음, 이제 이걸 보면서 세부적인 이야기를 만들어나가면 됩니다. 에피소드에 살을 붙여나가면서 필요한 디테일을 메모해보세요. 포스트잇을 좀 더 붙여나가는 겁니다. 구조도의 흐름을 보면서 개연성이 떨어지는 점은 없는지 찾아봅니다. 그런 부분이 있다면 내용을 보강하세요. 그렇게 계속해서 메모를 더해 캐릭터 설명, 사건의 인과관계, 흐름 등을 구조도에 적어놓습니다. 그리고 부족한 이야기가 없는지 또 점검합니다. 계속해서 〈밀당의 요정〉을 가지고 디테일한 이야기 구성의 방법을 확인해볼게요.

디테일한 이야기 구성의 예시

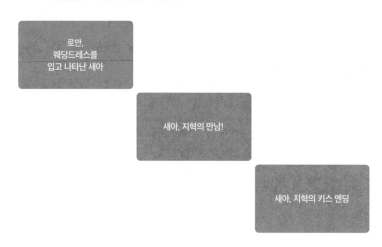

로안, 웨딩드레스를 입고 나타난 새아

새아, 지혁의 만남!

새아, 지혁의 키스 엔딩

〈밀당의 요정〉 1부는 큰 구조도에서 이렇게 3개의 큰 사건을 짜놓았어요. 이 사건들이 연결이 될 수 있도록 하는 작업이 디테일한 구조도를 짜는 것입니다.

첫 번째는 로안이라는 예식장에서 새아가 웨딩드레스를 입고 나타나는 것입니다. 1화니까 두 사람, 남녀 주인공이 만나야겠죠. 그리고 마지막에 키스 엔딩을 내야겠다고 짰습니다. 플롯 포인트를 조금 빠르게 가져가기 위해서 1화에 키스신을 넣은 것입니다.

앞에서 설명한 것처럼 엔딩 포인트를 이렇게 강렬하게 잡아두고 어떻게 해야 이 사건이 발생할 수 있을지, 감정선을 끌어올리는 방법을 찾아봅니다.

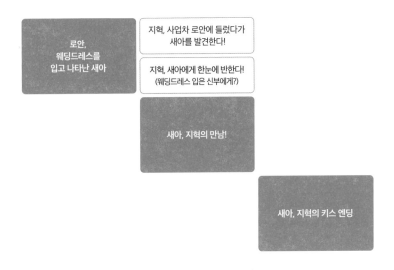

그다음 첫 번째 사건과 두 번째 사건을 어떻게 연결할지 생각해봅니다. 지혁은 사업차 로안에 들렀다가 웨딩드레스를 입은 새아를 발견합니다. 그리고 한눈에 반하게 되죠. 그때까지만 해도 지혁은 새아가 오늘 결혼하는 신부인줄 알았어요. 웨딩 드레스를 입고 있으니까요.

인물의 동선 짜기

각 사건으로 가기 위해서 주인공 인물들이 어떻게 움직여야 하는지 고민해봐야 합니다. 이왕이면 여기에도 개연성이 있으면 좋겠죠. 주인공들이 뜬금없는 곳에서 뜬금없이 마주치면 이상하잖아요.

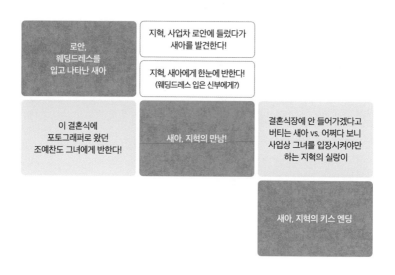

웨딩드레스를 입은 새아는 결혼식장에 안 들어가겠다고 버티고 있습니다. 지혁은 사업상 이 결혼식이 진행되어야 하죠. 어쩌다 보니 그녀를 입장시키려고 하는 지혁과 새아 사이에 실랑이가 벌어집니다. 알고 보니, 그녀는 이 결혼식의 진짜 신부가 아니었습니다. 그녀가 왜 웨딩드레스를 입고 있었는지, 왜 신부인 척하고 있었는지 사연이 곧 밝혀지게 됩니다. 다시 고민되기 시작하죠. 그럼 여기

서 어떻게 키스 엔딩까지 갈 수 있는가.

자연스러운 엔딩을 위한 빌드업

모든 과정이 인과관계를 만들어내기 위한 것이라고 설명드렸어요. 여기서 엔딩으로 가는 데 중요한 두 가지는 인물의 감정선을 고려하는 것과 주변인물의 이야기를 잘 버무려주는 것입니다.

첫째, 인물의 감정선을 생각해본다.

마지막 엔딩에서 인물에게 가장 극적인 감정을 주기 위해서, 어떤 감정을 키워나가야 하는지. 어떤 과정을 거쳐야 하는지를 짭니다.

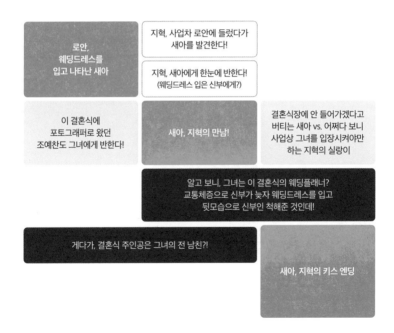

둘째, 주변 인물의 이야기를 합친다.

그리고 주변 인물의 이야기를 끼워 넣습니다. 오로지 주인공들만 가지고 이야기가 완성될 수는 없습니다. 주변 인물의 흐름 또한 이야기 구성의 중요한 요소이기 때문이죠. 주변 인물의 사정, 사연, 요구, 부탁들도 메인 사건으로 가기 위한 장치가 됩니다.

알고 보니 그녀는 이 결혼식의 웨딩플래너였습니다. 교통체증으로 신부가 늦자 웨딩드레스를 입고 뒷모습으로 신부인 척해준 건데요. 게다가 오늘 결혼식의 주인공은 그녀의 전 남친이었습니다. 오늘이 새아에게는 굉장히 최악의 날이었겠죠.

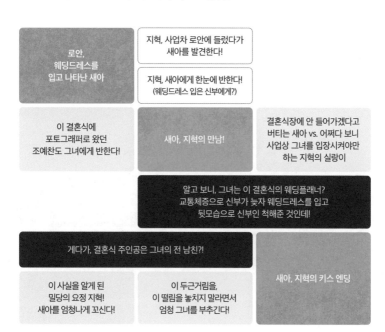

결국 지혁은 모든 사실을 알게 되고 새아에게 적극적으로 구애합니다. 설정상 지혁이 '밀당의 요정'이고, 새아가 '밀당 호구'거든요. 지혁은 온갖 매력을 어필하며 그녀를 공략합니다. 그러면서 엔딩까지 갈 수 있게 감정선을 끌어올립니다.

인과관계의 흐름 점검

이렇게 감정선까지 끌어올린 다음에 할 것은 엔딩까지의 이야기 흐름이 말끔한지 다시 점검하는 것입니다. 인과관계에서 느슨한 부분이 없는지, 빠진 이야기가 있다면 보충합니다. 어떤 이야기가 들어가면 자연스러워질지 여러 가지로 생각해봅니다.

이야기에서 개연성을 주는 동시에 의외성을 줄 수 있는 방법도 찾아봅니다. 이야기가 개연성 있게만 진행되면 재미가 없어요. 사건 A와 사건 B 다음에 당연히 사건 C가 나와야 할 것 같지만, 굉장히 그럴듯하지만 새로운 사건 D가 나와야 합니다.

Step. 5 웹소설 회차 구성하기

· · ·

이렇게 스토리를 짜보았는데요. 1부의 스토리를 다시 웹소설 분량으로 쪼개면 5~7개의 엔딩이 나오게 됩니다. 이 스토리를 쪼개고 쪼개서 웹소설의 회차 수를 만들어나가는 것이죠.

1부를 몇 개의 웹소설로 쪼갤지는 작가가 정하면 됩니다. 다만 너무 늘어지지 않게 혹은 너무 타이트하게 진행되지 않도록 쓰는 것이 중요합니다. 구조도로 인과관계가 다 설명되지 않는다면, 나머지는 필력으로 채워야 합니다. 구조도 자체에 심각한 논리적 하자가 있다면 그걸 고쳐야겠지만, 세세한 인과관계와 개연성은 글을 쓰면서 보강해야 합니다.

그렇게 글을 쓰다 보면 구조도와 실제 집필분의 스토리가 달라질 수도 있는데요. 그런데 좀 더 완벽한 스토리 전개를 위해 꼼꼼하게 글을 써나가는 것은 좋지만, 그렇다고 구조도에서 너무 벗어나면 이야기 전체를 끌고 나가는 데 있어서 헷갈리게 됩니다. 디테일은 달라지더라도 큰 흐름은 미리 짜놓은 계획에서 크게 벗어나지 않도록 신경 써야 합니다.

Step. 6 인물별 기승전결 설계하기

• • •

이렇게 구조도를 완성하고 나면 인물을 더욱 세부적으로 설계할 수 있습니다. 처음에 인물이 조금 러프하게 설정되었다면, 구조도를 보면서 다시 인물의 흐름을 디테일하게 짤 수 있는 것이죠. 이제는 좀 더 세세하게 이 사람이 이야기에서 겪게 될 주요 사건들을 캐릭터 기획에 다시 녹여줍니다. 이렇게 쓰다 보면 제 경우에는 각 인물별로 10장에서 20장 정도의 자기소개서가 나오는데요. 인물이 10명이면 100장이 넘겠군요. 이렇게까지 디테일하게 인물 작업을 하는 이유는 이런 세부적인 설계가 없으면 실제 사람이 아니라 아바타처럼 느껴질 때가 있기 때문입니다. 이 사람이 가진 디테일이 너무 뻔하면 캐릭터에 대한 흥미를 잃어버리게 만들 수도 있습니다. '이 사람에 대해서 더 알고 싶다.'라는 뜻은 이 사람의 성향, 심리 상태, 생활습관이나 인간관계 등등 그와 관련된 모든 것을 더 알고 싶다는 뜻이기도 하거든요. 읽는 사람들로 하여금 이 캐릭터의 디테일에 대해서 계속 궁금하게 만들어야 합니다.

여기서 꼭 그려내야 할 것은 인물별 기승전결입니다. 서브 인물 한 명 한 명에게 디테일한 기승전결을 주기가 의외로 쉽지 않습니다. 메인 인물의 스토리에 집중하다가 서브 인물들은 까먹고 가는 경우도 많습니다.

그런데 서브 인물에게도 탄탄한 기승전결이 있으면 이야기의 완성도가 높아집니다. 구조도의 큰 사건들을 반영하여 서브 인물들의 자기소개서나 캐릭터 기획안까지 쓰다 보면 각 인물들의 디테일까지 꼼꼼하게 완성할 수 있습니다.

Step 7. 구성의 디테일 더하기

• • •

여기에서 좀 더 구성을 풍부하게 만들어두면 훨씬 더 좋습니다. 구성을 풍부하게 만들어둔다는 건 큰 구조 아래에 세부 구조들까지 계획해둔다는 뜻이거든요. 다양한 에피소드들을 배치해두고, 감정선을 잡아두고, 로맨스 소설이라면 로맨스신을 여러 갈래로 잡아두는 것 등이 될 수 있습니다. 마찬가지로 〈밀당의 요정〉으로 살펴볼게요.

쉴 틈 없는 에피소드 전개

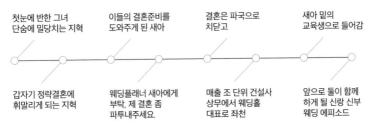

첫눈에 반한 그녀 단숨에 밀당치는 지혁

이들의 결혼준비를 도와주게 된 새아

결혼은 파국으로 치닫고

새아 밑의 교육생으로 들어감

갑자기 정략결혼에 휘말리게 되는 지혁

웨딩플래너 새아에게 부탁, 제 결혼 좀 파투내주세요.

매출 조 단위 건설사 상무에서 웨딩홀 대표로 좌천

앞으로 둘이 함께 하게 될 신랑 신부 웨딩 에피소드

〈밀당의 요정〉 에피소드 전개는 이렇게 쉴 틈 없이 다음 사건이 맞물려서 이어지고 이어질 수밖에 없게 구성해놓았습니다. 이야기가 최대한 연쇄적으로 진행될 수 있게, 늘어지지 않도록 구성 단계에서 신경을 많이 썼습니다.

- 새아 - 지혁의 러브라인 전개
- 새아 - 예찬의 삼각관계
- 신랑 신부의 다양한 웨딩 에피소드 ┐   ┌ 임신했지만 파혼하려는 커플
- 유준 - 다람의 러브라인   ┤   ┤ 1년 후 이혼해버린 신혼부부
- 로안과 소울 - 사내 스토리   └ 과학자 부부의 결혼식 등

그리고 이야기의 중심축을 이렇게 구성하고, 여기에 다양한 웨딩 에피소드를 넣었는데요. 이렇게 주인공과 관련된 여러 에피스드를 사전에 준비해두는 게 좋습니다.

감정선 설계

권지혁의 땡기기가
성공인가 싶더니

세련과의 정략결혼으로
죄인 신분이 된 지혁

예찬을 결혼 상대로
보는 새아

결혼 아니면 새아를
꼬실 수가 없다!

의심이 많아 지혁을
차버리는 새아,
매달릴 수밖에 없는 지혁

썸남에서 예비 신랑으로,
다시 교육생이
되어버린 지혁

예찬과 진도 나갈까 봐
안달하는 지혁

결국, 새아에게
결혼하자고
매달리는 지혁

소재가 밀당이다 보니, 전체적인 밀당 감정선 설계를 쫄깃하게 만들기 위해서 노력했습니다. 관계적으로 하나의 감정선이 이어지는 게 아니라 역전과 반전을 거듭하면서 관계 전환이 이루어지도록 구성 단계에서 설계했습니다.

또한 로맨스물이기 때문에, 각 회별로 어떤 로맨스신을 보여줄

것인가를 염두에 두고 구성 단계에서부터 기획해서 넣었습니다. 앞에서 각 부의 엔딩을 잡아둔 것을 보셨지요. 바로 그 엔딩이 로맨스 신들로 구성되어 있습니다.

고구마 없는 사이다 전개

✔ 첫 회 만에 키스!

✔ 마음보다 몸이 먼저 동하는
   제주도 호텔신!

✔ 내 마음을 알지 못해 헤매이고,
   오랜 시간 돌아서야 만나고, 그런 거 없음.

✔ 모지리 같은 이별은 No!
   사랑하는데 돌아선다? 그런 거 없음.

✔ 아낌없이 표현하는 애정신 & 대사
   키스신, 뽀뽀신 팍팍!

✔ 결혼적령기인 두 사람
   프로포즈 오케이되면 아쌀하게 결혼으로!

✔ 회별 빠짐없는 로맨스 진도 빼기
   진전없는 로맨스도 안녕

웹소설에서 전개가 답답해지면 독자들이 바로 고구마라고 댓글을 답니다. 로맨스도 다른 장르들과 마찬가지로 빠르고 시원시원하게 전개될 수 있게 미리 기획합니다.

주인공이 솔직하게 자기 마음을 알고 다이렉트로 다가가고, 진심을 다한다면 고구마 없이 시원한 이야기 전개가 가능합니다. 이야기 전반에서 긴장감이 떨어지는 부분이 적도록 전체 구조도에서 점검할 수 있습니다.

16분할에 이야기가 다 들어가지 않는다면

덧붙여서 더 긴 이야기를 쓰고자 하실 수도 있어요. 그런 분들은 '저는 판타지를 쓰려고 하는데, 16분할로는 제 이야기를 다 담을 수가 없어요.' 이런 고민을 하실 수 있을 것 같아요.

그럴 때에는 이야기를 크게 3장, 혹은 4장으로 나누세요.

그리고 1장을 16분할하고, 2장을 16분할하고, 3장을 16분할하는 식으로 이야기를 쪼개나가면 됩니다. 그리고 3장의 마지막에서 엔딩을 내지 않고, 이야기가 더 확장될 수 있게 열어두시면 됩니다. 그러면 4장의 이야기, 5장의 이야기를 또 덧붙일 수가 있겠죠. 그렇게 장편을 확장시켜나갈 수 있습니다.

핵심은 이야기를 쪼개는 것, 그리고 중간점까지의 엔딩을 정하는 것입니다.

이렇게 구조도 그리기를 모두 마쳤다면, 이 이야기를 줄글로 써보는 트리트먼트를 써봅니다. 트리트먼트를 어떻게 쓰면 되는지에 대해서도 곧 알려드릴게요.

구성의
꿀팁

1. 역순으로 인과관계를 짠다

중간에 엔딩을 4개, 혹은 8개, 16개로 만들어두고, 이 엔딩이 나오려면 어떤 이야기가 펼쳐져야 하는지 역순으로 짜보세요. 이 엔딩이 개연성 있게 나오려면 어떤 이야기를 깔아두어야 할지 구상해보세요.

2. 구조도를 보면서 개연성이 부족한 점은 없는지 찾는다

구조도를 짜다 보면 여기서 이 다음 넘어가는 게 어색한데, 여기서 너무 논리가 비약적이지 않나, 이런 게 한눈에 보입니다. 이야기에 살을 붙여나가면서, 필요한 이야기의 디테일을 메모해놓습니다. 포스트잇으로 추가할 내용들을 써서 붙일 수 있겠죠.

3. 구성을 조금 타이트하게 가져가도 좋다

사건 구성을 좀 더 타이트하게 하두세요. 그래서 최대한 감정선을 빨리 붙이고, 예상 지점보다 조금 빠르게 이야기를 전개시킵니다.

극성, 어떻게 높일까?

웹소설은 특성상 매회 엔딩이 필요하고, 회차가 굉장히 많다는 것
은 앞서 설명했습니다. 그렇기에 예상할 수 있는 흐름대로만 이야
기가 전개되면 내용이 반복적이고 지루해질 수 있습니다. 따라서
어떻게 하면 이야기의 극성을 높여 재미있게 만들 수 있을지 연구
해야 합니다.

그렇다면 극성이란 무엇일까요? 예를 들어 여러분이 어떤 영화를
봤어요. 전반적으로 엄청난 극적 전개 없이 잔잔하고 차분하기만
했어요. 조용한 울림을 주는 영화였으나 캐릭터 간 대립이 세다거
나, 극적 위기가 있거나 하지 않았다면 극성이 높은 영화라고 할 수
없겠죠.

반대로 어떤 드라마를 봤는데, 그 드라마가 막장에 가깝게 찌르고 죽이고, 캐릭터 간의 대립이 굉장히 세다면 극성이 센 드라마라고 말합니다. 극적 전개가 어떻게 이어지느냐에 따라 이야기의 극성이 좌우되는 것이지요.

인과관계로 극성 강화하기

• • •

이야기의 극성을 주기 위해서는 사건의 인과관계 연결을 어떻게 하느냐가 중요합니다. 이야기를 연쇄적으로 연결해야 하는데요. 시나리오 작가 트레이 파커는 "장면을 '그리고'로 연결했다면 크게 실수한 것이다."라고 말했습니다. 이는 '그리고'가 아닌 '그리하여'로 연결해야 한다는 뜻입니다.

모두 그래야 하는 건 아니지만 가능하면 대사 한마디 한마디, 장면 하나하나가 인과관계로 촘촘히 연쇄적으로 연결되어 있으면 좋습니다.

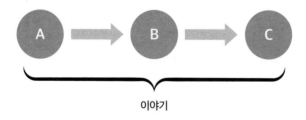

이야기

A가 B를 유발하고 B가 C를 유발하여, 이야기 한 편이 시작부터 끝까지 연쇄를 구축하고 하나의 줄거리를 이루는 것입니다. 사건이 연쇄적으로 이어지면 이야기의 긴장감이 더해지고 주제에 대한 전달력도 강해집니다.

먼저 이야기를 '그리고'로 연결한 예시를 들어볼게요.

"나는 오늘 회사에 갔어. 그리고 점심 먹었어. 그리고 퇴근했어. 퇴근했더니 집에 애인이 있었어."

이를 다시 '그리하여'로 연결해볼게요.

"나는 오늘 회사에 갔어. 그런데 회사에서 잘렸어. 그리하여 평소보다 일찍 퇴근을 했어. 그리하여 낮에 지하철을 탔어. 그리하여 낮에 집에 갔더니, 애인이 다른 여자와 바람을 피우고 있었어. 그리하여 나는 애인을 집에서 쫓아냈어! 그리하여 나에게 애인 없는 새 인생이 시작되었어!"

이건 영화 〈슬라이딩 도어즈〉의 시작 부분을 설명한 글입니다. 보시다시피 이야기가 인과관계에 의해서 주르륵 연결됩니다. 만약 회사에서 잘리지 않았더라면, 애인을 집에서 쫓아내는 일은 생기지 않았을 것입니다. 영화에서는 두 가지 시나리오가 전개돼요. 살펴본 내용이 시나리오 A라면 시나리오 B는 좀 다릅니다. 회사에서 잘리고 지하철역으로 간 건 똑같은데, 간발의 차로 지하철을 못 탄 거죠. 그런데 하필 지하철이 연착이라고 해서 하는 수 없이 굽이굽이 돌아 돌아 집에 갔더니 애인은 이미 불륜녀를 집에서 내보내고 아무 일 없이 태연하게 주인공을 맞았어요. 그래서 주인공은 애인이 바람을 피운지 모른 채 그 애인이랑 그냥 같이 살아요. 이렇게 영화에서는 하나의 요소로 인해 어떻게 인과관계가 달라지는지, 또 어떻게 결말이 달라지는지 보여줍니다.

역방향으로 인과관계 구성하기

인과관계가 쫀쫀하게 연결된 서사를 구축하면서 극성을 강화하려면 이야기를 논리적으로 만드세요. 소설 특유의 작위성은 어쩔 수 없지만, 그렇다고 감성에만 호소해서는 안 됩니다. 이성적으로 납득할 수 있도록 만들어줘야 해요. 인과관계가 느슨할 경우 개연성이 떨어진다는 평을 듣게 됩니다. 그럼 어떻게 하면 논리적으로 이야기를 짤 수 있을까요?

극성을 높이기 위해서는 거꾸로 인과관계를 짜는 것도 방법입니다. 엔딩 포인트에서 설명한 것처럼 강렬한 사건을 먼저 적어놓고, 그 사건이 이루어지기 위해서는 어떤 과정을 거쳐야 하는지를 거꾸로 기획합니다. 그리고 이 개연성에 구멍이 없는지, 구조도에서 살피고 트리트먼트에서 살핍니다.

예를 들어 강렬한 엔딩을 만들기 위해 남녀 주인공이 키스하는 장면을 짰다면 역으로 사건을 만들어내는 겁니다. '키스하려면 적어도 데이트 세 번은 해야겠지?', '남녀 간에 호감이 생길 수 있는 어떤 계기나 사건을 만들어줘야겠지?' 하는 식으로요. 그 엔딩에 이르기까지의 이야기가 곧 서사가 됩니다.

예상과 현실을 충돌시키기

• • •

이야기를 더 재미있게 끌어가는 방법 중 하나가 바로 예상과 현실을 강하게 충돌시키는 겁니다. 모든 것이 예상대로만 진행되면 이야기가 재미없겠죠. 예상은 이것인데, 막상 펼쳐지는 현실이 다를 때 우리는 등장인물이 처한 상황에 몰입하게 됩니다.

영화 〈슬라이딩 도어즈〉를 다시 예로 살펴볼게요. 평소처럼 회사에 출근하는 건 매일같이 반복되는 일상이죠. 그러나 회사에서 잘리는 건 예상치 못한 일입니다. 주인공은 이에 큰 충격을 받아요. 그러고 나서 집에 갔더니, 백수 애인이 바람을 피우고 있습니다. 이것 또한 예상치 못한 일이죠. 이렇게 예상과 현실의 격차가 클수록 이야기는 재미있어집니다. 만약 백수 애인이 아무런 일 없이 집에 있었다면 이야기의 큰 재미 요소가 사라질 것입니다.

그렇다면 어떻게 충돌시킬 수 있을까요?

먼저 등장인물이 예상하는 바를 생각해봅니다. 그리고 여기에서 나올 수 있는 경우의 수 여러 개를 꼽아보세요. 그중에서 가장 극적인 이야기를 고르는 거죠. 지금 이 상황에서 가장 위험한 변수가 무엇이 있을지 생각해보세요. 이 충돌은 그럴듯하면서도 충격적이어야 합니다. 이러한 충돌을 통해서 이야기 낙폭의 차이를 만들어줍니다. 롤러코스터처럼 스펙터클하게 만들어준 굴곡 자체가 이야기의 극성이 됩니다.

코미디를 활용하기

코미디를 활용해서 예상과 현실 사이의 충돌을 일으킬 수도 있어요. 생각해보세요. 인기 코미디언은 예상치 못했던 이야기를 숨 쉬듯이 툭툭 잘 쳐내고는 합니다.

〈라디오 스타〉의 MC인 김구라 씨는 게스트가 전혀 생각지도 못한 멘트나 질문을 던집니다. 게스트가 막 심각한 얘기를 하는데 그는 이렇게 말하죠. "그래서 얼마 벌었다는 거죠?! 돈 번 거 아니면, 더 들을 필요 없어요."라고요. "제가 요새 남자에 관심이 없어요." 라고 하면 이런 질문을 던집니다. "그럼 성정체성에 문제가 있나요?!" 이렇게 자연스럽게 툭툭 던지는 얘기에 사람들은 크게 웃습니다. 반전의 묘미인 거죠.

우리가 코미디를 쓸 때도 마찬가지입니다. 예상했던 흐름에서 변주를 줘야 웃음이 터집니다.

웹소설에서 코미디를 하라고요? 웹소설에 코미디라는 장르는 없지만, 그래도 어떤 장르든지 전개 과정에서 약간의 위트는 필수입니다. 심각한 이야기일수록 중간중간에 긴장을 풀어주는 장면, 혹은 캐릭터가 있으면 좋습니다. 어떻게 하면 이야기의 소소한 재미를 줄 수 있을지, 어떻게 코미디를 줄 수 있을지, 예상과 반대되는 이야기로 웃음을 터트릴 수 있는 지점이 어디쯤일지 점검해보세요.

역대급 반전 세팅하기

• • •

반전이란 바로 이야기의 전환점입니다. 일의 형세가 뒤바뀌는 거죠. 플롯에서 전혀 예상치 못했던 지점을 만들어주는 것입니다.

서사 전체에서 극적인 반전을 주는 것은 플롯 설계, 즉 이야기의 구성 단계에서 세팅해줘야 하는 일입니다. '이야기를 쓰다가 나중에 엄청난 반전을 줘야지.'라고 결심했다고 해도 집필 중간에는 그 반전이 떠오르지 않는 경우가 많아요. 혹은 그 반전으로 가기 위한 이야기가 준비되어 있지 않은 경우도 있고요. 플롯을 설계할 때부터 미리 커다란 반전을 세팅해놓고, 이 반전을 예상할 수 없도록 연막을 쳐놓으세요. 혹은 아무도 알아채지 못할 은근한 상징 정도를 깔아놓으세요.

반전에는 플롯 설계 단계부터 들어가야 할 서사적 반전도 있지만 대사 하나하나에서 주는 반전도 있습니다. 웹소설을 쓰다 보면 대화신들은 그냥 흘러가는 대로 생각나는 대로 쓰는 경우가 많아요. 그러다 보면 귀담아들을 필요가 없는 형식적인 대화가 이어질 수 있습니다. "안녕하세요, 어떻게 지내셨어요, 잘 지냈죠." 이런 식으로 대사를 치면 너무 뻔하잖아요. 이런 평범한 대사도 어떻게 하면 소소한 반전을 줄 수 있을지, 어떻게 하면 캐릭터 간의 대립감을 줄 수 있는지 생각해봅니다. 대사나 상황에서 소소한 반전을 주는 건 이야기의 디테일을 써나가면서 고민해도 괜찮습니다.

반전 스토리의 예

반전의 대명사 하면 가장 먼저 떠오르는 영화가 바로 〈식스 센스〉입니다. 1999년 작품인데도 여전히 이를 뛰어넘는 반전 영화는 보지 못한 것 같습니다.

> 아동심리학자 맬콤 크로 박사는 어느날 갑자기 자신의 환자에게 총을 맞는다. 시간이 흐른 뒤, 우리가 추측하기로 그는 총상에서 회복되었다.
> 그는 현재 죽은 사람들이 보인다고 주장하는 문제 아동 콜을 맡고 있다.

그가 멀쩡히 살아 돌아다니고 있으니까, 우리는 그가 총상에서 회복되었다고 넘겨짚게 됩니다. 이야기에서는 묘하게 분위기만 줍니다. 주변 사람들이 그를 은근히 무시하고 살짝 없는 사람 취급하지요. 그러다 콜이 대놓고 얘기했죠. "죽은 사람들은 자기가 죽은지 몰라요." 그런데도 주인공은 몰랐습니다. 이 작품에서 가장 큰 반전은 맬콤 크로 박사 자신이 죽은 것이었습니다. '알고 보니 내가 죽었다고?!' 주인공은 엄청난 충격을 받습니다. 이게 왜 이렇게 큰 반전이었을까요? 보는 사람들이 아무도 이 사람이 죽었을 거라고 생각하지 않았기 때문이죠. 초반에 총을 맞긴 했지만 죽었다고는 상상도 못했던 것이죠. 그야말로 허를 찌른 반전이었습니다. 이런 반전은 이미 서사 단계에서 미리 세팅해놓은 것이고요.

이번엔 영화 〈올드보이〉로 예를 들어볼게요.

> 아내와 어린 딸아이를 가진 지극히 평범한 샐러리맨 오대수는 술에 취해 돌아가는 길에 누군가에게 납치되어 사슬 감금방에 15년 동안 갇혀 있게 된다. 감금 15년 후, 풀려난 그 남자는 우연히 들른 일식집에서 갑자기 정신을 잃게 되고. 요리사 미도와 사랑에 빠진다.

오대수가 이우진과 통화를 할 때 "왜 나를 가뒀냐?"고 물어봅니다. 그때 이우진은 말합니다. "질문이 잘못되었다. 왜 가뒀냐가 포인트가 아니라, 왜 풀어줬냐가 포인트"라고요. 그때 오대수는 그 말을 이해하지 못했습니다. 도대체 오대수는 무슨 잘못을 해서 15년 간 갇혀 있었을까. 그리고 그를 왜 풀어줬을까. 사람들은 여기에 대해서 수많은 이유를 추측해보게 됩니다. 그런데 우리가 예상했던 수많은 시나리오 중에서 풀어준 이유가 '딸과 사랑에 빠지게 하려고'는 없었어요. 딸이라니, 2003년도 작품인데 지금 들어도 너무 충격적인 내용입니다. 지금까지 왜 가둬 놨어요? 딸을 못 알아보도록 하려고. 왜 풀어줬어요? 딸과 사랑에 빠지게 하려고. 너도 한번 괴로워보라고. 이 모든 게 이우진의 복수 플랜이다. 지금까지 나를 가둬둔 게 지옥인 줄 알았어요. 그러나 진짜 지옥은 내가 풀려나서 벌이고 다닌 일들이었어요. 보시다시피 반전이 핵폭탄 급이죠. 반전은 완전히 예상을 빗겨나가되, 이야기상 그럴듯하면서도, 충격적이어야 합니다. 이렇게 사람들의 예상과 작품 속 반전 사이의 격차가 커야 이야기의 극성이 높아집니다.

딜레마 유발하기

• • •

철학자 토마스 칼라일은 "압력 없이는 다이아몬드가 만들어지지 않는다."라고 했습니다.

이를 이야기에 대입해보면 이야기에서의 압력은 바로 내가 마주하게 된 딜레마입니다. 딜레마라는 것은 진퇴양난에 빠져 있는 걸 뜻합니다. 왼쪽으로 갈 수도 없고, 오른쪽으로 갈 수도 없는 상황, 두 가지 판단 사이에 어느 쪽도 결정할 수 없는 상태에 빠져 있는 거죠. 딜레마라는 게 어떻게 극성을 유발하는지에 대한 예를 들어보겠습니다.

미국 드라마 〈어웨이크〉를 예로 살펴볼게요.

> 주인공 형사는 교통사고 이후 두 개의 현실을 오가면서 살아가게 된다.
> 이쪽 세상에선 저쪽 세상을 꿈이라 하고, 저쪽 세상에선 이쪽 세상을 꿈이라 한다.
> 이쪽 세상은 아내가 죽고 아들이 살아남은 세계이다.
> 저쪽 세상은 아들이 죽고 아내가 살아남은 세계이다.
> 정신과 의사는 꿈을 없애기 위한 치료를 하자고 하지만, 주인공 형사는 그 어떤 세계도 없앨 수 없다.

교통사고를 당한 이후 의식을 회복했는데 아내는 살아 있지만 아들은 죽었어요. 아내가 아들을 잃은 슬픔 때문에 괴로워하고 있습니다. 남자 주인공이 밤이 되어 잠들었다 깨어나면 잠들기 전 현실과 똑같지만 뭔가 다른 세계가 펼쳐집니다. 거기에는 아들이 살아 있고, 아내가 죽었어요.

꿈을 통해 두 개의 세계를 오가고 있는 겁니다. 이 세상에서 정신과 의사랑 심리 상담을 하면, 저편의 세계에서 겪는 일은 꿈이라고 합니다. 또 저편 세상의 정신과 의사는 반대편 세계가 꿈이라고 해요. 정신과 의사가 그 세계를 없애기 위한 치료를 제안하자 남자는 고민합니다. 서로 반대편 세계를 꿈이라고 하니까요. 어떡하죠. 아내를 잃을 수도 없고, 아들을 잃을 수도 없어요. 주인공은 결국 그어떤 세계도 지우지 못하겠다고 합니다. 그래서 이쪽 세계에서 잠들면 저편 세계에서 깨어나고, 저편 세계에서 잠들면 이쪽 세계에서 깨어나길 반복합니다. 굉장히 독특한 이야기죠. 그 어느 것도 선택할 수 없는 딜레마를 보여주는 좋은 예입니다.

딜레마 유발의 법칙

작가는 주인공에게 감내할 수 없는 압박을 줍니다. 그 어느 것도 선택할 수 없는 상황을 만들어 딜레마에 가두어 놓습니다. 주인공은 최악과 차악 중 오로지 하나만 선택할 수 있어요. 살펴본 드라마 〈어웨이크〉의 경우는 둘 다 최악의 상황이었죠. 이런 식으로 주인공이 선택하는 것이 아주 어렵도록 만들어둡니다. 우리는 주인공이 극도로 어려운 선택에서 어떠한 결정을 하는지 보면서, 그가 어떤 사람인지 알게 됩니다. 그리고 '나라면 어떻게 할까?' 함께 고민합니다. 이런 과정 속에서 주인공의 상황에 더 몰입할 수 있게 됩니다. 남의 일처럼 느껴지지 않게 되는 거죠.

주인공이 간절히 바라는 일을 생각해보세요. 또 그가 간절히 원하는 또 다른 일을 생각해보세요. 주인공은 그중 한 가지만 선택할 수 있습니다. 둘 중 하나는 반드시 포기해야 합니다.

〈다이하드〉 등의 액션물에서 폭탄물 제거 장면을 생각해볼까요? '빨간 선을 자를 것인가. 파란 선을 자를 것인가.' 이것이 주인공이 가진 핵심 딜레마는 아니지만, 이야기의 긴장감과 몰입도를 높여줄 수 있는 신이 될 수 있습니다.

만약 빨간 선을 잘라야 하는데 파란 선을 잘랐다면 폭탄이 터지고 말겠죠. 잘못 선택한 대가는 아주 비쌉니다. 딜레마를 준다는 건 이렇게 주인공에게 결정에 대한 압박을 높이는 겁니다.

딜레마와 오락성의 상관관계

딜레마가 세질수록 이야기의 오락성은 높아집니다. 만약 내가 쓴 이야기가 단순하게 느껴진다면 그것은 주인공이 해야 하는 선택이 지나치게 단순하기 때문일 가능성이 높습니다. 인물이 절체절명의 고민 없이 흘러가는 대로 살고 있는 경우이죠. 주인공이 해야 하는 선택과 결정이 어려울수록, 독자는 더욱 깊게 등장인물에 몰입하며 주인공의 반응, 과정, 결과를 좀 더 직접적으로 느끼게 됩니다.

매력적인 트리트먼트와
시놉시스

구성을 열심히 했다면 시놉시스와 트리트먼트를 쓸 차례입니다. 시놉시스란 이야기의 줄거리, 혹은 개요를 이르는 말입니다. 시놉시스에는 주제, 기획 및 집필 의도, 등장인물, 전체 줄거리가 들어가게 됩니다.

트리트먼트는 시놉시스에서 좀 더 발전한 단계로 자세하게 이야기를 기술한 것입니다. 본편을 쓰기 전에 좀 더 구체적인 줄거리를 쓰는 것이지요. 트리트먼트를 먼저 작성하고 여기에서 핵심을 뽑아 시놉시스로 만드는 것도 가능합니다.

따라서 여기에서는 트리트먼트 작성하는 법을 중심으로 살펴볼게요.

이야기의 포인트만 담은 트리트먼트

• • •

트리트먼트는 누구를 위해 쓰는 것일까요? 여러 공모전에서는 이 야기의 트리트먼트를 요구하는 경우가 종종 있습니다. 이럴 땐 공 모에 내기 위해 쓰는 거죠. 공모전에서 트리트먼트를 요구하는 이 유는 전체 이야기를 보기 전에 글을 요약해서 알려달라는 의도입니 다. '본문을 보기 전에 줄거리를 얘기해다오. 줄거리 요약을 60장씩 쓸 수 있는 것도 작가의 능력이란다. 얼마나 잘 요약을 해오는지 능 력을 보겠다.'라는 의도가 담겨 있는 것이기도 하고요.

그렇게 공모를 위해 쓸 때도 있지만 저는 제 자신을 위해서 트리 트먼트를 씁니다. 모든 구성, 구조도, 플롯 포인트 설계 등 모든 밑 작업과 마찬가지로 내가 글을 쓰면서 길을 잃지 않기 위해서 쓰는 것이지요.

실패 없는 글쓰기, 구조가 튼튼한 글쓰기를 하고 싶다면 누가 요 구하지 않아도 꼭 트리트먼트 쓰기를 권하고 싶습니다. 예전에 그 런 적이 있어요. 기획 작업할 때 써놓은 구조도가 너무 탄탄해 보였 습니다. 이대로라면 글을 금방 완성하겠다 싶어서 원고를 집필하기 시작했는데 구조도에서 빈 부분이 글을 쓸 때야 보이는 거예요. 그 제야 후회를 했어요. '트리트먼트를 써놓을걸.' 아무리 구조가 좋아 도 줄글로 써보지 않으면 이야기의 디테일에서 또 막힙니다. 줄글로 쓰여져 있는 트리트먼트는 실제 웹소설을 집필할 때 소중한 길잡이가 됩니다.

트리트먼트의 분량은 어느 정도인 게 좋을까요? 저는 A4로 100장이나 200장 정도를 씁니다. 이렇게 말씀드리면 "진짜요? 그건 그냥 책 한 권 분량 아닌가요?"라고 물으시는 분들이 많습니다. 저는 중간에 글이 막히는 걸 무척 싫어합니다. 그래서 집필하다가 중간에 막히지 않게 트리트먼트에서 가능한 모든 것을 해결하고 시작하려고 하죠. 미리 이야기의 지도를 굉장히 상세하게 만들어놓는 거예요. 산에 걸려서 넘어지는 게 아니라 돌부리에 걸려서 넘어진다고 하잖아요. 그래서 미리 돌부리를 다 치워놓는 겁니다. 이건 제가 집필하는 방식이고, 작가들마다 그 분량은 다를 수 있습니다. 정해진 것이 없다는 뜻이에요. 중요한 것은 어쨌든 자신이 쓸 이야기에 필요한 모든 것들을 담아둔다는 것입니다.

트리트먼트 쓰기 전에 필요한 것

· · ·

본격적으로 트리트먼트를 쓰기 전에 필요한 것이 바로 캐릭터 기획안입니다. 각 인물별 캐릭터 노트, 혹은 캐릭터 기획안을 준비합니다. 어떤 캐릭터가 나올지 확정이 되어야 자세한 줄거리를 쓸 수 있기 때문입니다. 내가 이 인물이 어떤 인물인지 정확하게 알려면 최대한 자세히 쓰는 게 좋습니다. 과거 어떻게 살았는지, 지금 어떻게 살아가고 있는 등 그 인물에 대해서 상세하게 생각해보는 시간을 꼭 가져야 합니다.

그 다음에 필요한 것이 전체 구조도입니다. 구조도의 중요성에 대해서는 정말 여러 번 강조해서 말씀드렸어요. 구조도를 그려놓으면 조금 더 쉽게 트리트먼트를 쓸 수 있습니다.

트리트먼트 쓰기의 꿀팁

• • •

만약 공모전 등에서 트리트먼트 60장을 요구하면 눈앞이 캄캄해집니다. 심지어 결말까지 다 써오라고 하면 막막할 수도 있어요. 하지만 기승전결의 구조도를 다 짜놓았다면 트리트먼트 60장은 생각보다 쉽게 쓸 수 있습니다. 이미 구조에도 모든 사건이 들어가 있기 때문이죠. 그 구조도에 이야기 전체의 엔딩까지 세밀하게 기획되어 있다면 더욱 좋습니다. 그렇게 구조도를 보면서 이를 풀어서 줄글로 적다 보면 또 다른 아이디어가 떠오르기도 합니다. 트리트먼트를 쓰면서 그걸 자연스럽게 녹여내도 좋습니다. 구조만 명확하게 잡혀 있다면, 이야기의 줄거리를 짜는 일은 그리 어렵지 않습니다.

회차별 유의점부터 적어두기

저는 매회 트리트먼트 상단에 유의해야 할 점을 미리 적습니다. 주제가 무엇인가, 반전 포인트가 무엇인가, 재미 포인트는 무엇인가, 심쿵 모먼트는 무엇인가. 미리 네모 칸을 만들어서 이야기에서 빠지면 안 되는 요소들을 적어놔요. 이렇게 '나만의 기준'을 미리 만들어놓으면 트리트먼트를 쓸 때, 이들을 빼먹지 않고 점검하면서 쓸 수 있습니다. 이는 이야기의 엣지를 높일 수 있는 방법이기도 합니다.

〈밀당의 요정〉 5화 트리트먼트에서 '유의해야 할 점'으로 적어두었던 예시를 보여드릴게요.

✔ **주제 :**
부모 세대와 화해하는 방법 /
두 남자 사이의 갈등

✔ **미스터리 포인트 :**
타로를 볼 때 '운명의 남자'가 누구라고
하는지.

✔ **밀당 포인트 :**
새아를 짝사랑하게 된 지혁 vs.
이를 모른 척하기 위해 애쓰는 새아

✔ **대화신에서의 은근한 밀당**

✔ **심쿵 모먼트 :**
지혁이 핸드크림 발라주는 신

✔ **집필 포인트 :**
둘 중 누구로 가야 할지, 새아에게
최대한 몰입하게 하기

이렇게 매 화 트리트먼트의 상단에 네모 칸을 만들고 글쓰기에서 유념해야 할 것들을 적어두었어요. 어떤 포인트를 살려주어야 할지, 그런 내용이 없다면 트리트먼트를 쓸 때 만들어내야 합니다. 이건 로맨스니까 심쿵 모먼트가 있어야겠죠. 만약 심쿵 모먼트가 빈 칸으로 남아 있다면 트리트먼트를 쓰면서 어떻게든 심쿵하는 장면을 만들어주려고 노력합니다. 매 순간 중요한 항목들이 빠지지 않도록 하기 위해서입니다.

〈금혼령, 조선혼인금지령〉의 트리트먼트 예시

"조선 팔도 청춘 남녀들의 혼인운이 싹 다 사라졌다고?"

저잣거리. 사람과 사람 사이에 연을 용하게 맞춘다는 궁합 전문

점쟁이, 개이(남, 나이 미상)가 있었다.

모여든 처녀, 총각들의 질문은 하나였다.

'나는 언제쯤 정인을 만나서 혼인하게 될 것 같냐고.'

그렇다. 조선이건 현대건, 조선 청춘 남녀의 가장 뜨거운 관심사는

예나 지금이나 바로 연애와 결혼이었던 것.

개이는 놀랍게도, 이 중 혼인할 수 있는 자는 아무도 없다 말한다.

조선 팔도 청춘 남녀의 혼인운이 모두 사라질 것이라 말하는데.

호기심 가득한 눈빛으로 점쟁이 개이를 보던 현선(여, 17세)은

거짓부렁 하지 말라며 코웃음을 쳤다. 당장 다음달 초하루가 혼인날

이었기 때문.

저잣거리 사람들은 술렁이기 시작한다.

우리 모두가 다 혼인하지 못할 운명이면, 어떤 운명일까. 금혼령이라도 내려진다는 겐가. 설마. 세자와 세자빈의 사이가 이렇게 좋은데 그럴 리 없다.

"운명이 교차하던 단 하룻밤"

궁궐에서 세자 헌(남, 19세)과 세자빈 안 씨(여, 17세)는 다정한 시간을 보내고 있었다. 세자 이헌은 안 씨에게 영원한 사랑을 다짐했지만, 궁중의 암투에 휘말린 안 씨의 눈빛은 어딘가 불안해 보이기만 하고.

같은 날 밤.

영의정 댁 장남 신원(남, 19세)은 내일 혼인을 앞두고 잔뜩 설레는 중이다. 딱 하루만 더 기다리면 될 것을… 혈기왕성 신원은 그만 참지 못하고 신부가 될 예 대감네 여식의 얼굴을 보기 위해 월담하기로 한다.

신원이 월담하자마자 보게 된 것은 현선의 이복동생 현희(여, 15세)였다.

이거 애기잖아? 아직 어리고 미색도 부족하다.

실망하고 돌아가려는 찰나 신원은 꽃보다 아름다운 현선을 발견한다.

'헉?! 이 낭자가 내 신부가 될 거란 말이지?'

같은 날 밤.

떨리기는 현선도 마찬가지이다. 신랑의 얼굴은 모른 채 시집가야만 하는 시대였지만, 제발 그 사람이 나의 진짜 연이기를, 평생 존경하고 따를 수 있는 서방님이 되어주기를 간절히 바래본다.

"현선과 세자빈 안 씨, 죽을 위기에 처하다. 살아남은 자는?"

예 대감 댁의 첩실 서 씨 부인(여,40대)은 정실부인의 딸, 현선을 해할 간악한 계략을 세우는 중이다. 그녀 역시 이 나라에 '금혼령'이 내려질 것이라는 저잣거리 소문을 들었다. 이대로 금혼령이 내려진다면 자신의 친자식 현희는 혼기를 놓치게 될 것이다. 현희를 자신처럼 첩실로 살게 할 수는 없다.

자객을 써서 정실의 딸, 현선을 죽이고 현희를 대신 시집보낼 생각이다.

잠든 여자의 침소에 의외의 자객이 든다. 현선이 아니라 세자빈의 침소다. 살려달라 소리치지만, 그녀를 도와주는 이는 아무도 없다.

세자빈은 세자와의 약속을 다하지 못해 피눈물을 흘리며 죽음을 맞이한다.

같은 시간, 현선 역시 의문의 자객에게 맞서는 중이다.

현선은 가까스로 자객을 피해 도망치다가 절벽에서 떨어지는데….

다음날 아침이 밝았다.

청천벽력 같은 소식을 듣고 한달음에 달려온 세자 헌은 죽은 세자빈 안 씨의 시신을 보고 말았다. 궁궐 내 보이지 않는 암투에 여린 세자빈이 스러져간 것이다. 그녀를 지켜주지 못한 슬픔에 세자 헌은 오열하는데….

"이 나라에 금혼령이 내려지다."

드디어 신원의 혼인날.

신부가 술잔을 마시기 위해 고개를 든 순간, 신원은 그녀가 현선이 아닌 현희임을 알게 되었다. 현선의 아버지 예현호 대감 (남, 40대)은 혼인 전날 도망가버린 첫째 딸을 원망하지도 못한 채 그 자리에 둘째 딸을 보내고야 만 것이다.

자객을 피해 가까스로 살아남은 현선은 자기 집 앞마당에서 벌어지는 신원과 현희의 혼인 장면을 보고 말았다.

아, 나는 앞으로 예현선으로 살 수 없겠구나.

그녀는 눈물을 흘리며 돌아서는데.

모든 것이 서 씨 부인의 계략대로 되어가려는 찰나.

신부가 바뀐 것을 알고 혼인상을 모두 박살내는 신원.

마침 포졸들이 찾아와 '금혼령'을 발표한다.

이제 조선 팔도 청춘, 그 누구도 혼인할 수 없다는 것이었다.

혼인을 하지 못하게 된 현희는 세상 천지 어떻게 이런 일이 있을 수 있냐며 펑펑 울지만, 서 씨부인은 그녀에게 이것이 새로운 기회라 말한다. 영의정 댁이 아닌 왕세자와 혼인할 수 있는 기회.

현희가 정실부인의 딸 현선으로 살면 곁에 사주단자를 낼 수 있지 않겠는가. 서 씨 부인은 현희를 이 나라의 국모로 만들려 한다.

어디에도 갈 곳 없던 현선은 점쟁이 개이를 찾아간다.

개이는 금혼령의 시대, 궁합쟁이들은 다 굶어죽을 것이라며 시니컬하게 일갈하는데. 현선은 혼인을 금할수록 그 연심이 펄펄 들끓어 오를 것이라며, 분명 그 사이에 우리가 먹고살 묘수가 있을 거라 말한다. 그렇게 현선은 개이와 함께 전국 방방곡곡을 방랑하게 되는데.

세자빈을 잃은 아픔에 오열하는 헌.

그리고 제 신부 현선을 잃은 아픔에 오열하는 신원.

이 두 남자에게 시간은 덧없이도 흐르고 만다.

만약 트리트먼트를 쓰다가 중간중간에 생각나는 아이디어가 있으면 추가로 적어놓으세요. 또한 그때그때 떠오르는 대사가 있으면 적어놓으세요. 혹시 이야기의 인과관계를 위해서 필요한 연결점이 있다면 적어놓습니다. 나중에 중요한 복선이 될 만한 아이템, 상징 들에도 동그라미를 쳐놓으면 좋습니다.

트리트먼트
작성해보기

미리 작성해둔 캐릭터 기획안이나 캐릭터 노트, 구조도를 보면서 이를 풀어서 줄거리를 만들어주세요. 포인트가 될 만한 내용들이 잘 드러나도록 해주세요. 각 회차별 트리트먼트를 작성할 때는 유의할 점, 즉 나만의 중요한 기준점을 먼저 적어두면 좋습니다.

유의할 점 체크리스트
☐ 주제
☐ 미스터리 포인트
☐ 심쿵 모먼트
☐ 반전 포인트
☐ 재미 포인트
☐ 집필 포인트

4장

절대 막히지 않는
웹소설 쓰기
실전 테크닉

꽂히는 대사의
10가지 원칙

누군가는 말합니다. 대사에 대한 작가의 감은 고쳐 쓸 수 있는 게 아니라고 말입니다. 하지만 제 생각은 다릅니다. 대사 또한 수많은 필사와 연습으로 갈고닦을 수 있어요. 노력하고 또 노력하면 문장력이 올라가듯이, 대사에 대한 감각 또한 지속적으로 연습하고 계속하여 노력하면 높일 수 있다고 생각합니다.

이번 챕터에서는 어떻게 하면 대사를 잘 쓸 수 있는지 꽂히는 대사, 인상적인 대사를 만드는 10가지 원칙에 대해서 알아볼게요.

원칙 1. 비트별로 반전 주기

• • •

이야기를 구성하는 데 있어 가장 큰 것은 구조입니다. 그 구조 아래 사건이 있고, 사건 아래 장면이 있고, 장면 아래 비트^{beat}가 있습니다. 비트는 한 장면을 구성하는 가장 작은 단위 요소입니다.

로버트 맥키는 《시나리오 어떻게 쓸 것인가》에서 "비트는 행동-반응이라는 행위의 교환을 일컫는다. 비트가 변화를 가지고 반복되는 과정에서 장면이 구성된다."라고 했습니다. 바로 이 비트별로 대사에 반전을 주어야 스토리의 긴장감을 높여 주목도를 높일 수 있습니다. 조금 어려우니 예를 들어서 설명해볼게요.

비트별로 반전을 주는 방법

드라마 〈온에어〉의 한 장면을 예로 살펴볼게요.

> 승아 기획안 재밌어요? 아직 안 읽었는데.
>
> 영은 (피식) 오승아 씨 레퍼토린 변함이 없네요. 여전히 기본도 안
>
>   돼 있고.
>
> 승아 (재밌네 하는 표정) 그런 소리 많이 들어요.
>
> 영은 (어휴, 저걸 그냥…) 우리 전에도 만났는데. 기억 안 나죠?
>
> 승아 왜요, 나죠. 제 트로핀 어쩌셨어요? 제 트로피 들고 사진 찍은

거 봤는데.

영은 (욱- 하는 거 겨우 참고) 그게, 처음인 것 같아요?

승아 (웃는)

영은 (웃어?)

승아 기억력 좋으시다.

영은 !!!

승아 그동안 많이 크셨네요? (쌩긋 웃으며) 5년 전엔 저랑 눈도 잘
　　　 못 맞추시더니.

출처 : 김은숙, 드라마 <온에어>

이 장면에서 하나의 대사를 했을 때, 그다음에 예상하는 대사가
그대로 따라온다면 어떨까요.

"기획안 재미있어요? 아직 안 읽었는데."

이는 톱스타 배우가 기획안을 읽고 드라마 작가와의 미팅에 참석
해야 하는데, 읽지 않고 참석해 역으로 재미있냐고 묻는 조금 무례
한 상황입니다. 여기서 뻔한 답변이 이어진다면 "아, 그래요? 꼭 읽
어보세요, 재미있어요." 정도가 될 것입니다. 그런 다음에 "네. 알겠
습니다. 읽어볼게요."라는 답이 이어진다면 이 세 개의 대사가 하나
의 비트로 묶입니다.

반면 그 다음에 전혀 다른 대화가 이어진다면, 그때는 비트가 달

라집니다. 비트는 '행동-반응이라는 행위의 교환'이라고 했죠. 다시 앞의 대사로 살펴볼게요.

"기획안, 재미있어요? 아직 안 읽었는데."

톱스타 승아가 그렇게 말하자, 드라마 작가 영은이 피식 웃으면서 대놓고 비꼬며 말합니다.

"오승아 씨 레퍼토린 변함이 없네요. 여전히 기본도 안 돼 있고."

상대방에 대한 안 좋은 감정이 팍팍 드러나는 대사입니다. 답변인 듯하면서, 그 사람에 대한 공격이 이어지죠. 벌써 앞의 대사와 곧바로 이어진 대사의 비트가 달라진 겁니다.

이다음에 이어질 것으로 예상 가능한 대사는 무엇이 있을까요. 꽤 공격적인 대사를 했으니, 화를 낼 수도 있죠. "지금 뭐라고 했어요? 기본이 안 되어 있다고 하셨어요?" 정도가 있을 겁니다. 하지만 승아는 오히려 편안하게 말합니다.

"그런 소리 많이 들어요."

소소하지만 예상에서 살짝 빗겨나가는 대사를 해주는 것이지요.

이어지는 대사인 "우리 전에도 만났는데. 기억 안 나죠?"는 또다시 화제가 바뀌는 것이니 비트가 또 달라지는 포인트입니다.

그리고 마지막 대사는 이것이었습니다.

"그동안 많이 크셨네요? 5년 전엔 저랑 눈도 잘 못 맞추시더니."

영은은 승아가 자신을 기억하지 못할 것이라 생각했지만, 예상이 빛나갔습니다. 승아가 5년 전 자신과 만났던 걸 똑똑히 기억하고 있는 거죠. 영은이 승아와 눈도 잘 못 마주치던 찌질했던 순간을요. 이것은 반전이자, 또 하나의 공격이기도 합니다.

이처럼 장면 하나에도 이렇게 계속하여 비트가 바뀌고 있습니다. 대사별로 비트가 달라져야 극의 재미가 높아진다는 게 어떤 의미인지 이해하실 수 있겠지요?

어떤 말이나 행동을 했을 때, 자연스럽게 따라오는 반응이 있습니다. 이미 우리의 머릿속에 굳어져 있는 반응들이죠. 비트별로 반전을 주는 건 이렇게 예상 가능한 반응을 깨고, 살짝살짝 비틀어주면서 예상과 다른 말과 행동이 이어지도록 하는 겁니다. 그렇게 하면 인물들 간의 대화는 묘하게 예측 불허의 상황이 되고, 뻔한 장면인 줄 알고 대충 보려고 했던 독자들의 이목을 집중시킬 수 있게 됩니다. 여기서 이야기의 재미가 발생하는 것이죠. 중요한 대화일수록 생각나는 대로, 흘러가는 대로 대사를 쓰지 말고 한 줄 한 줄 반전을 주면서 쓰세요. 한 줄 한 줄에 의미하는 바가 달라져야 합니다. 이야기의 방향을 계속 조금씩 틀어줘야 한다는 것이죠.

누구나 예상하는 바에서 조금만 벗어나면 인물 간의 대화에서 자연스럽게 긴장감이 생깁니다. 한 줄 한 줄 단위로 대화의 공수가 바뀌는 것도 좋습니다. 이렇게 계속해서 비트의 전환을 주면 대사의 밀도 또한 높아집니다.

원칙 2. 돌직구를 던져라

• • •

실제 우리가 하는 입말은 예의상 하는 말이 많은 편입니다. 그런 말은 별로 중요한 말이 아니기 때문에 아무래도 흘려듣기 마련이죠. "예, 고맙습니다, 안녕히 가세요." 이런 말들이요. 그러나 웹소설에서는 조금 더 직설적으로 말해도 좋습니다.

직설적으로 말한다는 것은 아무 때나 입만 열면 막무가내로 상대방을 공격하는 말을 내뱉어야 한다는 것은 절대 아닙니다.

그렇다면 직설적인 대사란 무엇을 말하는 것일까요?

긴장감을 높이는 직설적인 대사

직설적으로 말하는 대사는 극의 주제를 직접적으로 드러내도 좋고, 상대방을 대놓고 공격해도 좋습니다. 다만 앞서 밝힌 것처럼 입만 열면 상대를 공격하는 안하무인 캐릭터를 쓰라는 뜻은 절대 아닙니다. 대사를 통해 장면의 대립감과 긴장감이 점점 더 높아져야 하기 때문에 좀 더 직접적이고 타격감이 있는 대사가 없는지 고민해보라는 것입니다. 하나 마나 한 얘기를 반복하면 아무래도 이야기의 집중력이 떨어질 수 있습니다. 그런 대사들은 과감히 삭제하고 조금 더 직설적인 대사로 대체해주세요. 드라마 〈태양의 후예〉의 한 장면으로 예를 들어보겠습니다.

모연 봉합 다 됐어요. 일주일 지나야 실밥 뽑을 수 있는데 그때까진
     계속 소독 받으셔야 해요. 군대에도 병원 있죠?

시진 여기로 와도 됩니까?

모연 여기 안 멀어요?

시진 멀어요. 매일 와도 됩니까?

모연 매일은 오버고 주 3회? 주 4회 오시면 빨리 나을 수도 있고요.

시진 주치의 해주는 겁니까?

모연 상처 소독하는 데 주치의가 중요해요?

시진 중요하죠. 특히, 주치의의 미모.

모연 주치의의 선택 기준이 미모라면 더 나은 선택은 없어요. 예약
     잡아놓을 테니까 두 시에 오세요.

시진 의사면 남친 없겠네요. 바빠서?

모연 군인이면 여친 없겠네요. 빡세서?

시진 대답은 누가 하나..

출처 : 김은숙, 김원석, 드라마 <태양의 후예>

이 장면에서 시진은 모연에게 마음이 있다는 걸 숨기지 않고 드
러냅니다. 군대에도 병원이 있지만, 이 병원은 멀지만, 꼭 당신에게
치료받고 싶다고 꽤 직설적으로 말합니다. 미모에 대해 칭찬하면서
그녀와의 거리를 좁혀나갑니다. 그리고 굉장히 설레는 대사가 나오

죠. "의사면 남친 없겠네요. 바빠서?" 이 정도면 상당히 직설적으로 자신의 마음을 고백한 것으로 볼 수 있죠.

고구마 같은 현실 속에서 소설의 대사만큼은 이렇게 사이다여도 좋지 않을까요? 대사를 구성할 때 주요 대사는 직설적으로 시원시원하게 전개해나가는 걸 추천합니다. 조금 더 돌직구를 던져도 좋고요. 이 대사에서 우리가 카타르시스를 느낀다면, 그건 현실에서 들어볼 일이 잘 없는 꽤 직설적인 대사이기 때문일 것입니다.

길게 설명하지 말고, 압축하라

박경수 작가님의 드라마 〈추적자〉의 한 장면입니다.

조형사   (봉투 하나 건네며) 선배님. 저 시집갑니다!

홍석   (놀란, 달리며) 또오?

조형사   (함께 달리며) 축하해주십쇼.

홍석   야. 뭔놈의 결혼을 올림픽 할 때마다 하냐?

조형사   이번엔 잘 살겠습니다. (옆으로 빠져 다른 형사에게 달려가
         며) 과장님, 저 시집갑니다.

출처 : 박경수, 드라마 〈추적자〉

"선배님, 저 시집갑니다!"라는 말에 상대가 "또?"라고 반응한다는

것은, 조 형사가 재혼한다는 것을 알려줍니다. 이에 아랑곳 않고 "축하해주십쇼."라고 당돌하게 답변하는 것에서 이 인물의 성격을 엿볼 수 있습니다. "야, 뭔놈의 결혼을 올림픽 할 때마다 하냐?"라는 대사에서 지금껏 이 인물이 4년에 한 번씩 결혼했다는 사실을 알 수 있습니다. 그냥 "뭔놈의 결혼을 4년에 한 번씩 하냐?"라고 말했다면 대사가 재미가 없었을 겁니다. '올림픽'이라는 단어에서 이야기의 전달력이 확 높아집니다. 코믹하기도 하고요.

이는 긴 설명 없이 조 형사의 캐릭터와 상황을 잘 보여주는 장면입니다. "선배님, 저는 이번에 4년 만에 재혼을 다시 하게 되었습니다. 이번에도 참석해주시면 감사하겠습니다. 부디 이번에는 잘 살도록 하겠습니다."라고 대사를 했다면 별로 재미가 없었겠죠.

대사를 쓸 때는 어떻게 하면 대사를 압축적으로 쓸 수 있을지 고민해야 합니다. 저 같은 경우는 일단 인물들이 해야 할 말, 전달해야 할 메시지 등을 줄글로, 혹은 대충 생각나는 대사들로 쭉 적어놓습니다. 그리고 한글 프로그램 창을 하나 더 켜서, 그 대사들을 최대한 줄여보는 방향으로 다시 장면을 씁니다. 다이어트를 시작하는 거죠. 올림픽처럼 한 단어로 비유하면서도 재미있게 줄일 수 있는 게 뭐가 있을까 생각해보기도 합니다. 그렇게 대사를 압축적으로 줄여쓰다 보면 이야기의 텐션이 확 높아집니다. 대사 하나하나에 좀 더 많은 의미가 들어가 있으니 집중도가 높아질 수밖에 없겠죠.

원칙 3. . 극적 긴장감을 높여라

· · ·

인물 간의 갈등이 잘 드러나도록 하는 대사는 장면의 긴장감을 높이고, 극 전반적인 흐름을 좌우합니다. 이런 인물 간 갈등과 대립은 치열하고 촘촘해야 하고요. 영화 〈부당거래〉의 한 장면을 살펴볼까요.

주양   그, 광수대, 그 최철기 양반, 보충 자료 넘어왔어요?

공수사관   아, 예! 그 최철기 반장, 그 관련 자료가 (헤헷) 준비를 하고 있습니다. 근데 이 조사를 하다 보니까 말입니다. 경찰 쪽에서 이 최철기 내사를 지금 막 시작했다고 얘기를 합니다.

주양   내사는 왜요? 그것 좀 알아봐줘요.

공수사관   근데 이 내사에 관련해서는 경찰 쪽에서 좀 싫어하는, 불쾌해하는 심리가 있어요.

주양   아이, 불쾌해할 게 뭐 있어요?

공수사관   관계라는 게 또, 그렇지 않기 때문에.

주양   경찰이 불쾌해한다? 경찰이 불쾌해하면 안 되지. 응. (점점 분노) 내가 잘못했네. 내가 아주 큰 실수를 할 뻔했어. (아주 분노) 아유, 우리 공 수사관 정말 대단하시네. 아

이, 나, 대한민국 일개 검사가 증말 경찰을 아주 불쾌하
게 할 뻔했어. 내가, 내가 아주 큰 실수를 할 뻔했구만. 내
가 잘못했어, 내가.

공수사관　(매우 뻘쭘)

주양　경찰들이 불쾌할 수 있으니까 일들 하지 마아아악! 경찰
들 불쾌할 일 하지 마. 경찰한테 허락받고 일해! 이씨. 내
얘기 똑바로 들어. 호의가 계속되면은 그게 권리인 줄 알
아요. 상대방 기분 맞춰주다 보면 우리가 일 못한다고.

출처 : 박훈정 각본, 영화 <부당거래>

"호의가 계속되면은 그게 권리인 줄 알아요."는 아주 유명한 대사
죠. 왜 갈등과 대립을 치열하게 써야 할까요? 만약 두 사람의 대화
가 "최철기 자료 준비해주세요.", "네, 알겠습니다"였다면 별다른 갈
등 없이 평범하게 끝나는 장면이 되었을 것입니다. 그러나 이 장면
에서는 주양의 분노가 고조되는 과정을 보여주면서 오만한 성격을
드러내고, 동시에 공 수사관과의 갈등 대립을 극대화하고 있습니
다. 그리하여 이 장면 자체가 굉장히 오래오래 기억에 남는 명장면
이 되었습니다. 주인공의 감정이 갑자기 확 폭발하니, 관객들이 모
두 깜짝 놀랐던 것입니다.

여기에는 공 수사관에게 하는 갑질이라는 갈등도 있지만, 경찰과

검찰의 대립 관계도 있습니다. 검경의 대립은 영화 전체의 갈등이기도 합니다. 갈등이 세지면 이렇게 대사 하나에도 대립감이 생깁니다.

이처럼 이야기의 절정 부분은 물론, 전개 부분에서도 어떻게 하면 인물 간의 대립감을 높일 수 있을지, 어떻게 하면 갈등을 더 고조시킬 수 있을지 고민해보세요. 그렇게 이야기 전체의 극적 긴장감을 높여주는 것입니다.

원칙 4. 캐릭터별 일관된 대사 톤 잡기

• • •

대사를 쓸 때는 인물마다 특유의 대사 톤을 만들어줘야 합니다. 이런 인물이라면 이런 대사를 하지 않을까, 자동으로 음성 지원이 될 수 있을 만큼 특유의 말투를 만들어주세요. 대사를 통해 캐릭터가 드러날 수 있도록 해주어야 한다는 뜻입니다.

영화 〈국가대표〉에 최흥철이라는 인물이 있습니다. 극 중에서 스키 선수 출신으로 나이트클럽 웨이터를 하다가 스키점프를 하게 되는 인물이죠. 가볍고 까불거리는 캐릭터인데요. 그런 캐릭터가 바로 대사들에서 다 드러납니다. 그가 말했던 대사들을 모아봤어요.

- 아이고, 언니야! 이런 데서 자면 입 돌아간다. 그래 술 깨고 가자.

- 혼자 대표하고, 혼자 주장하고, 아주 지랄을 하세요.

- 나 참... 저년 웃긴 년이네.. 나한테 다단계를 할라 그러네?! 내가
  삼 주라 그랬냐?! (의미심장하게) 한 주 더 걸리겠다. 야.

- 너 모르지? 우리나라 걸음마 떼면 바로 태권도장부터 다녀, 이 새
  까.

- 주댕이질 하지 마!! 이 개새끼야!! (미소와 함께 일어나며) 나 아직
  발차기 안 했다?! 너 그리고, (맞은 귀가 아픈지) 귀 때리지 마라.
  (아씨 나 윙윙거려)

- 내가 저 힘들다... 나 좋아한다고! 좋아한다고! 딱! 한마디만 하자.
  한마디만! 그럼 내가 쌈박하게 기다릴게. 내가.

출처 : 김용화 각본, 영화 <국가대표>

대사의 말투만 들어도 어떤 캐릭터인지 짐작이 되죠? 어떤 인물
의 대사를 쓴 다음에 이 사람이 쓴 대사만 쭉 모아놨을 때 생각보다
일관성이 없는 경우가 있습니다. 그 캐릭터를 머릿속에 뚜렷하게
그려놓지 않았던 것이죠. 미리 캐릭터의 대사 톤을 정해놓으세요.
그게 어렵다면 다 쓴 다음에 그 인물의 대사만 쭉 뽑아서 일관성 있
게 고치는 것도 방법입니다.

- 지호 그만 포기해요. 닥터께서 아무리 접착질을 하셔도 언니랑

형부는 끝난 사이에요.

- 지호 (멀뚱히 붕어를 바라보다가) 니 뒤처리 정도는 스스로 했

으면 하는 내 바램이 욕심인 거냐?

- 준표 (말해놓고 미안하다) 야. 왜 그래?...... 아까 너도 니 인생은

아르바이트 인생이라고 농담하고 그랬잖아.

  지호 (슬프게) 내가 말하는 거하고 남한테 듣는 거 하고 같애

요? (얼굴을 가리며) 잔인한 사람.

  준표 야..... 너 왜 안 하던 짓 하나? 야..... 미안해.

  지호 (얼굴을 가렸던 두 손을 양옆으로 벌리며 슬픈 표정 그대

로) 그 미안한 마음을 담아 양념꼬치?

출처 : 박연선, 드라마 <연애시대>

드라마 〈연애시대〉에서 주인공의 동생으로 나오는 유지호 캐릭
터의 대사만 모아보았습니다. 꽤나 능청스럽고 귀여운 인물이었습
니다. 대사 톤 하나하나에서 꽤 엉뚱하고 사차원적인, 독특한 매력
이 있다는 것이 드러납니다.

이렇게 대사에 캐릭터를 부여하고, 디테일을 녹이면 좀 더 살아

있는 듯한 생생한 캐릭터를 만들어낼 수 있습니다. 대사마다 일관적인 성격이 보여져야 한다는 뜻입니다.

조연 중에 조금 코믹한 캐릭터, 튀는 캐릭터가 들어가도 좋습니다. 극의 분위기를 풀어주기 위해서 그런 주변 인물이 메인 조연보다도 더 코믹하고 위트 있는 대사를 치는 경우가 많습니다. 그 인물의 대사만 따로 정리해서 그들이 재미있는 대사를 쳐주게 수정해보세요.

원칙 5. 캐릭터 디테일을 압축하라

· · ·

이야기를 실제 있을 법한 이야기로 만들려면 어떻게 해야 할까요? 내가 하나의 캐릭터를 창조했는데, 그 인물이 너무 흔하고 뻔하다면 어떻게 할까요? 게임에서 NPC^{Non-Player Character}라고 하죠. 주어진 대사만 하는 기계적인 캐릭터처럼 보이는 거죠. 인물이 종이인형 혹은 아바타처럼 보인다면, 이를 실제 인물처럼 보이게 만드는 장치가 필요합니다. 그 인물의 히스토리와 상황을 어느 정도 대사에서 보여줘야 합니다. 이 사람이 어떤 사람이구나 하는 정보를 전달해주어야 캐릭터에 대한 이해가 높아집니다.

다시 드라마 〈추적자〉의 한 장면을 살펴볼게요.

홍석 이건 사표구요. (수첩 꺼내주며) 이건 경찰 수첩, (권총 꺼내주며) 이건 권총, (수갑 꺼내주며) 이건 수갑, 그리고 이건 (황 반장을 향해, 힘차게 감자 바위 해 보이며) 내 마음입니다.

황반장 (캑캑. 아직도 사레 중!) 캑캑. 홍석아. 마음만 받으면 안 되것나?

홍석 (흥분을 가라앉히고 한숨을 한번 쉬고) 나요. 왼쪽 무릎 관절염에 오른쪽 허벅지는 하지정맥입니다. 계단도 내려올 땐 옆으로 (흉내 내며) 요렇게 내려옵니다.

황반장 (물 마시며 사레를 진정시키고 있다.)

홍석 13년 전에 신창원이 잡다가 다친 허리는 디스크가 4급이구요. 7년 전에 배 차장파 단속 때, 그래. 그날이네. 반장님 당직 내가 대신 서던 날. 아, 자다가 출동해서 잠도 안 깼는데 칼 두 방 맞고, 제때 치료 못해서요. 요새도 앉았다 일어나면 방구가 실실 샙니다.

황반장 (후후.. 진정되어 가고 있다.) 나가자. 나가서 담배나 한 대 빨고 쪼매 진정하고 얘기하자. (일어나려는데)

홍석 (툭 밀어서 앉히곤) 아, 담배 끊었습니다. 돈이 있어야 담배를 피지. 나요. 1년에 파스 값이 백만 원입니다. 담배 끊고요, 그 돈으로 파스 사서요. 무릎, 허리, 어깨, 등에 덕지덕지

붙이구요. 파스 힘으로 형사질 하는 놈입니다. 내가요!!!

출처 : 박경수, 드라마 <추적자>

이 장면에서의 대사를 통해 우리는 홍석이라는 인물이 어떤 히스토리를 가진 인물인지 알 수 있습니다. 그 인물의 과거에 관한 세세한 내용을 디테일하게 잘 알게 됨으로써 앞으로 홍석이 어떤 행동을 하게 될지, 더 관심을 갖게 됩니다. 어떤 캐릭터가 실제 살아 있는 사람처럼 보이게 하려면 이런 식으로 그가 가진 히스토리, 성격 등을 보여주는 결을 살려주어야 합니다.

어떻게 디테일을 더할 것인가

디테일을 더한다고 해서 무조건 설명하라는 것이 아닙니다. "내가 이런저런 사업을 하다 얼마나 많이 망했는지."라고 하면 너무 대사가 뻔하고 재미없는 게 당연합니다. 이 대사를 어떻게 살려줄 수 있을까요?

영화 〈기생충〉에서는 이 한마디로 끝냈습니다.

"내가 대만 카스테라만 안 했어도."

실제로 '대만 카스테라'가 어떤 의미인지 한국인에게는 공통적인 인식이 있죠. 그래서인지 이 대사의 임팩트가 굉장히 컸어요. 불나방처럼 유행을 쫓아가는 프랜차이즈 사업을 했다가, 순식간에 망하고 말았다는 스토리가 이 대사 하나에 담겨 있습니다. 그래서 지금 나락으로 떨어졌다는 것도요. 순식간에 이 인물이 우리 옆집 사람처럼 친근하게 느껴집니다. 이 사회에서 함께 살아가는 사람이 되는 것이죠. 이런 식으로 대사를 압축하고 디테일을 더하는 것입니다.

이런 예가 되는 대사들을 몇 가지 더 살펴볼게요.

"내가 어떻게 감옥에 가?"이 대사를 입체적으로, 디테일을 살리려면 어떻게 해야 할까요? 영화 〈타짜〉의 유명한 대사가 있죠?

"나 이대 나온 여자야."

이 대사도 그 당시 엄청난 화제가 되었습니다. '이대'에 대한 사회적 함의를 이용한 것이죠. 덕분에 이 대사는 슈퍼 명대사에 등극하였습니다.

다음으로 "니가 혹시 범인이냐?"를 영화 〈추격자〉에서는 어떻게 살렸을까요? 이 역시 전국민이 기억하는 대사입니다.

"야, 4885. 너지?"

'범인'이라는 보편적인 단어를 사용하는 대신 구체적인 숫자를 사용해 디테일을 주었고, 그로 인해 극적 효과를 더할 수 있었습니다.

인물의 디테일을 살리려면 인물이 처해 있는 실질적인 상황에 대해서 깊게 생각해보세요. 그 인물에 대해서 최대한 자세하게 써놓은 캐릭터 노트가 도움이 됩니다. 그 상황에 깊이 몰입해보면서 조금 더 현실감 있는 대사가 무엇이 있을지 생각해봅니다.

원칙 6. 독창성을 살려라

• • •

대사의 독창성을 강화하는 데 좋은 방법 중 하나는 창의적인 비유입니다. 드라마 〈황금의 제국〉의 대사를 통해서 한번 살펴볼게요.

'축하할 일이 생기면, 축하는 해줘야죠. 하지만 너무 빠른 것 같네요. 나는 축하는 못 해줄 것 같습니다.' 이런 뜻이 담긴 대사를 이렇게 썼습니다.

"사람이 샴페인을 터트렸으면 박수는 쳐줘야죠. 너무 일찍 터트린 게 문제죠."

또한 이런 대사도 있습니다.

"페어 플레이할 겁니까? 반칙도 오심도 게임의 일부입니다."

'나는 공정하게 행동하지 않겠다.'라는 것을 이 대사를 통해서 드러내고 있습니다. 대사가 굉장히 쉽고 압축적이죠?

비유를 통해 새롭게 만들기

적절한 비유를 활용하면 대사가 좀 더 정확한 의미로 다가갈 수도 있습니다. 계속해서 드라마 〈황금의 제국〉의 대사로 살펴볼게요.

> • 사냥개와 애완견은 종자가 다릅니다. 애완견이 화난다고 사냥을 하진 않죠.

- 마부가 왜 끼어들지? 서윤이 물이나 따라줘.

- 민재 오빠가 캐시카우 만든다고 오빠 불피운 거야. 자기가 낸 불은 알아서 끄자. 오빠.

출처 : 박경수, 드라마 <황금의 제국>

참신한 비유를 통해서, 이야기의 전달력을 높인 좋은 사례라고 볼 수 있습니다.

같은 말도 '비유'를 쓰면 이야기를 새롭게 전달할 수 있습니다. 잘 쓴 비유는 이야기의 전달력을 높입니다. 뻔한 이야기를 다르게 하고 싶다면 어떻게 더 적확한 비유를 쓸 것인지 고민해보세요.

아주 평범한 대사가 명대사가 되는 순간

상황이 잘 쌓이면, 아주 평범한 대사도 특별한 대사가 될 수 있습니다. 너무너무 중요한 상황에서는 지나치게 꾸민 대사보다 평범한 대사에서의 임팩트가 커질 수 있습니다.

"니가 범인이지?"라는 대사를 영화 <살인의 추억>에서는 이런 대사로 풀어냈습니다.

"밥은 먹고 다니냐?"

어떻게 이 대사가 최고의 명대사가 될 수 있었을까요? 상황적으로 긴장감이 엄청 고조되어 있습니다. 영화 내내 찾아다니던 범인을 드디어 찾은 거죠. 이렇게 상황이 켜켜이 쌓여 있다 보니, 평범한 대사도 아주 오래 기억에 남는 명대사가 될 수 있었던 것입니다.

어차피 이야기의 책장을 덮으면 기억에 남는 것은 많지 않습니다. 그렇기에 단 하나의 대사라도 기억에 남을 수 있게 독창적으로 써야 합니다. 모든 대사를 독창적으로 만들기 위해 고민할 필요는 없습니다. 그저 후킹이 될 수 있는 대사를 특별하게 만들 수 있으면 됩니다.

드라마 〈눈이 부시게〉의 대사를 한번 살펴볼까요.

> 아빠   어머님은 살면서 언제가 제일 행복하셨어요?
>
> 김혜자   대단한 날은 아니구. 나는 그냥 그런 날이 행복했어요.
>
> 온 동네에 다 밥 짓는 냄새가 나면 나도 솥에 밥을 안쳐 놓고 그때 막 아장아장 걷기 시작했던 우리 아들 손을 잡고 마당으로 나가요. 그럼 그때 저 멀리서부터 노을이 져요. 그때가 제일 행복했어요, 그때가.
>
> 출처 : 이남규, 김수진, 드라마 〈눈이 부시게〉

어떻게 보면 굉장히 평범한 순간에 대해서 얘기를 하는 겁니다. 하지만 극중 인물이 지금껏 벌여왔던 모든 일들이 치매로 인한 상상이었다는 것이 밝혀진 다음에 하는 대사이기에, 대사의 울림이

더욱 컸습니다. 이 인물의 인생을 함께 따라가면서 반추할 수 있게 하는 대사였죠. 이야기에서의 상황과 캐릭터의 진심이 맞물렸을 때가 평범한 말이 명대사로 탄생하기에 가장 좋은 순간입니다.

원칙 7. 날것 그대로의 감정을 담아라

• • •

캐릭터의 내면을 파고 또 파다 보면, 생각지도 못한 대사가 떠오릅니다. 이 캐릭터에서 가장 아픈 부분이 무엇일지 생각해보세요. 작가가 캐릭터와 완벽하게 정서적 교감을 이루었을 때 가장 좋은 명대사가 나올 수 있습니다. 그런 대사를 통해 독자들은 내 일처럼 감정 이입을 할 수 있게 됩니다. 또한 이야기 전체에서 감동을 줄 수 있는 포인트를 명확하게 간파하고 있어야 합니다.

제 작품 〈나의 수컷 강아지〉의 일부를 살펴볼까요. 이 작품에는 '리차드'라는 다리 짧은 닥스훈트가 나와요. 리차드는 자신의 주인인 '아현'을 정말 이성으로 사랑하고 있습니다. 한편 주인공 '대식'은 강아지였다 사람이었다 하는 반인반견인데요. 동네 강아지 리차드와 대화가 가능합니다. 리차드가 대식이와 대화하면서 자신의 속마음을 고백합니다.

"겁나, 힘들지. 미친 거지. 7년 짝사랑이면. 7년쯤 되면 적응될 것 같지? 적응, 절대 안 돼. 매일매일 심장이 타들어가서, 매일매일 웰던으로 구워지거든. 그게 걔한테는 반갑다고 왈왈왈 꼬리치는 걸로만 들리는데, 미치지. 안 미치고 배겨? 아주 바짝바짝 애태워서 만든 내 진심. 받아줄 필요도 없으니까, 그냥 냄새만 맡아줬으면 좋겠다 싶은데. 인간의 후각이란 게, 보통 둔한 게 아니잖아. 몰라, 걔는. 민아현, 걔는 그러고 살아. 옆에서 심장이 타는 것도 모르고, '아이, 귀엽다. 우리 강아지.' 그러고 살아.

있는지 없는지 모르는 신한테 천 번 만 번을 물었다. 왜 걔는 사람이고, 왜 나는 개로 태어났냐고. 내가 전생에 대체 무슨 대역죄를 지었길래, 무슨 짝사랑 하나가 이렇게 고통스럽냐고. 그렇게 신한테 바락바락 성질을 내고 욕을 하다가, 나중엔 빌게 돼. 막. 내가 다 잘못했으니까, 다음 생엔 제발! 이런 장난치지 말라고. 사랑하는 여자의 애견으로 태어나는 그런 미친 짓! 다시는 하지 말아달라고. 짝사랑이 힘드냐고? 그게 힘든 정도겠냐. 여긴…… 지옥이야, 임마."

"거의 미친 놈이네."

"……완전 미친놈이지."

"……"

"왜. …… 너도 미쳐보게?"

출처 : 웹소설 <나의 수컷 강아지>

원래는 "여긴 지옥이야, 임마."에서 대사를 끝내려 했어요. 그런데 조금 더 감정을 끌어올리게 할 수 없을까 고민하다가, 마지막 이 대사를 쳤어요. "왜. …… 너도 미쳐보게?"

이 장면을 쓰기 위해 주인을 짝사랑하는 강아지 리차드에게 몰입하고 공감하려고 긴 시간을 노력했어요. 좀 더 리차드 내면에 있는 감정을 끌어내기 위해서요. 100퍼센트 캐릭터가 될 수도 없어도 그가 처한 상황과 성격을 고려하고 그에게 최대한 감정을 이입하려고 노력하다 보면 정말 생각지도 못한 대사가 떠오르기도 합니다.

원칙 8. 대사의 여백을 줘라

• • •

'대사는 작가의 시다.'라는 말이 있습니다. 좋은 대사는 압축적인 대사라는 것이지요. 그리고 더 좋은 대사는 '말하지 않아도 이런 말을 하고 싶어 하는구나.'라고 느껴지는 대사입니다. 가끔 사람들은 너무 약해지고 싶지 않아합니다. 그 포인트를 잡아내려면 때로는 '감동의 절제'가 필요합니다. '너 슬프지? 너 슬프지?' 이렇게 몰아가는 게 아니라 꾹 참게 하는 과정에서 더 깊은 감정이 우러날 수 있다는 뜻이에요. 그리고 억지 감동이 아니라 자연스러운 감동을 주기 위해서는 가장 중요한 장면에서 대사를 줄여야 합니다.

영화 〈번지점프를 하다〉의 마지막 장면은 이를 보여주는 좋은 사례입니다.

두 사람, 서로 마주본다. 현빈이 씩 웃으면, 인우도 따라 씩 웃고, 현빈이 더 크게, 이를 다 드러내며 씨익 웃으면 인우도 또 따라 더 크게 씩 웃는다. 그리고 손을 꽉 마주 잡는 두 사람.

"쓰리- 투- 원- 번지!!!"

안전요원의 외침에 따라 마침내 결심을 한 관광객이 두 눈을 질끈 감고

"으악~!" 괴성을 지르며 막 뛰어내렸나 싶은데, 정작 절벽에서 떨어지는 건, 두 사람... 인우와 현빈이다! 그 위로 두 사람의 대화.

현빈   (밝게) 이번엔 여자로 태어나야죠?

인우   (웃음) 그래.. 근데 나도 여자로 태어나면 어쩌지?

현빈   (웃음) 하하하- 또 사랑해야죠, 뭐-

새처럼 멋지게, 자유롭게 아름답게.... 낙하하고 있다.

아니, 비행하는 듯하다..

출처 : 고은님 각본, 영화 〈번지점프를 하다〉

두 사람이 번지점프대에서 줄 없이 뛰어내립니다. 동반 자살이죠. 이번 생에는 같은 성별로 태어나 사랑할 수 없었으니, 다음 생에 다른 성별로 만나서 사랑하자는 의미로. 여기서 두 사람의 대사는 구구절절 심각하지 않습니다. '이번에는 같은 여자로 태어나면 어쩌지?' 하고 '하하하' 웃고 맙니다. 덕분에 여운이 긴 감정을 불러오고요.

80퍼센트가 공감하지만, 끄집어내지 못했던 감정선을 대사로 만들어내세요. 누구나 그럴 수 있을 것 같다는 감정의 공감을 만들어내야 합니다. 바로 여백을 통해서요. 우리가 모든 걸 다 설명하지 않아도 여백을 통해서 감정을 느낄 수가 있도록 말이죠.

다른 예도 한 가지 더 살펴볼까요. 드라마 〈연애시대〉의 한 장면입니다.

동진　(N) 변명조차 생각나지 않는 순간이 있다.

67. 플랫폼 (저녁)

기차가 서서히 움직인다. 동진이 계단을 올라온다.

동진. 가까스로 기차를 탄다. 기차가 속도를 내기 시작한다.

동진　(N) 오직 후회만이 허락되는 순간이 있다.

68. 기차 안 (저녁)

한 칸 한 칸. 은호를 찾는 동진. 다음 칸으로 사라진다.

69. 침대 칸 (저녁)

20대의 커플. 짐을 올리는데. 노크소리와 함께 문이 열린다.

동진이 안을 확인하고, 미안하다고 고개를 숙이고 다시 닫는다.

누구지? 20대 커플 아주 잠깐 동진에 대해 생각해본다.

동진   (N) 후회하고 후회하고 죄책감이 바래질 때까지 후회하면서

        잊을 수도 없는 순간이 있다.

70. 침대 칸 복도 (저녁)

동진이 침대 칸을 일일이 노크하며 열어본다.

71. 은호의 침대 칸 (저녁)

가방을 선반에 올리던 은호, 노크소리에 돌아본다.

뜻밖에 동진이 나타나자 어리둥절하다.

동진. 얼굴은 빨갛게 상기되고, 숨을 헐떡이며 은호를 노려보며 한

발짝 다가온다. 동진의 기세에 밀리듯 은호, 물러서려는데 동진이 은

호를 부서질 듯 끌어안는다.

동진   (N) (울부짖듯이) 너 이게 뭐하는 짓이야?

은호를 안은 채로 동진 진정되지 않는 한숨을 토해낸다. 하마터면 잃

어버릴 뻔한 것을 겨우 찾은 자의 안도가 느껴진다.

은호와 동진 뒤, 창밖으로 기차역이 지나가고, 나무가 지나가고, 어

둠이 지나간다.

72. 선로 (저녁)

기차가 달린다.

동진   (N) 모든 것을 알아버린 지금의 내가.... 그 시간을 반복한대

       도 어쩔 수 없는 순간이 있다.

출처 : 박인선, 드라마 <연애시대>

정말 중요한 장면 중 하나입니다. 주인공 동진과 은호는 이혼을

했는데요. 은호의 동생, 지호가 동진에게 거짓말을 합니다. 언니가

어디론가 떠났는데, 왠지 죽으러 가는 것 같다고. 여기에 동진은 눈

이 뒤집어지면서 기차를 따라 타고는 미친 듯이 은호를 찾습니다.

은호에 대한 자신의 절박한 마음을 여기서 깨닫게 된 것이죠.

　여기서 저는 동진의 내레이션을 몇 번이고 입으로 소리 내어 읽

어보았습니다. 다시 보아도 '대사는 작가의 시'라는 걸 가장 잘 보여주는 내레이션인 것 같습니다. 동진은 직접적으로 말하지 않습니다. "알고 보니 내 사랑은 너였어. 우리가 이혼은 했지만 난 너를 사랑해. 니가 없어지니까 내가 죽을 것 같아."라고 말하지 않죠. 그의 마지막 내레이션에서는 정말 수많은 감정들이 생략되어 있습니다. 구구절절 말을 하지 않아도, 이미 대사의 여백에서 감정은 모두 전달된 것이죠.

원칙 9. 대구법으로 리듬감을 살려라

• • •

대구법이란 어조가 비슷한 문구를 나란히 두어서 두 문장의 변화와 안정감을 주는 표현법입니다. 힙합에서는 라임이라고 하고, 수많은 노래 가사에서도 비슷한 음절을 활용해 리듬감을 높입니다.

대사를 쓸 때 대구법이 필요한 이유가 무엇일까요? 대구법을 쓰면 대사의 구조가 간결해집니다. 말이 심플해야 전달력이 높아지거든요. 이야기의 리듬감이 높아질수록 의미의 전달도 잘된다는 뜻입니다.

> • .... 태주야. 내는 평생 포기만 하고 살아왔대이.

돈 있는 놈이 인상 쓰믄 무서버서 포기하고,

힘 있는 놈이 쾅 지르면 겁나서 포기하고,

근데 태주야... 요서 포기하믄.. 내한테는... 아무것도 남는 기 없대이.

• 양복도, 한복도, 다 잘 어울리는 양반인데...

(최 회장의 환자복을 만지며) 이 옷은 참 안 어울리네요.

• 밥값도 못하는 놈이 입맛 있어 뭐해?

박 원장 그놈. 실력도 없는 놈이 입도 가벼워.

• 중환자실이 영안실 될 때까지 싸울 겁니까?

싸워서! 이겨서! 미안하단 말 들으면,

죽은 사람이 병풍 뒤에서 살아옵니까?

• 태주야. 사람은 귀천이 있어도 돈에는 귀천이 없대.

• 뒷일은 뒤에 걱정하는 거지. 내일 일을 왜 오늘 걱정하실까아?

• 말하는 재준 없어도 듣는 귀는 있어.

생각은 짧아도 담을 속은 있구. 서윤아.

출처 : 박경수, 드라마 <황금의 제국>

살펴보면 대사의 구조가 심플하고 비슷한 어절이 반복됩니다. 이런 식으로 대구를 주면, 우리가 대사를 읽거나 들을 때 리듬감이 느껴집니다.

대사 쓸 때 대구법 자체를 습관화하세요. 자유자재로 쓸 수 있게 필사하고 연습하세요. 그러면 대사의 힘도 강해질 것입니다.

원칙 10. 클리셰를 비틀어라

• • •

사람들 기억 속에 있는 명대사는 이미 익숙한 고전이자 원형이 되었습니다. 이를 비틀어서 새로운 상황에 적용하세요. 귀에 익숙한 명대사를 정리하고, 적재적소에 활용하는 법을 연구하세요.

기시감을 비틀어 균형감을 찾아라

앞서 살펴본 영화 〈살인의 추억〉의 명대사 "밥은 먹고 다니냐."가 있었죠. 이를 살짝 비튼 대사가 드라마 〈황금의 제국〉에서 나옵니다. "여드름은 짜고 다니냐."

상대방이 굉장히 풋내기 같다는 의미가 담긴 대사입니다. 이미 "밥은 먹고 다니냐."라는 대사가 우리 귀에 익숙하기 때문에 이를 패러디한 대사도 더욱 재미있게 느껴집니다.

내가 쓴 대사를 비틀어라

꼭 다른 작품의 대사를 가져와서 비틀 필요는 없습니다. 내 작품의 대사를 다른 상황에서 다시 재인용하는 것으로도 임팩트가 높아질 수 있습니다. 내가 쓴 대사를 한 번 더 비트는 것이지요.

영화 〈조 블랙의 사랑〉에서 극 초반에 저승사자로 찾아온 조 블랙에게 주인공이 이렇게 말합니다. "인간에게 죽음과 세금은 피할 수 없다."라고요. 이런 대사가 나온 뒤에 후반에서 주인공의 딸에게 자신이 저승사자라는 것을 밝힐 수 없었던 조 블랙이 "세금을 거두러 왔다."며 자신을 소개합니다. "죽음과 세금은 피할 수 없다."는 그 대사를 다시 응용한 거죠.

기존의 명대사를 가지고 오지 않아도 좋습니다. 내가 썼던 대사를 추후에 뒤집거나, 다시 활용하거나 한 번 더 언급해주는 것만으로도 대사에 힘을 더해줄 수 있습니다. 예를 들어 주인공이 악당에게 당하면서 들었던 말을 나중에 복수할 때 똑같은 말을 하면서 되갚아주는 식이죠.

이렇게 대사 쓰기 10가지 원칙에 대해서 알아보았습니다.

다음 챕터에서는 대사 쓰기의 실제에 대해서 알아볼게요.

대사 쓰기의
10가지 원칙 활용하기

지금까지 살펴본 대사 쓰기의 10가지 원칙은 책상 근처에 붙여놓고 글을 쓸 때마다 점검하는 데 활용하시면 좋습니다. 내가 쓴 글을 다시 보고 점검하면 완성도는 당연히 더 높아집니다.

1. 비트별로 반전 주기
2. 돌직구를 던져라
3. 극적 긴장감을 높여라
4. 캐릭터별 일관된 대사 톤 잡기
5. 캐릭터 디테일을 압축하라
6. 독창성을 살려라
7. 날것 그대로의 감정을 담아라
8. 대사의 여백을 줘라
9. 대구법으로 리듬감을 살려라
10. 클리셰를 비틀어라

명대사 완벽히 흡수하기

좋은 대사를 쓰기 위한 원칙은 앞에서 살펴봤습니다. 이를 위한 배경지식 혹은 기초 체력을 기르는 데 필요한 것은 좋은 대사, 명대사를 많이 보는 것이에요. 많이 보고, 분석해보고, 내 글에도 적용해보면서 연습하는 거죠. 이렇게 해서 감을 익히는 것이 많은 도움이 됩니다.

대사 분석 연습법

1. 가능한 대본을 구해서 정독한다.

2. 명대사는 읽으면서 형광펜 등으로 표시해둔다.

3. 영화의 명대사는 '네이버 영화'에서 찾아보고 정리한다.

4. 이야기를 보다가 명대사가 나오면 멈춰놓고 필사한다.

5. 나만의 명대사 모음집을 정리해둔다.

6. 명대사 모음집을 반복하여 읽으면서 명대사의 리듬감, 호흡 등을 체화한다.

대사를 공부하기에 가장 좋은 교재는 바로 대본집입니다. 가능하다면 대본을 구해서 보세요. 대본은 보통 지문과 대사로만 이루어져 있기 때문에 일반 소설보다 대사를 공부하기에 더 좋습니다. 명대사는 읽으면서 형광펜이나 빨간펜으로 표시해두어 찾아보기 쉽게 정리해둡니다.

영화의 경우 '네이버 영화'에 명대사가 정리되어 있습니다. 이걸 활용하면 모든 영화를 다 보지 않아도 대사를 공부하는 데 도움을 받을 수 있습니다. 다른 영상물이나 이야기를 보다가 명대사가 나온다면, 멈춰놓고 필사해보세요.

단어장처럼 명대사만 모아놓는 노트가 있으면 좋겠죠. 그렇게 나만의 명대사 모음집을 정리해두세요. 어떤 형태이든 자신이 찾아보기 좋은 형태로 정리해두면 좋습니다. 저는 엑셀 파일로 대사들을 쭉 정리해놓았어요.

마지막으로 가장 중요한 것인데요. 그렇게 정리해둔 자료를 읽고 또 읽으면서 명대사의 리듬감, 호흡을 내 것으로 만듭니다.

인상적인 범죄물 대사 분석

• • •

이제 구체적인 사례를 통해 대사를 분석해볼까요. 저는 대사를 공부할 때 범죄물의 대사부터 분석하는 편입니다. 웹소설을 쓰려고 하는데 왜 범죄물 대사 공부를 하는 걸까요?

오랜 시간 기억에 남는 대사, 계속해서 회자가 되는 대사들은 범죄물, 형사물의 대사가 많기 때문입니다. 범죄물에서는 아무래도 강렬한 대사가 많이 쓰이기 때문에 대사를 분석할 때 참고할 만한 좋은 사례들이 많은 편이죠. 지금껏 왜 그렇게 범죄물의 대사들이 오래도록 기억에 남았는지, 이걸 어떻게 응용하면 좋을지 알아보도록 할게요.

영화 〈타짜〉 대사 분석

범죄물 중에서도 굉장히 오랫동안 회자되는 명작들이 있습니다. 그중 대표적인 작품이 바로 영화 〈타짜〉입니다. 이 작품의 대사 하나하나가 모두 명대사라고 할 수 있는데요. 그 이유가 무엇일까요? 우선 대사들을 한 번 살펴볼까요?

- 나 이대 나온 여자야 _정마담
- 마포대교는 무너졌냐 _곽철용

• 늑대 새끼가 어떻게 개 밑으로 들어갑니까. _ 고니

• 묻고 더블로 가. _ 곽철용

• 원래 이 바닥엔 영원한 친구도 원수도 없어. _ 평경장

• 싸늘하다. 가슴에 비수가 날아와 꽂힌다. 하지만 걱정하지 마라.
  손은 눈보다 빠르니까. _ 고니

• 나 한다면 하는 사람이야. 지금도 하고 있잖아. _ 고광렬

• 나 건달 아니다. 나도 적금 붓고 보험 들고 살고 그런다. 화란아. 나
  도 순정이 있다. 니가 이런 식으로 내 순정을 짓밟으면 그때는 깡
  패가 되는 거야. 내가 깡패처럼 너를 납치라도 하랴? _ 곽철용

• 화투가 나고 내가 화투인 물아일체.. 혼이 담긴 구라. _ 평경장

• 화투! 말이 참 이뻐요. 꽃을 가지고 하는 싸움! _정마담

• 이 패가 단풍이 아니라는 거에 내 돈 모두와 내 손모가지 건다. 쫄
  리면 뒤지시던지. _ 고니

• 내가 빙다리 핫바지로 보이나? _ 아귀

• 구라칠 때 절대 상대 눈을 보지 마. _짝귀

• 해 뜨는 거 보면서 화투 치고 싶겠어? _ 정마담

• 화투는 슬픈 드라마야. – 평경장

• 너구리 머릿속에 마요네즈만 들었니? _ 정마담

• 모르긴 왜 몰라. 잘 알지, 갈 때까지 간 놈. _평경장

출처 : 최동훈 각본, 영화 <타짜>

어떤가요? 이 대사들이 각인되는 가장 큰 이유는 우선 인물들 각각의 캐릭터가 뚜렷하고 생생하기 때문입니다. 또한 일상적으로 보이는 대사를 여러 번 비틀었기 때문입니다. 일상적이지 않은, 튀는 대사를 써준 거죠. 범죄물의 특성상 비유와 구어, 속어를 많이 쓰는 편입니다. 사실 그런 구어나 속어 등은 우리가 평소에 못 하고 사는 말이기 때문에 신선하게 느껴지기도 하거든요. 앞서 살펴본 대사 쓰기 10가지 원칙 중에 '돌직구를 던져라'가 있었죠. 범죄물에는 아무래도 그렇게 시원하게 내지르면서 카타르시스를 줄 수 있는 대사가 많습니다.

평범한 대사 고쳐 써보기

일단 상황상 나와야 하는 대사를 쓰세요. 문어체 같은 대사도 좋습니다. 그다음에 캐릭터에 맞게 대사 톤을 수정합니다. 재미있는 비유와 상징을 통해서 대사의 맛을 높여보세요. 마찬가지로 대사 쓰기의 10가지 법칙을 옆에 두고 하나하나 적용해보면서 말맛을 더 살릴 방법은 없는지 생각해보세요.

여기에서는 영화 〈범죄의 재구성〉에서의 명대사를 응용해서 대사 톤을 고쳐보는 예를 살펴볼게요.

우리가 "내가 누군데, 상황을 딱 보면 알지."라는 대사를 썼다고 생각해봅시다. 이 대사는 너무 평범하죠. 이걸 〈범죄의 재구성〉에서는 이렇게 말합니다.

"내가 청진기 대보니까 진단 딱 나와, 나 김 선생이야."

인물의 캐릭터도 드러나고, 청진기라는 비유도 재미있죠?

"우리가 많이 해본 일이잖아? 경력이 있지."는 어떻게 전달되었을
까요?

"우린 또 이력서가 되니까."

어떤가요? 이력서라는 한마디로 비유하여 압축하여 전달하면서
도 말투에서부터 사기꾼 냄새가 확 나게 만들었습니다.

이런 사례들을 좀 더 살펴볼까요?

- "제가 아직 부족해서, 전문가분들의 도움이 필요합니다."

  → "제가 레지던트라 전문의들의 도움이 필요합니다."

- "나 사기 당했다. 굉장히 큰 사기를 당했어."

  → "나 수술 당했다, 거의 뇌수술 수준이야."

- "와, 말씀 진짜 잘하시네."

  → "혓바닥 좋고."

- "얼굴도 못생긴 게, 거절하고 그러냐?"

  → "몽타주도 후진데, 튕기기는."

출처 : 최동훈 각본, 영화 <범죄의 재구성>

위의 줄이 하고자 하는 말입니다. 이런 식으로 자신이 쓰고 싶은 대사를 쓰고 이걸 고쳐보세요. 어떻게 하면 재미있어질까, 간단하면서도 메시지의 전달력을 높일 방법은 없을까? 좀 더 강렬한 인상을 남길 방법은 없을까? 이런 식으로 고쳐 써보면 도움이 됩니다.

처음엔 평범한 말로 쓰고, 인물의 캐릭터를 녹인 대사로 고쳐나가는 것이죠. 비유와 상징을 통해 좀 더 재미있는 표현이 없는지 고민해보고, 일상적인 말을 그대로 쓰지 않고 조금씩 변용해주면서 압축적인 단어를 찾아보세요.

코미디의 감각을 익히는 대사 분석

• • •

이번엔 코미디물의 대사를 분석해볼게요. '코미디물은 또 왜요?'라고 생각하실 수도 있습니다. 웹소설 작가는 사람들을 모아놓고 재미있는 이야기를 풀어내는 이야기꾼이에요. 즉 독자 혹은 관객을 재미있게 해줄 의무가 있습니다. 진지한 작품도 분위기를 풀어주기 위해서는 코믹 요소를 어디에 배치해야 하는지 감이 있어야 합니다.

코미디물도 공부하면 감을 익힐 수 있을까요? 물론입니다. 코미디에는 감이 영 없는 것 같은 사람도 공부해서 코미디물의 감을 익힐 수 있습니다.

웹소설 작가를 '입담 좋은 이야기꾼'이라고 정의하면, 코미디라는 요소를 빼놓을 수 없습니다. 특히 로맨틱 코미디라면 로맨스의 감정선도 중요하지만 코미디 또한 너무나 중요합니다. 하지만 말로 웃기는 건 쉬울지도 몰라도 글로 웃기는 건 결코 쉽지 않습니다. 만약 진짜 웃음이 터질 만큼 재미있고 코믹한 상황이라면 그게 가장 큰 성공이겠죠.

그렇다면 어떻게 코미디의 감을 익힐 수 있을까요?

예능을 필사하라

대사는 입말이고 자연스러운 대화입니다. 그래서 대사를 좀 더 자연스럽게 쓰기 위해서는 우리 주변 사람들이 하고 있는 말들을 유의 깊게 들어볼 필요가 있습니다. 주변 사람들이 하는 대화를 녹음해서 적어보는 것도 방법이고요. 예능을 필사해보는 것도 좋습니다. 예능은 기본적으로 다 입말로 이루어져 있습니다. 그렇기에 이를 옮겨 적어보는 것도 대사를 쓰는 데 분명 도움이 됩니다.

내가 별로 말을 재미있게 못하는 것 같고, 말재주가 없는 것 같다면 예능인들이 하는 대사를 받아 적어보세요. 자연스러운 입말을 익히는 데 많은 도움이 될 것입니다.

〈개미는 오늘도 뚠뚠〉이라는 주식 예능의 초반 부분을 한번 살펴볼까요? 노홍철 씨가 자신이 주식을 해서 얼마나 돈을 잃었는지 애기하는데, 너무 재미있는 거예요. 그래서 그걸 정지 버튼을 반복해서 눌러가면서 적어봤어요.

Q. 첫 투자 계기는?

무한도전에서, 준하 형이라고는 안 할게. 지인이 나를 생각하는 마음으로 투자를 하자고 하더라고. 종목을 찍어서 알려줘. (중략) 이제 빼야겠다. 안 팔려! 내 의지와 상관없이 안 팔려! 후룸라이드! 꽉 잡아, 떡락이다! 그냥 막 물살에 가는데, 나는 후룸라이드를 타는데 속도가 자이로드롭이야. 몇 박자를 놓쳤더니 가는 게. 나는 지금도 그 회사가 뭔 회사인지 몰라. 나는 예의인 줄 알았어. 어떤 회사인지 모르는 게. 배경이나 집안 보고 사람 사귀는 게 아니거든요. 예, 그런 마음입니다. 투자도요. 처음에 천몇백 원에 들어갔다가, 이천몇백 원까지 갔다가, 이백오십 원인가. 근데 제가 좀 긍정적인 편이에요. 난 누구도 탓해본 적이 없어. 근데, 그거 알잖아. 뭐 난 신경 안 써요 하는데 문득문득 생각나는 거. 차창 밖을 쳐다봤는데! 화들짝! 알잖아요. 그 느낌, 알잖아요. 내가 뭐 수영장에 음파를 하는데 파아아- 그 짧은 순간에 종목이… 그 느낌 알잖아요. 그러다가, 내가 가상화폐를 했어.

출처 : 카카오TV <개미는 오늘도 뚠뚠>

이렇게 예능을 필사해서 그 리듬, 호흡, 예능인들이 웃기려고 하

는 타이밍이나 포인트 등을 흡수하기 위해 노력하다 보면 조금 더 살아있는 생생한 대사를 쓸 수 있습니다.

코미디 영화 필사해보기

코미디물은 예상하는 지점과 얼마나 다른 말이 이어지는가, 그 차이에서 웃음이 터집니다. 혹은 생각지 못한 참신한 비유를 써서 웃음을 줍니다. 앞에서 살펴본 예능 프로그램에서 주가 폭락 상황을 후룸라이드, 자이로드롭에 비유했죠. 이렇게 예상하지 못했던 낯선 비유를 통해서 웃음이 만들어지는 것이죠. 코미디물에서 어떻게 예상을 빗겨나가는 대사를 썼는지를 영화 〈스물〉을 통해 분석해볼게요.

> • 치호   우리 소희, 설마 공부 열심히 하고 있는 건 아니지?
>
> 소희   사람 몰로 보고..
>
> 치호   그렇지. 넌 이미 니가 할 일을 다 했어. 이쁘잖아. (경재 모에게) 소희 졸업하는 대로 식 올리겠습니다, 장모님.
>
> 경재 모 그러럼.
>
> 소희   (동우에게 밥을 덜어주며) 뭐야? 뭐 그렇게 쉬워?
>
> 경재 모 어떻게 일일이 대응하니? 정신병자 떠드는 소리에.

· 치호	브레이크가 밀렸에!! 나 진짜 놀래키기만 할라 그랬다니까!!
동우	성공했어. 충분히 놀래켰어. 응? 쟤랑 잔다며? 가서 자! 침대에 딱 누워있네!
치호	나 지금 진지하거든? 야, 너 우리 여행 간다고 모아둔 돈 있지?
경재	이제 십만 원 모았다!
치호	이런 씹만 원 같은 새끼.. 아 어떡해, 그럼!
경재	뭘 어떡해, 집에 전화해야지.
치호	우리 집에서 지금 내 양육권을 포기하네, 어쩌네, 난린데. 이번 기회에 좋다고 감방에 처넣을걸?
동우	들어가. 어차피 할 일도 없잖아.
치호	그럼 니가 대신 들어가라. 난 비염 있잖아.
동우	니가 가라 하와이 빙신아. 뭐 이렇게까지 개새끼냐.. 아 그냥 가서 꼬셔. 어차피 그럴 목적이었잖아.
치호	....(그런가?)

출처 : 이병헌 각본, 영화 <스물>

이 영화 이후 이병헌 감독은 〈극한직업〉을 통해서 코미디물의 새 역사를 쓰셨죠. 대사를 정말 정말 잘 쓰는 걸로 유명한데요. 감독님의 대사 비법이 제가 이전 챕터에서 알려드렸던 10가지 안에 다 있

습니다

먼저 대사별로 비트가 달라져야 한다고 했죠. 소소하게라도 반전을 주면서, 이야기의 방향성을 조금씩 틀어라. 그리고 예상과 살짝 다른 말을 던져라. 그것이 코미디의 포인트라고 했는데, 그걸 너무나도 잘 보여주는 예입니다. 인용한 첫 부분에 보면 몇 번에 걸쳐 비트가 달라지면서 반전이 생겨납니다.

두 번째 부분을 보면 돌직구를 던지면서 캐릭터가 드러나고, 대사 하나하나에 디테일이 살아 있습니다. '십만 원' 같은 말을 반복하여 사용하면서 대구법도 살렸습니다. 이렇게 대화 전체 내용은 이어지되, 조금씩 대사 흐름에서 변주를 주면서. '피식' 웃게 할 수 있는 포인트를 하나씩 살려주고 있습니다.

이렇게 잘된 코미디물을 필사해보면서 호흡과 감을 익혀보세요. 웹소설에서 매번 코미디를 쓸 필요는 없지만, 주요한 순간 허를 찌르는 코미디가 들어갔을 때 이야기의 임팩트가 훨씬 높아질 수 있습니다.

명대사는 딱 맞는 자리가 있다

• • •

글을 쓰면서 상황이 잘 쌓이면 '여기가 명대사 자리다!' 하는 감이 딱 옵니다. 클라이맥스인 지점, 혹은 '주인공이 딱 한마디 하면 멋있겠다.' 하는 지점이요. 각 웹소설의 엔딩 포인트도 명대사 지정 자리입니다. 그때는 흘러가는 대사로 메꾸지 마시고, 어떻게 하면 더욱 강렬한 인상을 남길 수 있을지 고민해보세요.

가장 중요한 장면에서는 그에 어울리는 다섯 가지 대사를 써보세요. 그리고 그중에 가장 좋은 것을 골라 넣어보세요. 지금 재미있던 대사가 나중에 보면 이것만 너무 꾸며 썼나, 앞뒤가 안 맞게 이것만 너무 튀나? 싶을 수도 있습니다. 그럴 땐 시간 좀 지난 뒤에 전반적인 흐름에 맞게 한 번 더 고쳐보세요. 그렇게 하다 보면 '이건 독자들이 잊어버릴 수가 없겠다.' 하는 임팩트 있는 명대사를 넣을 수 있을 겁니다.

웹소설의 대사

그럼 여러분들이 이렇게 물어보실 수도 있습니다. "웹소설인데도 이렇게 대사 고민을 많이 하나요? 웹소설 하루에 5,000자씩 빨리빨리 써내야 하는데, 언제 명대사를 쓰겠다고 고민하고 있나요. 그럴 시간이 없어요."

그러나 나중에 열심히 고민해서 쓴 그 대사 하나 때문에 웹소설의 재구매가 일어날 수 있습니다. 사람들이 기억하는 건 바로 그 주요 대사 하나이니까요. 명대사 한 줄에서 오는 강렬한 인상 때문에

라도 다시 소설을 보고 싶어질 수도 있다는 말입니다.

　그런 대사를 쓰기 위해서는 캐릭터에 완벽하게 또 몰입해야 합니다. 내가 그 캐릭터가 되었다고 생각하고, 말투와 사고방식, 주요 사상들을 내면화 시켜야 합니다. 어떻게 하면 대사를 조금 더 '강렬하게 칠 수 있을까?' 고민해보세요. 그러지 않으면 하느니 못한 평범한 대사들만 흘러나올 것입니다. 퇴고할 때 문장만 다듬지 말고 대사만 따로 다듬는 것도 방법입니다. 계속해서 대사를 통통 튀게 살려주는 것이죠.

상상력을 자극하는
장면 설정

장면이란 영화, 연극, 문학 작품에서의 한 정경^{情景}입니다. 즉, 같은 인물이 동일한 공간 안에서 벌이는 사건의 광경을 말하는 것입니다. 우리가 글을 쓰기 위해서는 주인공들이 어디서 어떻게 무슨 일을 하고 있는지에 대한 장면을 최대한 생생하게 상상해야 합니다.

명장면을 탄생시키는 배경 잡기

• • •

인간은 환경의 산물입니다. 인간 대부분은 환경에 순응하며 살아간다는 뜻입니다. 인간에게 환경이 중요하듯이, 이야기 속 등장인물에게도 배경은 매우 중요합니다.

우리는 상세하면서도 풍성하고, 고유의 분위기가 있는 '진짜 같은 세계'를 구축해야 합니다. 작가가 창작한 그 세계와 배경 속에서 역동적이고 독창적인 인물이 탄생하게 됩니다.

만약 이야기의 아이템과 로그라인을 정하고 세세한 장면 쓰기에 들어갔는데, 새로운 장면이 떠오르지 않는다면? 그때는 이야기 속 인물을 새로운 공간으로 데려가세요. 기존 인물들의 동선을 뒤집는 것이죠. 인상적인 장면에는 인상적인 배경이 있습니다.

영화 〈델마와 루이스〉의 엔딩 장면을 생각해볼까요. 두 여자를 태운 차가 절벽으로 질주합니다. 차는 공중에 붕 떠오르고. 그녀들이 떨어져 죽었는지, 아니면 살아서 계속 여행을 하는지 알 수 없는 채로 이야기는 끝납니다. 여기서 절벽은 최고의 명장면을 탄생시킨 배경입니다. 이렇게 어떤 극적 상황을 만드는 데 배경의 역할은 중요합니다.

플롯 설계에서부터 장면을 상상하라

• • •

이야기를 맨 처음 만들 때부터 어떤 배경에서 어떤 장면을 쓸지 염두에 두고 플롯 설계를 시작해야 합니다. 독특한 배경으로 인물

을 끌고 가면, 자동적으로 명장면이 탄생할 수도 있습니다. 이야기
에서 배경이 될 만한 독특한 장소를 많이 검색해두세요. 내 경험을
이야기에 녹여도 좋습니다.

내 마음속 명장면 헌팅지 리스트 만들기

〈보건교사 안은영〉을 쓴 정세랑 작가님은 인터뷰에서 이렇게 얘
기했습니다. "여행지에 갔다가 으스스한 숙소에서 묵게 되었는데,
이 경험이 나중에 이야기를 쓰는데 주요 배경이 되었다."고요. 저
또한 마찬가지입니다. 어떤 독특한 곳에 가게 되면 '나중에 어떤 이
야기의 배경으로 삼아야지.' 하고 마음속으로 정해두는 편입니다.

제가 제주도 외돌개 근처에 살았던 적이 있는데요. 갈 때마다 이
절벽에는 뭔가 낭만적인 사연이 있을 것만 같은 느낌이 들었습니
다. '이 절벽을 배경으로 한 남녀 간의 이별 장면을 써야지.'라고 다
짐했어요.

지금 집 근처에는 한강 요트 선착장이 있는데요. 이를 보면서 '남
녀가 여기서 데이트를 하는 장면을 써야지.'라고 항상 생각하고 있습
니다. 이런 생각들을 하다 보면 언젠가 작품에서 사용할 수 있겠죠.

작품을 기획할 때 일단 배경 사진부터 좌르륵 PPT에 모아놓습니
다. 그중에는 제가 가본 곳도 있고, 가보지 못한 곳도 있습니다. 영
화, 드라마에서 세트장 사진을 검색해서 모아놓기도 하고, 배경이

잘 보이는 주요 장면을 캡처하기도 합니다. 조금 더 몽환적인 분위기, 판타지적인 배경을 원하면 아이돌 가수의 뮤직 비디오 세트장, 혹은 촬영 장소 등을 검색해보기도 합니다. 이렇게 모아둔 자료들은 나중에 글을 쓸 때 굉장히 좋은 자료가 됩니다.

좀 더 생생한 이미지가 필요할 때에는 유튜브에서 배경이 될 만한 영상을 검색해보기도 합니다. 유튜브에서 '유럽의 성 인테리어'라고 영어로 찾아봤더니, 각종 영상 자료들이 나오더라고요. '이렇게 궁중을 배경으로 한 로맨스 판타지를 쓰면 어떨까?', 〈브리저튼〉 같은 귀족 이야기가 나올 수 있지 않을까?' 등 자료를 수집하며 상상을 해봅니다.

이렇게 '내 마음 속 명장면 헌팅지'는 많이 기록해둘수록 작가의 자산이 됩니다.

여러분들은 창작자예요. 어떤 배경을 쓸 것인지는 여러분에게 달려 있어요. 더불어 내가 가만히 이 작업실에, 카페에 앉아서 글을 쓰지만 머릿속으로 다양한 배경을 상상하는 것만으로도 굉장히 즐거운 일이 됩니다. 그 자유로운 상상 안에서 창작자는 더욱 행복해질 수 있습니다.

현실 같은 배경 설계하기

• • •

배경은 우주처럼 거대할 수도 있고, 감방 한 칸이나 모래탑처럼 작은 것일 수도 있습니다. 어디서든지 이야기는 탄생할 수 있어요. 배경의 크기가 어느 정도 될지 먼저 결정하세요. 아무리 작은 공간이라 하더라도 그 안에 세계를 담을 수 있습니다.

예를 들어 영화 〈쏘우〉를 한번 생각해볼까요. 아주 작은 공간에 내가 갇혀 있는데, 왜 갇혀 있는지 모릅니다. '어떻게 탈출해야 하지?', 그 고민에서 〈쏘우〉 1편이 탄생했습니다. 그 작은 공간에서도 충분히 밀도 있고 긴장감 있는 이야기가 나올 수 있었어요.

물론 우리가 쓰는 웹소설은 이보다는 장편이 될 것이기 때문에, 조금 더 다양한 배경을 설정해주어야 합니다.

그 세상은 구체적이어야 합니다. 마치 가상현실 세상을 체험하듯, 내가 그 캐릭터가 되었다고 상상하고 그 배경 안으로 들어가보세요. 이 세상에 존재하는 것을 실제처럼 상상해보라는 뜻입니다. 시각, 청각, 후각, 촉각, 미각, 오감을 모두 동원해서요. 내가 쓰고 있는 세계를 무엇보다도 생생하게 느끼는 것이 중요합니다. 여러분이 그 배경 안에서 느끼는 모든 것이 캐릭터의 감정선이 될 것입니다.

【 22강 】

첫 장면에
승부를 걸어라

"첫 장면에서부터 막혀요. 이야기의 구조는 있는데 아이디어가 없어요. 신박한 첫 장면으로 시작하고 싶어요. 이럴 땐 어떻게 해야 하나요?"라고 질문하는 분들이 많습니다.

첫 장면 쓰기, 물론 쉽지 않습니다. 아무것도 없는 새하얀 워드창을 보면 막막할 수도 있어요. 그렇다고 피해 갈 수는 없습니다. 게다가 첫 장면은 생각보다 훨씬 더 중요합니다.

이번 챕터에서는 첫 장면을 유형화하는 방법을 통해 첫 장면을 좀 더 멋지게 쓸 수 있는 방법을 알려드릴게요.

정식 연재를 부르는 첫 장면

• • •

　첫 장면은 너무 중요하다는 건 사실 말하지 않아도 모두 알고 계실 겁니다. 더구나 웹소설은 5화 이내에 작품의 흥행 여부가 결정됩니다. 네이버웹소설 정식 연재의 경우 이야기 전체를 보는 게 아니라 5화까지만 보고 연재할지 말지를 판단해요. 성질 급한 독자의 경우 1화만 보고 작품에 승차할지 하차할지를 결정합니다. 그렇기에 이 이야기가 어떤 이야기가 될 것인지, 최대한 빠르게 파악할 수 있도록 보여주어야 합니다. 특히 1화에서도 첫 장면이 주는 임팩트가 매우 중요해요. 독자들은 첫 장면을 보고 전체 이야기를 정주행할지 말지를 결정하기에 그만큼 매력이 있어야 하죠.

　그렇다고 해서 첫 장면 쓰기에 너무 큰 부담을 가질 필요는 없습니다. 처음부터 '정말 정말 잘 써야지.' 이런 부담감을 느끼면 글쓰기를 시작할 수가 없어요. 심지어 첫 장면은 나중에 써도 됩니다. 첫 장면이라고 해서 무조건 처음부터 써야 하는 건 아니에요. 일단 글쓰기를 시작하고, 내용 전개를 어느 정도 한 다음, 나중에 첫 장면을 완성하는 방법도 있습니다. 이야기 전체에서 가장 중요하고 극적인 부분을 똑 떼어다가 앞에 배치할 수도 있고요. 혹은 내레이션형으로 이야기 전체를 요약해서 전달해주는 것도 가능합니다. 그러니 너무 부담을 느낄 필요는 절대 없습니다.

첫 장면의 7가지 유형

• • •

그럼 어떻게 해야 첫 장면을 잘 쓸 수 있을까요? 우선 많은 레퍼런스가 있으면 당연히 도움이 됩니다. 유형을 공부해보세요. 먼저 다른 작품들의 첫 장면을 분석해서 유형화해보세요. 웹소설도 좋고 영화 시나리오나 드라마 대본도 좋습니다. 좋은 첫 장면의 예시는 무엇이 있는지 직접 조사해보세요. 넷플릭스, 왓챠 등 다양한 OTT 플랫폼을 통해 내가 쓰고자 하는 장르를 검색해서 10작품 이상의 첫 장면이 어떻게 시작하는지 분석해봅니다.

만약에 내가 로맨틱 코미디를 쓰고 싶다면 넷플릭스에서 그 장르의 작품을 5분 정도 본 다음 어떻게 첫 장면이 시작되었는지 기록해 놓는 거죠. 마찬가지로 내가 좀비물을 쓰고 싶다면 좀비물들의 첫 장면만 쭉 모아봅니다. 그러면서 각 이야기의 시작이 어떻게 되고 있는지 카테고리화 해보세요.

첫 장면의 유형은 크게 일곱 가지로 구분할 수 있어요. 훅형, 미래형, 배경형, 캐릭터형, 내레이션형, 분위기형, 자연스럽고 일상적인 첫 시작이 그것입니다.

이중에서 어떠한 첫 장면이 내 작품에 가장 어울리는지, 여러분이 직접 선택하면 됩니다.

첫 장면의 7가지 유형

- 훅형

- 미래형

- 배경형

- 캐릭터형

- 내레이션형

- 분위기형

- 자연스럽고 일상적인 첫 시작

훅형

일단 이야기에 몰입하게 하고 시작합니다. 사건부터 '빵' 터지고 시작하는 거죠. 훅이 얼마나 중요한지는 제가 이미 앞에서 말씀드렸죠? 가장 긴장감이 넘치는 장면부터 시작하는 것입니다.

예를 살펴볼까요? 제 작품인 〈금혼령, 조선혼인금지령〉의 한 장면입니다

"꼭 이렇게까지 해야겠습니까?"

강녕전 앞.

제조상궁 원녀가 찻상을 들고 들어가려는 내시 세장의 소매를 붙잡았다.

"꼭 이렇게까지 해야겠습니다."

어둑한 밤, 어둠 속에 드러난 내시 세장의 얼굴에는 비장함이 감돌았다.

"왕이 마시는 차에 약을 타는 것은, 무게를 감히 달 수도 없는 중죄입니다. 저희가 전하를 모신 지가 어언 몇 년인데…"

"역모의 죄로 혀가 뽑히고 고자가 되더라도, 할 건 해야지요."

"이미 차 내관님은.. 아닙니다."

"떨지 마십시오. 이 나라 조선을 위한 용단입니다."

이들은 대체 뭘 하려는 걸까.

자신들이 모시던 왕을 독살이라도 하는 걸까?

도대체 차에 무엇을 탔길래?

원녀는 갑자기 주위를 살피며 한 여자를 찾았다.

"오늘 준비된 아이는 어디 있습니까?"

"이리 오너라."

세장은 조용히 어둠 속에서 한 여자를 불러냈다.

사브작, 사브작.

궁녀의 옷차림을 한 여자가 둘의 곁으로 다가왔다.

"초란이라 하옵니다."

원녀는 깜짝 놀란 얼굴로 여자를 바라보았다. 이 조선의 절대 미색이라 하더니, 과연 그 미모가 보통이 아니었다. 풍만한 몸매, 색기 넘치는 얼굴.

"방중술로는 이 조선에서 초란이를 따라갈 자가 없지요. 이 아이라면 분명 오늘 거사를 치를 수 있을 겁니다."

그렇다면 혹시 이 차에 탄 것이?

그렇다. 청나라에서 구해온 신비의 명약, 비아거라였다. 얼마나 최음 효과가 강력한지 송장 직전의 노인네도 늦둥이를 보게 하는 약이라 했다.

"허나, 전하는 보통의 사내가 아니지 않습니까?"

이 남자, 약으로도 안 된다는 건가?

"오늘도 실패하면, 진짜 전하께오서는.. 고자 아니면 남색이십니다."

세장의 표정은 한층 더 비장해졌다. 손에 흐르는 축축한 긴장감을 안고, 그들은 침소로 들어갔다.

출처 : 천지혜, 웹소설 <금혼령, 조선혼인금지령>

마치 왕을 독살하는 것처럼 보이는 첫 장면입니다. 아슬아슬하고 위험천만한 분위기를 조성했지요. 음악으로 따지자면 '뚱뚱 뚱뚜루 뚱' 같은 비장한 배경음악이 어울리겠죠? '도대체 이들이 무엇을 하려는 걸까?' 이야기를 계속 궁금하게 하는 방향으로 서술하였습니다. 알고 보니 이는 '왕을 유혹해야 한다'는 미션이었습니다. 그러면서 자연스럽게 앞으로 등장할 왕의 캐릭터에 대한 기대감을 높였습니다. 또한 "차 내관님은 이미... 아닙니다."와 같은 대사들을 통해서 이야기의 분위기가 코믹하고 섹시할 것이라는 것을 보여줍니다.

미래형

미래형도 훅형 중 하나입니다. 뒷이야기에서 가장 재미있는 부분을 가장 앞으로 가져오는 것이죠. 가장 후킹 포인트가 되는 장면부터 제시하고 시작하는 것입니다.

예를 살펴볼까요. 먼저 강하다 작가님의 웹소설 〈구남친이 내게 반했다〉의 첫 장면입니다.

> "늦어서 죄송합니다."
>
> 분홍빛 기류가 흐르던 회의실에 찬물처럼 차가운 목소리가 끼었어졌다.
>
> 그 목소리를 용케 알아들은 나봄은 파르르 떨리는 시선을 회의실 문쪽으로 옮겼다.
>
> 자동적으로 머릿속에 떠오른 얼굴은 절대 다시 마주쳐서는 안 되는 존재였다. 그러니 제발 나의 예상이 틀리기를. 그저 목소리만 비슷한 사람이기를, 간절히 바라고 바랐건만.
>
> "안녕하세요."
>
> 다시 듣고 싶지 않은 목소리로 첫인사를 건넨 그는.

> "우드레일 현장팀을 총괄하고 있는 단태오라고 합니다."
>
> 이윽고 무시무시한 이름 석 자를 입에 담았다.
>
> "망했다…"
>
> 나봄의 입술 사이로 솔직하게 튀어나와 버린 한탄.
>
> 그 목소리를 놓치지 않고 들은 그가 살벌한 눈빛으로 나봄을 직시했다.
>
> 하지만 도망가지도 못할 처지에 놓여버린 나봄은 그저 혀라도 깨물어 기절해버리고 싶은 심경이었다.
>
> 출처 : 강하다, 웹소설 <구남친이 내게 반했다>

일단 상황을 제시합니다. 그리고 왜 이것이 '불쾌한 만남'이었는지 나중에 설명합니다. 알고 보니 '단태오'라는 남자가 굉장히 안 좋게 헤어진 구남친이었어요. 이는 뒤에 나오는 장면을 앞으로 끌고 온 미래형의 한 예로 볼 수 있겠습니다.

이 외에도 이야기에서 가장 임팩트 있는 장면을 앞에 배치하는 방법도 있습니다. 이야기의 가장 '사이다'인 부분, 즉 갈등이 막힘없이 해결되는 부분을 앞으로 가져오는 것이죠. 독자들은 이런 사이다 장면에 매료되어 긴 이야기들을 기꺼이 소비하고는 합니다.

배경형

일단 이야기의 배경 설명부터 시작하는 방식입니다. 그 설명을 굉장히 매력적으로 해야겠죠. 이러한 배경이라면 평범한 인물이 등장한다고 해도 엄청 재미있는 이야기가 탄생할 수 있을 것처럼요. 배경이 혹인 경우도 있습니다. 그때에는 배경부터 자연스럽게 스토리텔링을 시작하는 것도 좋습니다.

예를 살펴볼까요. 한산이가 작가님의 웹소설 〈중증외상센터: 골든 아워〉의 첫 장면을 요약한 것입니다.

보건복지부 국정 감사 대비 결산 회의.

달리 말하면 보건복지부 장관 및 수뇌부들과 서울 유수의 병원장 또는 이사장들과의 1년에 한 번 있는 회의.

무조건 '상급 의료 기관' 등급을 유지해야 하고, 더 나아가 높은 순위를 기록해야 하는 각 병원장에게는 가장 중요한 회의라고 보면 되었다.

그 자리에서 보건복지부 장관 최필두는 미간에 잡힌 주름을 좀처럼 펴지 못하고 있었다. 며칠 전부터 모든 언론사가 마치 약속이라도 한 것처럼 쏟아내고 있는 기사들 때문이었다.

〈말로만 중증외상센터 지원, 아직도 환자는 죽어간다.〉

〈중증외상 볼 수 있는 의사 수가 부족해서 생긴 문제.〉

〈외상 전문의 육성 어떻게 할 것인가.〉

〈보건복지부 장관에게 묻는다. 사태 해결할 의지가 있는가.〉

"올해 한국대 병원이 지원받은 액수, 모두 얼마죠?"

"모두 해서 217억 3천만 원입니다."

"그중 중증외상팀 가동 명목으로 받아 간 게 얼마죠?"

"백억입니다."

"그래서 그만큼 좋아졌습니까?"

"실적 보고서에 따르면.."

"읽어봤죠. 무려 세 번이나. 그런데 딱히 중증외상 환자 받는 수도 그렇고, 살려내는 수도 그렇고, 변화가 없던데요."

"저도 압니다. 돈만으로 되는 건 아니라는 거."

"네, 장관님. 말씀드리기 외람되지만.. 지금 우리나라에 외상 전문의라고 부를 수 있는 사람은 딱 한 분이십니다. 그런데.. 그분은 혼자서 일하시다가 며칠 전 쓰러지셨지요."

"알고 있습니다. 그게 언론들이 난리 치는 이유니까요."

〈외롭게 싸우던 영웅, 결국 쓰러지다.〉

"이런 상황에서 저희가 어떻게 외상 전문의를 키워낼 수 있겠습니까. 사명감 가진 친구들이야 많죠. 그런데 그 친구들 외상팀 가도 가르칠 수 있는 사람이 없습니다. 시행착오 겪고, 환자 죽고 하다 보면 있던 사명감이 다 흩어져서 사표 씁니다."

"제가 아주 우수한 외상 전문의를 한 명 알고 있습니다."

"그래요? 쓰러지신 분 말고?"

"누굽니까, 오 원장님?"

> "백강혁이라고, 무안대학교 출신인데, 지금은 '국경 없는 의사회' 소
> 속입니다."
>
> 출처 : 한산이가, 웹소설 〈중증외상센터 : 골든 아워〉

수뇌부들이 모여 회의를 하는데 분위기 굉장히 안 좋아요. 다들 굉장히 심각합니다. 처음에는 이야기의 배경, 중증외상센터의 지원이 부족하다, 인재가 부족하다는 문제의식과 현실을 드러냅니다. 그리고 자연스럽게 이 상황을 타개할 주인공을 소개합니다. 척박한 의료계에서의 앞으로 주인공의 활약을 기대하게 하는 시작이지요.

캐릭터형

자연스럽게 캐릭터가 등장하면서 시작하는 유형입니다. 메인 주인공을 가장 매력적으로 보이도록 세팅해주는 거죠. 그리고 이 캐릭터가 이야기 전체에서 어떤 역할을 할 것인지에 대해 기대감을 갖게 합니다. 만약 인물 간의 대립이 전체의 이야기에서 가장 큰 후킹 요소라면, 인물 대립의 시작점을 첫 장면으로 보여줄 수도 있습니다.

노승아 작가님의 웹소설 〈법대로 사랑하라〉의 첫 시작을 한번 살펴볼까요.

정호가 모교 후문 거리 벚꽃거리로 작업실을 옮긴 후 유리가 찾아온 적은 없었다. 물론 친구들과 다 함께 온 건 몇 번 있지만, 혼자로는 오늘이 처음이었다.

"놀란 거야."

"왜 놀라? 반가워야지. 얼굴은 왜 또 하얗게 질렸냐? 다른 사람이 보면 내가 처녀 귀신인 줄 알겠다, 야."

"무슨 소리야, 감히 누가 너한테 귀신이라고 망발을."

딱 여기까지만 해야 된다. 김정호는 꼭 한 발 더 나가니 문제였다. 거친 호흡을 정리하느라 허리를 숙인 상태인데도, 그놈의 경망스러운 입술은 멈추지 않았다.

"어디 처녀 귀신을 감히 너한테 갖다 대. 호러로 치면 김유리가 끝판왕이지. 레벨이 다른데. 특수 분장도 필요 없어요. 이렇게 립스틱만 바르고 있어도 네가 백만 배는 더 무섭.."

"이러니, 맞지."

철썩.

"이러니, 안 맞아?"

철썩.

"아악."

드넓은 등판에 불꽃이 일었다. 맞지, 안 맞아, 에 맞춰 강스매싱이 날아든 것이다. 정호가 찡그리며 허리를 비틀었다. 불판 위 오징어도

> 저렇게 현란하게 움직이지는 않을 것이다. 오징어 춤을 추면 통증이
> 줄어들기라도 하는 걸까.
> "으아아아, 어떻게 넌 날이 갈수록 손이 매워지는 거야. 변호사가 아
> 니라 배구선수가 됐었어야 한다니까."
>
> 출처 : 노승아, 웹소설 <법대로 사랑하라>

이 작품의 첫 장면에서는 먼저 배경이 보여집니다. 모교 후문의 벚꽃거리가 배경이죠. 그리고 주인공 남녀가 굉장히 막역한 친구 사이라는 것을 보여줍니다. 여자 주인공 유리가 손이 아주 맵고, 시원시원한 걸크러시 매력이 있는 변호사라는 정보가 드러납니다. 경망스럽게 몸을 비트는 남자 주인공 정호도 꽤 코믹한 캐릭터 같죠. 이렇게 캐릭터를 또렷하게 묘사할수록 앞으로의 이야기에 대한 이해가 쉬워집니다. 또한 주인공 남녀의 대립 관계를 뚜렷하게 할수록 두 사람이 펼칠 이야기에 대한 기대감이 높아지죠.

내레이션형

전체를 요약하는 내레이션으로 이야기를 시작할 수도 있습니다. 스토리텔링형 시작으로요. '이것은 내가 어떻게 살아왔는지에 대한 기록이다.' 같은 방식으로 천천히 이야기해주면서 시작하는 거죠.

진문 작가님의 판타지 웹소설 <문명하셨습니다>의 시작 부분은

이런 형식을 잘 보여줍니다.

> "문명전쟁. 단 하나의 권좌를 차지하기 위한 이 전쟁에서 당신은 그
> 러니까…… 매우 불리한 상황에 있군요. 하지만 너무 걱정 마세요.
> '소멸'하진 않았으니 아직 기회는 있습니다.
> 제게는 단발 역전의 카드가 있습니다. 상대가 누구든 지금 당신 처지
> 가 어떻든간에 지금 상황을 완전히 바꿀 수 있는 카드 말이죠.
> 워워, 물론 공짜는 아닙니다.
> 아티팩트.
> 당신의 영지에서 발견한 뭔가 신비로운 물건이 있을 겁니다. 무엇인
> 지도 모르고 어떻게 쓰는지도 모르는 그런 물건이요. 그걸 제게 주세
> 요. 그러면 당신이 승부를 단번에 뒤집을 수 있습니다. 약속드리지요.
> 혹시 압니까, 이번 기회로 당신이 결국 절대권좌에 앉게 될지?"
>
> 출처 : 진문, 웹소설 <문명하셨습니다>

　이처럼 내레이션 형식을 통해서 도입부를 시작하면서 '앞으로 이
이야기가 어떻게 될 것이다.'를 안내하고 있습니다. 이렇게 내레이
션을 통해 첫 장면에서 앞으로 펼쳐질 이야기에 대해서 충분히 기
대감을 가지게 만드는 것입니다.

분위기형

분위기형은 이야기의 전반적인 분위기를 보여주면서 시작합니다. 이는 배경일 수도 있고, 사람들의 움직임일 수도 있습니다. 앞으로 전개될 이야기에 대한 단서만 보여주는 것도 가능합니다. 예를 들어 제주도가 배경이고 이 평화로운 분위기가 주요 후킹 포인트라면 이 분위기 자체를 묘사하는 거죠. 편안하고 힐링되는 분위기에서 도대체 어떤 사건이 시작할 것인지 기대감을 주는 겁니다.

혹은 지금 전쟁 중이라 굉장히 심각한 상황이에요. 옆에서 전우들이 죽네 사네 하고 있고 다리 잘린 병사들을 실어 나르고 있고 총알이 빗발치고. 그러면 벌써 분위기가 혼잡하잖아요. 이 이야기만의 독특한 분위기부터 제시하면서 자연스럽게 캐릭터와 사건을 스토리텔링하는 것이지요.

임태운 작가님의 웹소설 〈태릉좀비촌〉의 첫 장면을 한번 살펴볼까요.

-감염 4일째. 오전 06:22

태릉선수촌 어디에나 그들이 있었다.

'도쿄올림픽... 29일'이라고 적힌 전광판이 늦봄의 햇빛을 받아내고 있었다. 중간에 '앞으로'라고 쓰여 있던 부분은 검붉은 액체로 범벅이 돼 알아볼 수 없었다. 그 액체의 정체가 무엇인지는 잔디밭 위에

널브러진 시체들을 보면 쉽게 짐작할 수 있었다.

선수촌 내부의 산책로엔 뚜벅 걸음으로 배회하는 회색 그림자들이

가득했다. 젊고 싱그러웠던 피부가 거무죽죽해졌고 부풀어 오른 근

육 위에는 도드라진 푸른 혈관들이 달리고 있었다. 불길한 만찬 시간

을 연상케 하는 입가엔 다들 피칠갑이 돼 있었다.

초점 없이 붉게 충혈된 눈, 쩍 벌어진 입에서 새어 나오는 악취.

지금 선수촌을 점령한 것은 살아 있지 않은 존재들이다. 한때 국가대

표였으나 지금은 맹목적인 본능에 사로잡힌 괴물들이었다.

출처 : 임태운, 웹소설 <태릉좀비촌>

감염 4일째, 한때는 올림픽을 준비하던 국가대표 선수로 가득했지만, 지금은 국대 출신 좀비로 가득한 태릉선수촌의 스산한 분위기를 그려주고 있습니다. 앞으로 본편에서는 태릉선수촌의 선수들이 좀비로 감염되는 이야기를 진행할 텐데요. 이 첫 장면에서 이야기 전체의 색채와 분위기를 알 수 있습니다.

자연스럽고 일상적인 첫 시작

첫 장면에 부담을 너무 가진 나머지, 전체 내용과 어울리지 않은데 어색하게 힘을 준 장면이 나올 수도 있어요. 반면 이야기하듯 마치 우리의 일상생활처럼 자연스럽게 젖어가도록 이야기를 시작할

수도 있어요. 그것도 좋은 첫 시작이라고 할 수 있습니다.

달콤J 작가님의 웹소설 〈발칙한 그 남자〉가 그런 예입니다.

> "두고 봐, 너 복수할 거야."
>
> 드라마에서는 방금 남자에게 버림 받은 여자가 시뻘겋게 눈을 뜨고
> 는 복수의 칼날을 갈고 있었다.
>
> "다음 주부터 반격인가 보다. 저딴 회 쳐먹을 놈 가만히 놔둘 필요 없
> 어. 다 부셔버려!"
>
> 채원이 신이 난 듯 외쳤다. 촌스러운 드라마이니 뭐니 욕해도 역시
> 드라마는 사랑, 배신, 복수극이 최고라고 생각하는 그녀였다.
>
> 출처 : 달콤J, 웹소설 〈발칙한 그 남자〉

주인공과 친구의 대화로 이야기가 시작되고 있습니다. 우리의 일
상적인 면을 그려내면서 자연스럽게 이야기에 몰입하게 하는 것이
죠. 꼭 거창하고 대단한 사건을 쓰지 않아도 됩니다. 공감 가능한
평범한 대화 등으로 어느 순간 이야기에 젖어들게 하는 것도 하나
의 방법입니다

【 23강 】

각인되는 명장면 만들기

혹의 개념에 대해 설명하면서도 말씀드렸듯이 사람들은 딱 기억에 남는 명장면 하나로 이야기 전체를 떠올립니다. 적어도 하나의 장면 이상은 관객들의 머릿속에 깊게 박혀야 합니다. 이는 보통은 이야기 전체를 축약하는 장면이 됩니다.

그렇다면 명장면은 어떻게 만들어질까요? 명장면은 기획으로 만들어낼 수 있습니다. 이렇게 말씀드리면 "아직 이야기의 세부적인 상황이 나오지도 않았는데, 명장면 기획이 가능한가요?"라고 묻는 분들이 있습니다. 그에 대한 답은 "네! 가능합니다!"입니다. 기획 단계에서 미리 명장면이 될 만한 포인트를 짜두세요. 우연히 얻어지는 명장면도 있지만 철저한 기획에 의한 명장면도 있으니까요.

명장면의 3가지 요소

• • •

그렇다면 명장면을 만드는 요소는 무엇이 있을까요? 첫째로 기억에 남을 만한 코미디, 액션, 로맨스, 둘째로 명대사, 셋째로 카타르시스입니다. 이렇게 이 세 가지 요소를 적재적소에 잘 활용한다면 오랜 시간이 지난 뒤에도 선명하게 기억하는 명장면을 만들어낼 수 있습니다.

명장면을 만드는 3가지 요소

- 기억에 남을 만한 코미디, 액션, 로맨스
- 명대사
- 카타르시스

카타르시스의 효과

이중 카타르시스란 비극을 봄으로써 마음에 쌓여 있던 우울함, 불안감, 긴장감 따위가 해소되는 것을 말합니다. 정신분석학적으로는 무의식 속에 잠겨 있는 마음의 상처나 콤플렉스를 말, 행위, 감정을 통해 밖으로 발산시켜 노이로제를 치료하려는 정신 요법의 일종이라고 말합니다. 현실에서 풀 기회가 없는 응어리를 등장인물의 비극적인 상황을 볼 때 슬퍼하며 해소하는 것입니다. 우리는 웹소설을 읽든, 드라마를 보든, 어떤 스토리든지 등장인물에 몰입해 자신처럼 여깁니다.

우리가 만약 비극적인 일을 겪는다고 생각해보세요. 현실의 나는 자신의 한계와 무력함을 느끼겠죠. '이번 생은 망했어. 헬조선!' 이렇게 환경 탓을 할 수도 있고, 좌절하면서 괴로워하겠죠.

그러나 웹소설의 캐릭터가 그런 일을 겪으면 우리는 '뭐하는 거야! 가만히 있으면 고구마가 되잖아! 뭐든 해봐! 어떻게든 상황을 타개해보라고!' 하는 마음을 갖게 됩니다. 그리고 그 캐릭터가 상황을 헤쳐 나가는 모습을 보면서 대리 만족을 느낍니다. 이성의 구속에서 벗어나서 자유로운 초월을 경험하는 것이죠. 바로 이것이 카타르시스입니다. 캐릭터를 통해 카타르시스를 느끼고 이를 통해 재미를 느끼는 것입니다.

즉 카타르시스는 이야기의 재미 요소를 담당한다고 볼 수 있습니다. 주제의 가장 핵심적인 부분을 전달하여 이야기를 보는 이유이자, 만드는 이유가 되게 하죠.

영화 〈광해〉의 예를 들어볼게요. 작품 중 가짜 왕 하선을 왕 자리에 앉힌 이유가 뭘까요? 조선에서 가장 낮은 자, 광대마저 정치의 본질에 대해서 말하기 때문입니다. 왕이 된 하선이 왕보다도 더 왕 같은 말을 하는 장면이 곧 이야기 전체의 주제가 됩니다. 그 장면을 위해서 전반부의 코미디를 즐기고 후반부의 명장면에서 카타르시스를 느끼게 만드는 것이지요.

웹소설에서의 카타르시스

현실에서 실제로 일어나기 어려운 일들을 등장인물을 통해 겪으면서 웹소설의 독자들 역시 카타르시스를 느낍니다.

갈등 구조를 켜켜이 쌓아오다가 적을 물리치거나, 대립을 해결하는 장면 등 이른바 사이다 장면을 통해서 대리 만족을 느끼는 것이죠. 웹소설에서는 이 장면을 굉장히 통쾌하게, 잘 써주는 것이 중요합니다. 그것이 바로 독자들을 사로잡는 비결이라고 할 수 있을 겁니다. '현실은 팍팍하니까, 현실에선 이렇게 사이다 같은 일이 벌어지지 않으니까, 웹소설을 통해서라도 통쾌하게 해결하는 과정들을 느낄 거야!' 이런 감정을 들게 하는 것이 바로 웹소설이 주는 카타르시스입니다.

명장면은 어떻게 만들어지는가

. . .

그렇다면 명장면은 어떻게 써야 할까요? 우선 가장 긴장감이 높아지는 엔딩에 주목하세요. 인물의 감정선을 최대치로 끌어올렸을 때, 가장 긴박할 때, 일이 막 될 듯 안 될 듯 할 때, 대립감이 가장 높아질 때 작가는 엔딩을 냅니다. 그리고 주로 이 엔딩 장면에서 명장면이 탄생합니다.

가끔은 예상치 못한 코미디에서도 명장면은 탄생할 수 있습니다. 또한 갈등 요소가 될 수도 있고, 대립이 폭발하는 장면도 명장면이 될 수도 있습니다.

촌철살인의 명대사 더하기

좋은 상황과 장면을 만들었다면, 촌철살인의 명대사를 써주세요. 이때에는 이야기 주제 부분을 직접적으로 전달해도 좋습니다.

영화 〈극한직업〉은 초반에는 이런저런 코미디들이 나옵니다. 그러다가 고 반장이 악역과 배 위에서 싸우며 가장 클라이맥스 지점에서 이런 대사를 합니다.

"니가 소상공인 모르나본데, 우리 다 목숨 걸고 해!"

이야기의 주제를 가장 강렬하게, 또 직접적으로 전달했던 명대사였습니다.

구조도를 보면서 명장면 기획하기

구조도 짜는 방법은 앞에서 알려드렸죠. 이 구조도를 보면서 고민해보세요. 어떻게 하면 강렬한 인상을 남길 장면을 줄 수 있는가. 구조도에서 미리 명장면을 기획하는 게 더 쉬워요. 어떤 장소로 갔을 때 명장면이 탄생할 수 있다고 했잖아요. 그런데 글을 쓰는 중간에 주인공들을 그 장소로 보내려면 동선이 꼬일 수 있어요. 기획 단계, 구조도 단계에서 그 장소에서의 어떤 장면이 기획되어 있으면 아무래도 좀 더 자연스럽게 등장인물들을 거기로 보낼 수 있습니다. 가야만 하는 필연적인 상황을 만들어줄 수도 있고, 가야만 하는 이유에 대해서 미리 복선을 깔아줄 수도 있고요.

어떻게 하면 주인공을 좀 더 위험한 상황으로 내몰 수 있을지 고민해보세요. 혹은 어떻게 하면 주인공 간의 대립을 가장 최고치로 높일 수 있는지 생각해보세요. 작품의 '극적 주제'를 뚜렷하게 드러내는 것이 명장면이라는 것을 기억하세요. 그 명장면은 가능하면 각 회차의 엔딩마다 배치하는 것이 좋습니다. 그리고 그걸 미리 구조도를 보면서 기획하는 것입니다.

【24강】

사례로 보는
웹소설 쓰기의 A to Z

중국 당송 8대가 중 한 사람인 소동파의 시 〈적벽부〉의 탄생에 관한 이야기가 있습니다. 그가 〈적벽부〉를 다 썼을 때쯤 친구가 찾아왔는데, 소동파가 그에게 "방금 시 한 편을 단숨에 지었다."며 보여주었다고 합니다. 그런데 소동파가 자리를 비웠을 때 그의 방석을 보니 수도 없이 고쳐쓴 종이 더미가 있었다고 합니다. 무슨 이야기일까요? 당대 최고의 시인조차 초고에서 완벽한 글을 쓰기 어려웠다는 것입니다. 즉 글을 잘 쓰는 사람도 한번에 완고를 써내지는 못한다는 뜻입니다.

글쓰기란 초고를 날리고 퇴고를 거듭하는 것입니다. 처음부터 완벽한 문장을 쓸 수는 없어요. 처음부터 잘 쓴 글도 없고요.

초고는 그저 스케치예요. 그림을 그리는 사람이 얼굴을 그릴 때 얼굴의 윤곽인 동그라미부터 그리죠. 처음부터 눈코입을 그리지 않아요. 이와 마찬가지로 여러분들도 부담 없이 하얀 종이 위에 동그라미부터 그리면 됩니다.

가끔 보면 백지 공포증이 있는 분도 있어요. 하얀 워드 창을 보면 공황장애가 올 것 같다는 분들이죠. 저 또한 마찬가지입니다. 아무런 구상과 기획이 없다면, 프로 작가도 백지 공포증을 겪습니다. 하지만 완벽하게 계획된 시놉시스, 트리트먼트, 구조도, 캐릭터 노트를 가지고 문장을 시작하면 더 이상 하얀 창이 두렵지 않을 겁니다. 이제는 지금까지 함께 살펴본 웹소설 기획 및 집필 방식을 모두 동원하여 실제로 한 작품이 탄생하기까지의 과정을 정리해보고, 초고부터 완성고까지 어떻게 써야 할지를 정리해볼게요. 제 작품 〈밀당의 요정〉의 기획부터 완성고까지의 모든 과정을 공개하겠습니다.

〈밀당의 요정〉 기획의 A to Z

• • •

기획의 각 단계를 어떻게 준비하는지 정리해볼게요. 우선 제 컴퓨터의 '밀당의 요정 기획 폴더' 안의 문서를 세어보니 178개였습니다. 아직 본격적인 글쓰기에 들어가기 전인데 그 정도의 파일이 있었어요. 그만큼 기획적인 부분에 신경을 많이 쓴 것이죠. 그 시작부터 다시 한번 되짚어보겠습니다. 이 과정은 여러분이 글을 쓰실 때도 실질적인 도움이 될 거예요.

아이디어 쏟아내기

처음엔 생각나는 아이디어를 마구 적어놓습니다. 이렇게 마구 쓴 아이디어는 아직 정리되지 않아도 좋습니다. 이때 중요한 건 속도감입니다. 일단 생각나는 대로 얼른얼른 적으세요!

결혼을 주제로 생각나는 아이디어를 마구마구 써놓았습니다. 이는 정말 러프한 단계입니다. 하지만 아이디어는 빨리 메모해놓지 않으면 날아가버리기 때문에 일단 생각나는 대로 바로 씁니다. 나

〈밀당의 요정〉 아이디어 스케치

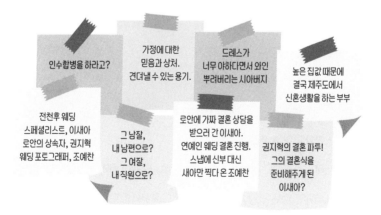

인수합병을 하라고?

가정에 대한 믿음과 상처. 견뎌낼 수 있는 용기.

드레스가 너무 야하다면서 와인 뿌려버리는 시아버지

높은 집값 때문에 결국 제주도에서 신혼생활을 하는 부부

전천후 웨딩 스페셜리스트, 이새아 로안의 상속자, 권지혁 웨딩 포토그래퍼, 조예찬

그 남잘, 내 남편으로? 그 여잘, 내 직원으로?

로안에 가짜 결혼 상담을 받으러 간 이새아. 연예인 웨딩 결혼 진행. 스냅에 신부 대신 새아만 찍다 온 조예찬

권지혁의 결혼 파투! 그의 결혼식을 준비해주게 된 이새아?

중에 이 아이디어를 모두 활용하지는 않습니다. 이 중에서 필요한 아이디어만 넣으면 됩니다.

저는 나중에 보기 편하게 PPT로 아이디어를 적어놓는 편입니다. 그중에 에피소드 아이디어 몇 개를 보여드릴게요.

• 결혼 전날 입국한다고요?

〈사이언스〉 지에 실릴 만큼 유명한 과학자 부부인데, 논문 발표 때문에 결혼 전날 입국한대. 결혼 살림을 모두 꾸려달라고 하는데? 이거 어떻게 하지? 살림에 대한 모든 것을 함께 고르는 새아와 지혁. 진짜 우리 둘의 살림을 차리는 것처럼 싱숭생숭한 기분을 느끼게 된다.

• 신랑 어머니 음독 자살 사건!

시어머니가 홀어머니로 힘들게 아들을 키우셨어. 남편이 없으면 심리적으로 아들이 남편이래. 그런데 아들이 결혼한다고 하니까 우울증이 오신 거지. 예식날 이 결혼 못 시키겠다고 깽판을 놓기 시작하시는데… 그걸 웨딩플래너인 새아가 해결하는 에피소드라면 어떨까?

• 가짜 다이아 사건!

새아가 추천했던 예물 업체가 웨딩 카페에서 완전 털리고 말았다! 놀랍게도 예물 반지가 가짜 다이아몬드로 밝혀졌다는데. 이 때문에 난관에 부딪히는 새아. 알고 보니, 가짜 다이아를 넣어달라고 요청한 사람이 신랑이었다고?

정말 생각나는 대로 막 쓴 것입니다. 이 단계에서는 정말로 속도가 생명이기 때문에 일단 생각나는 건 다 적습니다. 나중에 추리면 되니까요. 기사, 자료 조사한 내용들, 그걸 보면서 떠오른 아이디어들을 일단 적습니다.

아이디어 정리하기

그리고 써놓은 아이디어를 카테고리화해서 정리합니다.

- 카피

우리가 결혼할 수 있을까?

너와 결혼할 수 없는 99가지 이유!

그럼에도 불구하고 너와 결혼해야만 하는 한 가지 이유!

이 결혼, 진짜 할 수 있을까요?

그 여잘, 내 직원으로!? 그 여잘, 내 남편으로?!

내 결혼을 파투내라! 가능할까?!

- 캐릭터

이새아	#전천후 웨딩 스페셜리스트 #허당 #밀당의 요정
	#전문직 #사랑스러움
권지혁	#금수저 웨딩홀 사장 #츤데레 끝판왕 #까칠도도
	#상속자 #소문이 안 좋던데? #여긴 시댁이 헬이다
조예찬	#웨딩 포토그래퍼 #자유로움 #예술적 #낭만적
	#로맨틱 #여긴 시댁이 없다

· 주제 의식

우리는 모두 상처투성이

가정에 대한 믿음과 상처

견뎌낼 수 있는 용기

결혼이란 거, 우리가 더 좋은 사람이 되기 위해 노력하는 과정일 뿐!

각자의 인생에서 결론을 내리는 과정!

귀여운 밀당의 요정들?!

이게 바로 심리전이다!

본격 결혼 장려 스토리?

본격 팩트 폭행 스토리!

이 역시 생각나는 대로 거칠게 마구 적어나간 것입니다.

이렇게 정리하면서 머릿속 아이디어들도 조금씩 정리해가는 거기도 하고요.

기획 의도 쓰기

그다음으로 기획 의도를 집필합니다. 기획 의도, 등장인물 소개, 기획 포인트, 인물 관계도 등을 먼저 정리하고, 기획안, 엔딩 포인트, 트리트먼트, 시놉시스, 보조인물의 기승전결을 쓰면서 관련된 자료 조사를 진행합니다.

[스토리 개요]

To. 밀당을 잊은 그대에게

밀당이요? (아련) 그걸 언제 해봤는지도 모르겠네요.

남녀 사이, 땡겼다가 낮다가 밀당을 할 때보다

재미있을 때가 또 있을까?

밀당이니, 설렘이니, 이런 감정 싹 다 잊어버린 그대에게

이제 손발 저릿저릿해지는 '사랑의 감정'을 선물한다.

아슬아슬 짜릿한 밀당의 세계로 드루와, 드루와.

이 이야기와 함께라면,

이제 당신도, '밀당의 요정'!

밀.당.고.재! 이 새 아

여 / 30대 초반 / 소울웨딩플랜 팀장급 웨딩플래너

전천후 웨딩 스페셜리스트, 이새아!

꼭 밀당의 요정이 되고 싶습니다!

소 같은 그녀가 뒷걸음질 쳐서 밟은 게, 바로 밀당?!

밀.당.고.수! 권 지 혁

남 / 30대 중반 / 성진건설 상무에서 로안웨딩홀 대표로 좌천(?!)

밀당은 내가 할게, 누가 쓰러질래? 권지혁!

비혼주의자 우주 밀당 고수의 처참한 몰락!

연애 갑질남, 호구 호구 상호구 되다?!

낭.만.어.택! 조 예 찬

남 / 30대 중반 / 셀럽 버금가는 인기의 '핫'한 포토그래퍼

낭곧내! 낭만이 곧 내 인생, 조예찬!

진짜 좋아하면, 밀당할 시간이 어디 있어?

이성이 마비될 정도로 좋아하는 게, 진짜 사랑 아니야?

[기획 의도] (일부)

326

결혼이란 거, 정말 하기 싫었습니다.

일단 결혼해서 주변에 잘 사는 부부를 못 봤어요.

유부남 형들이 맨날 그래요.

세상에서 제일 부러운 게 총각이다.

결혼, 해도 후회, 안 해도 후회라면, 멋하러 돈 들여 후회를 하느냐.

니가 결혼한다 그러면 도시락 싸들고 다니면서 말릴 거다.

사실, 결혼이란 게 남자한테 좀 불리한 거 아닙니까?

서울 시내 집값이 얼만데, 어떻게 그걸 남자가 다 해와요. 반반이라

면 모를까. 죽도록 뼈 빠지게 벌어온 돈, 죄인처럼 용돈 타 쓰는 게 말

이나 됩니까?

나보다도 아내와 자식 위해 살아야 하는 거, 나 정말 자신 없습니다.

사실 난 '책임'이란 게 두렵습니다.

돌아서면 언제 변할지도 모르는 '맹세', 끔찍하기만 합니다.

아무리 사랑해도 널 책임질 자신은 없으니, 우린 딱 동거까지만.

그 이상은 나에게 바라지 않았으면 좋겠어요.

딱 거기까지가 내 한계니까.

그렇게 깊은 관계를 두려워했던 내 모습이 남들에겐

'밀당의 요정'으로 보였을 수도 있겠네요.

사실은 여자들에게 감추고 또 감추고 있었던 겁니다.

나의 책임회피 성향, 그 무책임함에 대해서.

그러다가 어느 날, 한 여자가 눈에 들어오기 시작했습니다.

비혼주의자라고 해서, 연애도 안 할 건 아닙니다. 오히려 더 즐겨야

지요.

남의 결혼 죽자 사자 준비해주느라, 지 앞길은 하나도 못 챙기는 그

여자. 쫌 이쁘네요. 그런데 쫌 팅기네요.

이봐요. 나 같은 밀당 고수가 이 정도로 매달리는 일, 흔치 않아요.

간만에 내 마음에 스파크가 튀는데, 우리 한번 불꽃처럼 연애해봅시

다. 그러다 불꽃이 지면, 돌아서면 되잖아요. 쿨하게.

그런데 진심으로 누군가의 결혼을 준비해주고 있는 그녀를 보고, 깨

달았습니다.

결혼이란 거, 각자가 너무 괜찮은 사람이라서, 제 잘난 맛에 하는 게

아니구나. 서로 더 나은 사람이 되기 위해 노력하는 게 결혼이구나.

돌이켜보니 난 한번도 더 나은 사람이 되려 노력한 적이 없었던 것

같습니다.

겉으로 사람들 대하는 거 말고요.

진짜 내 스스로 변화해보려 했던 적이 한번도 없었던 겁니다.

단호박 비혼주의자였던 내가 변해가기 시작합니다.

'난 죽어도 결혼 안 해'에 조건이 붙습니다. '이 여자가 아니면.'

내가 지금껏 너무 철이 없었어요.

결혼이란 걸 하기엔 턱없이 부족한 남자였죠.

그런데 지금이라도 조금 더 좋은 사람이 되기 위해 노력하고 싶습니다.

혹시 깨달음이 너무 늦은 건 아니겠죠?

정말 늦었을지도 모르지만 이제라도 그녀를 붙잡으러 갈 겁니다.

여러분들도 응원…… 해주실 거죠?

그에게 결혼이란?

확실히 미친 짓이다.

예전의 나라면 절대 상상도 하지 못할 엄청난 결단이니까.

캐릭터 기획안 집필

최대한 상세하게 캐릭터를 상상하면서 구체적으로 디테일을 만들어나갑니다. 이 시대가 어떠한 캐릭터를 원하는지도 함께 고민해가면서요.

이번 기획안은 캐릭터들이 각자 자기소개를 하는 방식으로 써나 갔어요. 앞서 여자 주인공 이새아의 자기소개서를 보여드렸죠. 그런 방식으로 정리해주면 됩니다.

초고부터 완고까지 어떻게 쓸까?

• • •

이제 실제로 웹소설을 써볼까요? 처음 쓰는 원고, 즉 초고부터 송고한 다음까지 이런 순서대로 해보세요.

웹소설 초고 쓰기

1. 전체적인 시놉시스를 집필한다.
2. 이보다 조금 더 상세한 트리트먼트를 집필한다.
3. 이보다 조금 더 상세한 신리스트를 집필한다.
4. 떠오르는 대사 아이디어를 적어놓는다.
5. 내용이 확정된 다음, 초고를 쭉 써내려 간다.
6. 써야 할 분량의 3분의 2 정도를 말이 되든 안 되든 일단 써내려 간다.

이 초고는 아무도 보여줄 수 없습니다. 마치 초등학생이 쓴 것 같기 때문이죠. 저도 여기에 초고를 첨부하려 했지만, 차마 보여드릴 수가 없었습니다.

웹소설 재고 쓰기

초고를 쓴 다음 시간을 두고 두 번째 원고, 즉 재고를 써보세요.

1. 워드 창 2개를 켜두고, 한쪽 창에는 초고를 띄워두고, 그걸 보면서 다른 창에 말이 되도록 문장을 새로 작성한다.
2. 아직까지 완벽하게 글이 되지 않아도 좋다.

이 단계에서는 초고보다 조금 더 나은 글이면 됩니다. 너무 부담을 가질 필요는 없습니다.

웹소설 3고 쓰기

1. 며칠 뒤에 보면 또 수정하고 싶은 문장이 있다. 그때 3고를 수정한다.
2. 하지만 보통은 그날 마감을 해야 하기 때문에 3고를 5번 정도 보고 나서 오타 잡는 프로그램을 돌린다.
3. 완성고를 출판사에 보내거나, 직접 이펍 파일을 만들어서 송고한다.

윤문 원고 퇴고하기

출판사 혹은 플랫폼 담당자에게 윤문이 도착했습니다. 제 글을 전체적으로 한번 봐주신 거죠. 그 상태로 완성고를 내는 것이 아니라 작가가 직접 다시 한번 전체적으로 살펴봐야 합니다. 이때 신경 써야 할 것들을 정리해볼까요?

1. 어색한 문장이 없나 살펴보며 수정한다.
2. 어색한 부분이 있으면 직접 소리 내어 읽어본다.
3. 다시 읽었을 때 군더더기처럼 보이는 부분이 있으면 과감하게 삭제한다.
4. 설명이 부족한 부분이 있으면 보강한다.

이런 과정을 통해 완성고를 낸다고 설명하면 웹소설 한 편을 쓰는 데 3고나 쓰냐고 묻는 경우가 있습니다. 이건 작가마다 다른 스타일일 수 있습니다. 다른 웹소설 작가님들은 이렇게 쓰지 않을 수도 있어요. 초고나 재고 안에 완성고를 내는 분들도 많을 겁니다. 하지만 저는 처음부터 완성형의 문장을 써내는 편이 아니라서, 같은 내용을 3고 이상 수정합니다. 중반 이후를 넘어서면, 재고나 초고에서 완고를 내기도 합니다. 그러니 집필 방식은 작가의 스타일에 따라서 가감하시면 됩니다.

완고를 만드는 몇 가지 방법

• • •

신리스트를 바탕으로 쓰기

저는 특이하게 드라마 대본을 쓰는 것처럼 신리스트를 집필했습니다. 보통은 드라마 대본 쓰기에서 이런 신리스트를 집필하는 단계가 있는데요. 저는 신을 더 재미있고 구체적으로 만들기 위해서 웹소설을 쓸 때도 신리스트를 집필하는 편입니다. 완전한 대본 형태는 아니지만, 대충 이런 그림이겠구나, 대본의 초고처럼 스케치처럼 써주는 것이지요.

이렇게 신리스트를 쓰면 대사를 어느 정도 미리 잡아볼 수도 있고, 실제 집필할 때 디테일이 더 생생하게 그려지는 편입니다. 보시면 알겠지만 아주 상세하게 쓰진 않습니다. 일단 이야기의 흐름만 잡아놓는 것이지요.

호텔 방 (아침)

새하얀 아침 햇살이 맞닿는 가운데, 잠들어 있는 두 사람.

이때, 띵동띵동 소리에 잠에서 깨고. 놀라 허둥지둥하는 두 사람.

새아   일단, 여기 옷장에 숨어요.

지혁   네?

새아   아, 빨리..!

호텔방 - 복도 (아침)

효이   팀장님, 팀장님!!! (하다가 카드키를 찾는)

호텔방 (아침)

완전 헐레벌떡 어제의 흔적을 지우는 두 사람.

새아, 함께 먹었던 와인의 흔적, 맥주 흔적, 두 개의 슬리퍼 등을 바삐

치우고, 로브를 걸치고서, 옷장 문을 잘 닫고서, 자는 척하면,

문 벌컥 열리며 효이 들어오고..

효이   플래너님! 이러다 비행기 시간 늦어요. 오늘 빨리 움직여야 돼
        요.

새아   아, 그래요?! (나른하게 일어나는 척하면)

효이   빨리 짐 챙겨요. 내가 도와줄게.

새아   아니에요. 됐어요.

효이   뭘 됐어. 팀장님 5분 줄 테니까 얼른 씻어요!

새아   반대로 해요.

효이   뭘 반대로?!

새아   아하하. 내가 5분 내에 짐도 싸고, 씻기도 할게요. 알았죠?

하면서 떨어져 있는 짐을 줍는 효이.

그러다 엉덩이로 옷장을 밀어서, 문이 열리고,

지혁 열리는 옷장 문을 손을 뻗어 잡으려고 하다가,

우당탕탕 쏟아지고. 둘 다 뻘쭘하게 효이 눈치를 보며.

효이   (굳어진 채) 아니, 둘이 그렇게 아니라면서요!!!

이 신리스트를 바탕으로 실제 원고를 집필했습니다. 데생으로 치면 남들보다 꽤나 자세한 스케치를 들고 시작하는 것이지요. 이 신리스트가 어떻게 웹소설 원고가 되었는지 한 번 살펴볼까요?

아침은 지나칠 정도로 평화로웠다. 창가에선 도시에서 들어본 적 없는 새소리가 들려오고 있었다. 반투명한 커튼을 통과해 들어오는 햇살은 지나치게 포근하고 부드러웠다. 이 새하얀 호텔 침구만큼이나, 이 부드러운 살결만큼이나. 새아와 지혁은 서로의 품에 안겨 있었다. 지혁은 새아에게 넉넉하게 팔베개를 해주며 가만히 잠들어 있었고, 새아 역시 그런 지혁의 품 안에서 쌔근쌔근 조용히도 잠들어 있었다. 시간은 이대로 영원할 것만 같았다. '띵동띵동' 이 초인종 소리만 없었다면.

경기를 일으키듯, 먼저 잠에서 깬 건 새아였다. 어제 효이 기자에게 카드키 하나를 준 게 떠올랐다. 핸드폰이 망가져 알람이 울리지 않으니 나를 좀 깨워달라고. 심장이 철렁 발치까지 내려앉는다. 아직도 쿨쿨 잠들어 있는 지혁에게 찰싹찰싹 스매싱을 날린다.

"왜, 왜요?"

부스스하게 일어나 햇살을 역광으로 받고 있는 그의 모습은 정말 깜짝 놀랄 만큼 귀여웠지만, 사진으로 찍어 갠소하고 싶었지만, 가만히 감상하고 있을 새가 없었다.

"숨어욧!"

"네에?"

이때, '띵동' 다시 한번 가슴 철렁하는 그 소리가 호텔 방에 울려 퍼졌다.

"효이 기자예요!"

"……!"

이에 지혁의 표정 역시 경악으로 가득 찼다. 퍼뜩 정신을 차린 그가 허둥지둥 침대 시트로 몸을 감싸고 새아가 숨으라는 옷장 안으로 슬라이딩하며 몸을 던진다. 그러나 옷장으로 삐져나온 시트까지 함께 숨길 수는 없었다. 새아는 지혁이 둘둘 말고 있던 시트까지 빼앗아, 침대 위로 대충 널었다. 이거 말고 숨길 게 한두 개가 아니다. 아무 데나 뒹굴고 있는 지혁의 신발, 슬리퍼, 그리고 옷들, 두 개의 와인 잔. 그리고 혼자 마셨다기엔 너무 많이 쌓인 맥주캔들. 술병들까진 어찌할 수가 없어 일단 지혁의 옷과 신발만 침대 시트 안에 넣고 대충 모

양을 만들어 뭉쳐놓는다. 그리고 호텔 가운을 딱 걸치려는데 철컥-

하고 문이 열리더니, 그녀가 나타난다. 효이 기자.

마침 침대에 있던 새아가 그제야 잠에서 깬 듯 기지개를 켠다.

"하암- 기자님, 일찍 일어나셨네요."

효이는 수선을 떨며 바닥에 떨어진 새아의 옷부터 마구 줍기 시작했다.

"아우아우, 팀장님! 이러다 비행기 놓쳐요. 오늘 빨리 움직여야 돼
요."

"아, 그래요오?"

"얼른 짐 챙겨요. 내가 도와줄게."

"아니에요. 괜찮아요."

"괜찮긴 뭐가 괜찮아. 5분 줄 테니까 얼른 씻어요! 내가 짐 챙길게."

"바, 반대로 해요."

"뭘 반대로 해요? 내가 씻고 팀장님이 짐 챙겨요?"

"내가 5분 내로 둘 다 할 테니까, 일단 나가 있어요."

새아는 민첩한 움직임을 보여주겠다는 듯 바닥에 떨어져 있는 제 옷
들을 재빠르게 줍기 시작했다.

어느새 효이 기자는 쌓여 있는 술병 테이블 쪽으로 다가가고 있었다.

누가 봐도 혼자 마신 걸로 보이지 않는 양이었다.

"아우, 무슨 술을 혼자 이렇게 많이 마셨대?"

"아! 그거 체크아웃할 때 내가 페이할게요."

"혼자 와인도 깠어요? 팀장님, 어젯밤에 외로웠어요?"

"에이이이? 외롭기이이인!! 내가요오오?"

하는데 옷을 줍다가 엉덩이로 옷장 문을 눌러 딸깍- 문이 열린다. 삐
걱- 문은 열리고 빈 맥주캔을 쓸어 담으려던 효이 기자의 얼굴이 사
색이 된다. 마치 메두사의 얼굴을 보고서 돌이 된 것처럼 굳어진다.

"……!"

그렇게 모두가 돌하르방이 되어버린 가운데,

"둘이 그렇게 아니라면서요!"

효이 기자의 아득한 절규가 이 호텔에 울려 퍼진다.

초고를 바탕으로 쓰기

초고는 일단 아무 말 대잔치를 써도 됩니다. 앞서 말씀드린 것처
럼 제가 쓴 초고를 예시로 들어보려고 했지만, 정말 나만 알아볼 수
있는 말로 듬성듬성 쓴 글이더라고요. 차마 그걸 보여드릴 수 없어
서 그 초고를 바탕으로 쓴 2고를 예로 들어볼게요.

〈밀당의 요정〉 34화 2고

오늘 오후 청와대에서는.. 기자의 멘트와 함께 엄청난 플래시 속에서
대통령에게 표창을 받고 있는 모습이 뉴스 채널에 생중계가 된다.
"한국 오는 삼박 사일의 일정 동안, 두 사람의 추억이 담긴 한국 과학

기술 연구 센터에서 결혼식을 치렀습니다."

그리고, 한국에서 결혼식을 올렸던 사진이

새파란 수국 사이, 두 사람이 힘차게 행진을 하고 있는 모습이었다.

이 사진을 제공하기 위해, 밤늦게까지 스냅 업체에 가서 베스트컷을

골랐던 새아였다.

꺄르르 웃고 있는 두 사람. 이렇게나, 두 사람이 행복한 모습으로 방

송에 나오게 되다니, 마음이 뭉클해졌다.

미순이 두 부부를 뭉클하게 안아주고 있는 모습도 뒷화면에 보인다.

새아의 인생에도 터닝 포인트가 될 것만 같은, 너무 너무 좋은 추억

로 남은 순간이었다.

아직까지 원고가 그리 상세하지 않죠. 이걸 보면서 채색을 해나

가듯 최종 원고를 쓰기 시작합니다. 원고가 어떻게 최종고로 바뀌

었는지 보여드릴게요.

〈밀당의 요정〉 34화 3고

"오늘 오전 청와대 인왕실에서는……."

기자의 멘트와 함께 TV 화면이 번쩍번쩍하게 빛난다.

번개처럼 내리치는 엄청난 플래시를 맞으며 박서환, 전손희 부부가

상을 받는 모습이 생중계로 전파를 타는 중이었다.

"박서환, 전손희 부부가 초청되어 '명예로운 과학자'상을 수여 받은 뒤, 대통령과의 대화를 나눴습니다."

놀랍게도, 대통령이 직접 두 부부에게 결혼 축하 선물을 전하고 있었다.

"대통령은 지난 주말 결혼식을 올린 이들 부부에게 청와대의 인장이 새겨진 커플 시계를 전달한 것으로 알려졌습니다."

그리고 이어지는 화면에서 서환과 손희의 싱그러운 야외 예식 사진 몇 장이 떴다. 새파란 수국 사이, 두 사람이 힘차게 행진을 하고 있는 장면이었다. 이를 보고 있던 새아의 가슴이 뭉클해졌다.

기자들이 요청한 사진을 제공하기 위해, 스냅 작가님과 함께 밤늦게까지 고른 베스트 컷이었다. 미순이 서환과 손희를 안아주는 모습이 드라마틱하게도 나왔다.

눈물을 글썽이고는 있지만, 모두가 웃고 있었다.

새로운 가족의 탄생을 기뻐하면서.

모락모락 뭉클뭉클- 찜질팩을 올려놓은 것처럼 가슴이 뜨끈해지는 그림이었다.

어떤가요? 초고는 정말 말이 안 되어도 좋으니 일단 생각나는 장면을 막 쓰고 두 번째부터 이를 말이 되게 고칩니다. 이걸 바탕으로 좀 더 디테일을 붙여나간 완성고를 쓰고요. 이걸 5~6회 정도 오타 체크, 비문 체크까지 한 뒤 출판사나 플랫폼에 발송합니다. 만약

3고에서도 만족할 만한 완성고가 나오지 않았다면 4고, 5고까지 갈 수도 있겠죠. 처음부터 말이 되게 쓰실 필요는 없습니다. 이런 방식을 여러 번 반복하다 보면, 나중에는 재고에서, 혹은 초고에서도 완성고가 나올 수 있습니다. 처음 원고를 쓸 때부터 완성고를 쓸 수 있다는 환상을 버리세요. 재고를 거듭해나가면서, 점점 더 완성된 글을 써나갈 수 있으면 됩니다.

웹소설의 문장

웹소설은 대부분 모바일 기기로 읽기 때문에 문장이 훨씬 더 단순하고 가독성이 좋아야 합니다. 수많은 웹소설 작가들이 글을 쓴 다음 이를 휴대전화로 확인합니다. 처음부터 끝까지 다시 읽어야 하는 부분 없이, 막힘없이 글을 읽을 수 있는지 확인하는 거예요.

웹소설 독자들은 이야기를 즐기기 위해서 소설을 봅니다. 생각보다 별로 집중하지 않은 채 기계적으로 글을 쭉쭉 넘길 수도 있어요. 마지막 완결까지 읽었는데도, 주인공 이름조차 기억 못하는 경우도 있습니다. 그런 독자들을 잡아채서 몰입하게 하는 것이 바로 작가의 힘입니다. 그런데 이때 문장이 너무 어렵거나 복잡하면 독자들이 길을 잃을 수 있습니다.

쉬운 글이 더 매력 있다

· · ·

누군가는 "웹소설은 단순하고, 지나치게 수준이 낮다."라고 말할 수도 있습니다. 하지만 그렇지 않습니다. 웹소설이 쉬운 글처럼 보일 수 있기 때문에 그런 오해를 받는 것일 뿐입니다. 글이 쉽다는 것은 그만큼 전달력이 높다는 것을 의미합니다. 뉴스를 진행하는 아나운서들도 어려운 어휘나 표현을 지양하여 전 국민이 뉴스를 알아들을 수 있도록 쉬운 표현으로 전달력을 높이려 합니다. 웹소설 역시 반복적 소비를 유도할 수 있는 쉬운 글로 사람들을 유혹해야 합니다. 그만큼 쓰는 데는 공력이 필요한 것이지요.

"히힛, 나도 그리면서 안 거야. 뭘 그리고 싶었나 생각해보니까 니 숨소리를 그림에 담고 싶었던 거였어."
이 호흡에 참 많은 의미가 담겨 있더라고.

내 삶.

너의 삶.

위로. 위안.

내 책임. 생명.

너의 생(生), 그 자체.

미안함과 고마움.

사랑스러움.

내 반려.

따뜻함.

감동.

그 모든 게 너의 숨소리에서 전해져오는 거였더라고. 그 숨소리를 화

폭에 담고 싶었는데 그게 되었는지 모르겠다. 어때?

출처 : 천지혜, 웹소설 <나의 수컷 강아지>

내 반려동물의 호흡에 수많은 의미들이 담겨 있다는 걸 표현하고
싶었는데요. 그걸 길게 서술로 풀어쓰는 것이 아니라 단어의 나열
로 최대한 쉽게 썼습니다.

모바일에서 가독성 있는 문장

• • •

웹소설의 문장은 읽기 쉬워야 한다고 말씀드렸죠. 특히 모바일 기
기로 읽을 때 막힘없이 술술 읽혀야 합니다. 다음은 제 데뷔작인 〈블
러셔와 컨실러〉의 한 부분인데요. 한번 살펴볼까요.

이번엔 드라마들의 합리성이 나를 괴롭게 했다. 생각한 것보다 드라마들은 놀랍도록 합리적이었다.

내가 발견한 합리성은, 둘이 일시적으로 헤어지든 위기가 오든 그 이유는 기가 막히게 설명이 된다는 것이다. 남자 주인공이 아무 이유 없이 팔랑, 하고 변하는 일은 없다. 만약 믿어왔던 남자 주인공이 그렇게 변한다면 그 새끼는 드라마 내내 천하의 나쁜 놈으로 그려지다가 나중에 정신 차리고 애걸복걸하는 포지션이 된다.

우리의 남자 주인공이 그야말로 까버리고 싶은 도시 남자라도, 사랑을 하다가 그녀를 떠나는 이유는 항상 명명백백하게 설명이 된다. 더 이상 그녀를 힘들게 할 수가 없어서, 부모님의 반대를 견딜 수가 없어서, 회사를 포기할 수가 없어서, 다른 여자의 집요한 방해 등 뭐 객관적인 외부적 상황들로 인해. 그녀를 떠날 수밖에 없는 이유가 이렇게 천차만별인데…… 다시 돌아가는 모든 전제는 그녀를 향한 순정이다. 그의 사랑과 믿음엔 변함이 없는데 그 외 방해물 때문에 잠시 멀어질 뿐이다.

난 뭘까. 그렇게 드라마들이 비합리적인 감정의 놀음이라고 생각해왔는데, 남자 주인공이 여자를 떠나는 이유는 하나같이 합리적이었다. 드라마보다도 비합리적인 건 바로 내 인생이었다. 아직도 유현이 떠난 이유를 알 수가 없다. 제발 드라마처럼, 나를 향한 순정은 그대로인데 그 외 이유들로 떠날 수밖에 없다고 믿고 싶었다.

이제 내가 직시하고 받아들여야 할 현실은 유현이 '그냥' 나를 떠났

다는 것, 그 자체이다.

출처 : 천지혜, 웹소설 <블러셔와 컨실러>

어떤가요? 앞에서 예로 보여드린 다른 제 작품들에 비해서 문장
의 호흡이 길고, 장문이 많은 편이죠? 사실 이 작품을 발표할 당시
만 해도 웹소설이란 게 아직 정형화되기 전이었어요. 종이책 소설
과 웹소설의 경계가 분명치 않았는데요. 그때는 저 역시 이렇게 길
게 서술을 했습니다.

웹소설은 비주얼 스토리텔링이라고 말씀드렸죠. 이야기를 행동
과 대사로 이끌어줘야 하는데 예로 보여드린 작품은 서술이 너무
긴 거죠. 지금이라면 이렇게 쓰지 않을 것 같아요. 중간에 대사 등
을 넣어줘서 좀 더 이야기를 끊어주거나, 설명을 훨씬 줄이고 생략
하여 모바일 기기로 보았을 때 훨씬 더 잘 읽히게 고쳤을 것입니다.

다시 한번 강조해서 말씀드리지만 웹소설의 문장은 모바일에서
의 가독성과 리듬감을 중시해야 합니다. 퇴고할 때 워드프로세서로
보지 말고, 가능하면 모바일 기기로 읽어보세요. 너무 서술이 길면
가독성이 떨어집니다. 대사와 서술이 조화롭게 배치되어 있지 않으
면, 집중력이 떨어지고요. 그러니 중간에 대화나 속마음 따옴표를
넣어서, 문장을 좀 끊어주세요. 보기 편하게 나누어주세요. 안 읽히

는 부분, 수사가 너무 많은 부분, 의미가 불분명한 부분, 불필요한 설명이 너무 많은 부분이 있다면 삭제하고 한 번에 잘 읽힐 수 있도록 글을 수정하세요.

스마트폰으로 읽기에 한 번에 쭉 내려가지 않고 멈추는 부분이 있다면, 이를 좀 더 쉬운 문장으로 바꿔야 합니다. 이해가 안 가서 두 번 읽게 하는 글은 좋은 글이 아닙니다. 읽는 속도감이 끊기지 않게 해주세요.

단문을 써라

명쾌한 한 문장의 힘은 '단문'에서 나옵니다. 단문은 주어와 서술어의 관계가 하나로 이루어지는 문장입니다. '그녀가 일어났다' 하면 단문이 되겠죠. 복문은 주어와 서술어의 관계가 두 번 이상 맺어져 있는 문장입니다. 글을 쓰다 보면 단문을 쓸 때도 있고, 복문을 쓸 때도 많은데요. 이왕이면 단문 위주로 가되, 복문을 써야 한다면 가능한 대등절로 이루어진 대구법을 쓰시면 좋습니다.

그런데 작가들은 복문을 쓰려고 하는 습성이 기본적으로 있어요. 왜 단문이 아니라 복문을 쓰려고 할까요? 단문을 쓰면 왠지 글을 못 쓰는 것처럼 보이기 때문입니다. 그래서 문장을 수사하려고 해요. 두 개의 문장을 합친다거나, 수사를 추가하거나 해서 문장을 더 있어 보이게 꾸미려고 하는 거죠.

하지만 웹소설 작가의 필력은 100회가 넘는 분량에서 흔들리지 않고 자기 이야기를 꿋꿋하게 해나가는 것에서 드러나는 것이지, 지엽적인 문장에서 판단할 수 있는 게 아닙니다. 물론 모든 문장이 명문장이면 좋겠지만, 그렇게 문장에만 집중하다 보면 독자들이 서사를 즐기는 속도가 느려질 수도 있어요.

단문으로도 명문장을 만들어 중요한 순간마다 새겨넣을 수 있으면 좋습니다. 그렇게 쓸 수 있으면 더할 나위 없겠죠. 그러나 문장을 수사하고, 복문으로 만들고, 복잡하게 만드는 그 시간에 차라리 조금 더 서사에 신경을 쓰는 것이 좋습니다.

앞에서 예를 든 〈블러셔와 컨실러〉를 다시 한번 살펴봐주세요. 대충 훑어봐도 굉장히 빽빽해 보입니다. 이걸 모바일 기기로 읽으면 훨씬 더 빽빽해 보이고, 길어 보입니다. 내용적으로는 제가 꼭 쓰고 싶었던 내용이고 가치 있는 서술이지만, 웹소설 문장으로는 좋은 점수를 줄 수 없습니다. 이렇게 길면 독자들이 안 봐요. 실제로 서술이 너무 길어서 스킵했다는 댓글이 달려 있는 걸 보기도 했답니다.

물론 모든 걸 단문으로 써야 한다는 강박을 가질 필요는 없지만, 모바일 가독성을 항상 염두에 두면서 글을 써야 한다는 건 기억하세요.

내 글에 다이어트가 필요해

. . .

종이책에서 좋은 문장을 발견하면 몇 번을 다시 보면서 좋은 점은 별표 치고 밑줄 칠지 모르지만, 웹소설은 재미있는 서사 그 자체로 다음 이야기를 소비하게 만들어야 하는 분야입니다. 뒤로 돌아갈 시간이 없어요. 마지막 문장을 보자마자 다음 편 결제가 이어져야 합니다.

만약 완전히 들어내도 이야기가 이어지는 부분이 있다면 과감히 삭제하세요. 긴 수사 없이, 짧은 문장, 간단한 묘사로도 전달력을 높이는 것이 관건입니다.

재고= 초고 - 10%

이런 말도 있어요. '재고는 초고에서 10퍼센트를 뺀 것이다.' 초고를 보다 보면 같은 말을 두 번씩 하는 경우도 분명히 있거든요. '재고, 3고를 거듭한다는 것은 문장의 수사를 늘려서 완성도를 높이는 작업이구나.'라고 이해할 수도 있지만, 초고에서 필요 없는 부분을 빼는 작업이기도 합니다. 처음에 너무 주절주절 써놓은 부분이 있다면 그다음엔 이걸 어떻게 더 간단하고 쉽게 전달할 수 있을까 고민해야 합니다. 재고를 거듭하면서 일부러 분량을 줄이는 거죠.

물론 플랫폼에서 지정한 분량을 채워야 하지만, 분량을 줄이고도 이야기를 더 쉽고 깔끔하게 전달할 수 있는 방법이 있다면 그걸 택하는 게 좋습니다. 계속 글쓰기의 다이어트를 하는 것이지요.

소리 내어 읽어보기

이번 챕터에서 제 데뷔작인 〈블러셔와 컨실러〉의 예를 많이 들게 되는데요. 이때는 제가 초보 작가였기에 온라인으로 연재된 이 소설이 꼭 종이책으로 나와야 한다는 생각을 갖고 있었습니다. 그래서 온갖 정성을 더 많이 들였었죠. 그때에는 모든 글을 처음부터 끝까지 다 소리 내어 읽어보았어요. 그렇게 소리 내어 읽다 보면 어떤 문장을 삭제해야 할지 감이 옵니다. 내가 다 발음하기 귀찮아서 줄이게 되더라고요.

한 가지 더해 습관적으로 쓰는 단어들이 있어요. '이제', '지금' 같은 단어이죠. 어떤 문장을 보면 이런 단어가 한 문장에 두 번씩 쓰이기도 합니다. 내가 쓴지도 모르고 쓴 것이죠. 소리 내어 읽다 보면 그런 단어들도 찾아낼 수 있습니다. 반복적이거나 쓸데없는 단어를 찾아내 지울 수 있죠.

혹은 소리 내어 읽어봤을 때, 리듬이나 발음이 안 와닿는 경우가 있습니다. 그럴 땐 이를 지우고 완전히 새로운 문장을 쓰면 좀 더 매끄러운 리듬을 찾아낼 수 있습니다.

대구법으로 리듬감 살리기

· · ·

웹소설의 문장에서는 전달력을 높이기 위해 대구법을 적극적으로 활용하면 좋습니다. 대구법은 대사 쓰기에서도 강조해서 말씀드렸죠. 반복되는 구조가 있으면 사람들이 문장을 인식하기 쉬워집니다. 대구 자체가 하나의 구조적인 틀로 인식되는 것이죠. 문장에서 자연스럽게 대구법을 녹이려면 어떻게 해야 할까요? 우선 시를 많이 읽는 것도 많이 도움이 됩니다. 시는 리듬감을 중시하는 문학이기 때문이죠.

> "신부님, 메이크업 수정해야 해서요."
>
> 그녀의 앞에 천으로 된 파티션이 세워지고 있었다.
>
> 그 위로,
>
> 그녀의 실루엣이 마법처럼 어른거리고 있었다.
>
> 실루엣마저 예쁜 여자였다. 참 신기하게도.
>
> 그 아래로,
>
> 새하얀 그녀의 드레스 자락이 넓게 펼쳐져 있었다.
>
> 마치 비너스의 거품처럼, 참 신비롭게도.
>
> 출처 : 천지혜, 웹소설 <밀당의 요정>

〈밀당의 요정〉의 한 부분입니다. 어떤가요? 문장과 단어 모두에서 대구법을 활용해서 주인공의 감정을 좀 더 섬세하게 담아보려 했습니다. 좀 더 인상적인 느낌이 들게 하는 방식이죠.

문장이 쉬워도 상상은 깊게

• • •

작가가 상상한 깊이만큼 독자들은 상상합니다. 쉽게 읽히도록 글을 썼다고 해서, 상상력의 깊이가 얕아서는 안 됩니다. 이 인물들이 어떤 상황에서 어떤 감정으로 서 있는지 분명히 간파하고 거기에 디테일을 주어야 합니다. 감정적, 동선적 디테일을 조금 더 주는 것으로 이야기가 훨씬 더 실제처럼 살아날 수 있습니다.

작가가 모든 이야기를 '내 눈앞에 벌어진 일'처럼 생생하게 상상하고 있어야 합니다. 그 상상에서 생생한 묘사와 문장이 나옵니다. 그러기 위해서는 오감을 활용해 글을 쓰는 것이 중요합니다. 그 상황을 보고, 듣고, 맛보고, 냄새 맡고, 만지고, 모든 감각을 활용해서 느끼세요.

만약 여러분들이 바닷가에 가는 상황을 쓴다고 생각해보세요. 내가 비록 바닷가에 간 지 오래되었더라도 내 상상만은 이미 생생하게 바닷가에 있어야 합니다.

일단 눈으로 바다를 보시고, 시원한 바람도 느끼고, '끼룩끼룩' 하는 갈매기 소리도 듣고, 바닷물의 짠맛도 느껴보고, 아니면 바닷가에서 파는 음식, 해물의 맛 등을 마치 입 안에 그 음식이 있는 것처럼 생생하게 떠올려보세요. 이게 무슨 냄새죠? 바다의 짠 내와 청량한 바람 냄새가 섞여 있는 것 같습니다. 백사장의 모래도 만져보고, 차가운 바닷물에 손도 담궈보면서 모든 오감을 열고 바다의 모든 것을 생생하게 느껴보세요. 작가가 이 모든 것을 감각하고 있어야 주인공 캐릭터에게 같은 감정을 부여할 수 있습니다.

단, 디테일한 상상을 긴 서술로 풀라는 뜻이 아닙니다. 최대한 생생하게 상상하되, 문장은 압축적으로, 이 분위기를 전달할 수 있어야 하죠. 그저 이야기에 가장 몰입하고 있는 사람이 작가여야 한다는 뜻입니다.

감정의 과잉을 주의할 것

다만 지나치게 글에 몰입하다 보면 생각보다 감정이 과잉될 때가 있습니다. 독자와 함께 감정이 고조되어야 하는데, 캐릭터 혼자 감정이 격앙되면 몰입을 깨뜨릴 수 있습니다. 이런 부분이 있을 경우, 며칠 뒤에 글을 다시 수정함으로써 격앙되어 있던 감정을 조금 더 덜어내야 합니다. 아예 문단 자체를 삭제하기도 하고, 훨씬 더 간결하고 담담한 문장으로 다시 쓰기도 합니다.

한국 영화의 고질적인 문제 중 하나가 신파라고 하잖아요. 사람들은 너무 약해지고 싶어 하지 않아요. 슬픔의 감정을 자연스럽게 독자들과 함께 끌고 가면 모르겠는데, 캐릭터 혼자 저 멀리 가버리면 오히려 이질감을 느끼게 됩니다. 오히려 담담하게 이 상황을 꾹 누르다 보면 독자들이 함께 울컥하는 마음을 느낄 수 있게 됩니다.

엔딩의 재미를 살리는 문장

• • •

엔딩 쓰기의 핵심

1. 독자들의 상상력을 자극하라.

2. 좀 더 이야기가 재미있어질 것을 예고하라

3. 마지막 대사, 혹은 문장을 여러 번 고쳐써라.

4. 절단의 묘를 살려라.

5. 가장 격정적인 감정에서 글을 끊어라.

엔딩을 재미있게 내지 못하면 어차피 출판사 담당자가 '다시 써줄 수 없나요?'라고 요청합니다. 혹은 플랫폼에서 절단의 묘를 살려달라며 반려하기도 하죠.

사실 웹소설에서는 첫 문장보다도 더 고민해야 할 것이 매 회차의 엔딩입니다. 엔딩을 쓸 때는 다음 회가 기대되도록 상상력을 자극해야 합니다. 감정이 격하게 끓어오르는 순간에 끊어서 빨리 다음 회가 보고 싶도록 만들어야 한다는 것이죠. 적당한 엔딩이 떠오르지 않는다면, 객관식으로 다섯 개 정도 보기를 만들어보세요. 처음엔 2번을 선택해서 엔딩을 냈다가, 나중에 다시 읽어보면 3번 엔딩이 더 괜찮을 수 있습니다. 보기를 만드는 과정에서, 분명 더 좋은 엔딩이 나올 것입니다.

퇴고할 때 기억할 것들

글쓰기에 정답은 없지만, 오답은 있다고 합니다. 글을 잘 쓴다는 것은 오답을 적게 쓰는 것이라고 하는데요. 바로 이 오답을 줄이는 과정이 퇴고입니다.

글을 쓰고 나면 내가 쓴 글과 멀어지는 시간이 조금 필요합니다. 자기 글이 너무 익숙하면 퇴고를 할 수 없기 때문이죠. 너무 여러 번 읽어서 상황, 단어, 문장, 대사들을 이미 외워버렸다면 꼼꼼한 수정을 할 수가 없습니다. 오자도 잘 안 보여서 몇 번을 다시 봐도 찾아내지 못하기도 합니다.

사실 연재를 할 때는 마감 때문에 쉽지는 않지만, 여러 날에 걸쳐 퇴고를 하는 것이 가장 좋은 글을 완성할 수 있는 방법입니다. 좋은 글은 퇴고로 완성된다고 해도 과언이 아니니까요. 다른 문학과 마찬가지로 웹소설도 그렇습니다. 하물며 SNS에 쓰는 글도 잘못된 데는 없는지 여러 번 확인하고 올리는데 웹소설 또한 여러 번 퇴고를 하는 게 당연하겠죠.

나만의 퇴고 체크리스트 만들기

• • •

퇴고를 할 때 필요한 체크리스트를 미리 만들어놓으면 편합니다. 체크리스트에 내가 자주 하는 실수 등을 적어놓고, 인쇄해서 벽에 붙여놓습니다. 그리고 글을 고치기 전에 미리 이 부분들을 유념해서 체크하는 거죠.

문장도 다이어트를 하면 좋다고 했죠. 이왕이면 조금 더 간단한 말로 쉽게 설명할 수 없는지 고민해보세요.

반복되는 단어가 많을수록 글이 재미가 없어져요. 동어 반복되는 단어들이 있다면 비슷한 뜻의 다른 단어로 바꿔줍니다. 주어와 서술어가 멀리 떨어져 있을수록, 비문이 되기 쉽습니다. 문장이 어딘가 어색하다 싶으면, 주어에 맞는 동사가 나왔는지를 다시 한번 살펴봐주세요.

수사를 할 때 자주하는 실수 중 하나인데요. 여기 붙어야 할 수사가 다른 데 붙어서, 의미를 헷갈리게 하는 건 없는지 한번 살펴봐주세요. 때문에 오해를 사는 문장이 없는지도 함께 찾아봅니다.

의외로 조사 '은, 는, 이, 가'를 어떻게 써야 할지 헷갈릴 때도 많습니다. '은'도 어색하고 '가'도 어색하고 다 마음에 들지 않을 때도 있어요. 조사를 다양하게 고쳐보면서 어떤 게 가장 적합할지 찾아보세요.

너무 많이 써서 고루해지고 지루한 표현은 없나 점검해봅니다. 좀 더 참신하게 바꿀 수 있는 표현은 없나 고민해보고요.

문장 순서를 바꾸면 더 좋겠다 싶은 부분도 있지만, 때로는 문단 자체의 순서를 바꾸는 게 더 좋을 때도 있습니다.

퇴고를 한번은 미시적으로 보고, 다른 한 번은 거시적으로 보세요. 미시적으로 볼 때는 전체적인 게 안 보일 수도 있거든요. 한 번은 꼼꼼히 보고, 한 번은 전체적인 걸 보는 것이죠.

퇴고
체크리스트

☐ 문장을 더 단문으로 만들 수는 없는가?

☐ 다이어트할 문장은 없는가?

☐ 문맥에 더 알맞은 단어는 없는가?

☐ 반복되는 단어는 없는가?

☐ 문장과 문단이 자연스럽게 연결되는가?

☐ 안 읽히는 부분은 없는가?

☐ 주술 호응이 맞는가?

☐ 내용이 헷갈리는 문장은 없는가?

☐ 어색한 조사는 없는가?

☐ 문장의 순서를 바꿀 곳은 없는가?

☐ 상투적인 표현은 없는가?

☐ 부연 설명이 필요한 곳은 없는가?

☐ 독자에게 제대로 감정을 전달하고 있는가?

☐ 독자의 상상력을 자극하고 있는가?

☐ 상황이 명확하게 그려지는가?

5장

웹소설 작가로
살아남기 위한
멘탈 관리법

【 27강 】

작가를 위한
멘탈 트레이닝

이제 작가로서 필요한 기술적인 것들 외에 오랫동안 작가로서 살아가기 위해 꼭 필요한 멘탈 관리법을 소개하고자 합니다. 글이 늘 잘 써지는 것도 아니고, 누구나 마감에 쫓기면서 스트레스도 받고, 때때로 슬럼프에 빠지기도 합니다. 그럴 때 누가 도와주지 못해요. 스스로가 극복해야만 하죠. 그래서 오랫동안 글을 쓰고, 좋은 작품을 꾸준히 내고 싶다면 멘탈 관리는 기본 중의 기본입니다. 사소해 보이는 일에 미끄러져서 일어서지 못하는 일이 생기기 전에 스스로 관리해야 합니다. 몇 가지 원칙을 정해두고 자신을 일으켜 세워주세요. 저 역시 프로 작가로 활동하면서 지키고 있는 방법들을 여기에서 소개해드릴게요.

마감효과를 최대한 활용하기

· · ·

오늘은 글이 안 써진다구요? 저도 그래요. 마감이 없으면 프로 작가도 글을 쓰지 않습니다. 작가가 글을 완성할 수 있는 이유는 마감이 있기 때문입니다. 글은 내가 쓰는 것이 아니라 마감이 쓰는 것이라 해도 과언이 아니에요.

정해진 마감이 없다면 스스로 마감을 정해서 자신을 북돋아야 합니다. 그러지 않으면 글이 완성되지 않아요. 초반엔 어떻게 재미있게 써도, 나중으로 갈수록 쓰기 싫어져요. 어느 순간 내일 할까 모레 할까, 이렇게 자꾸 미루게 되죠. 마감도 없는데 스스로 책상에 앉기는 힘들어요. 그러니 담당자가 정해진 마감을 주지 않더라도 대략적인 나만의 마감일을 정해놓고 거기에 맞게 일정과 매일 해야 할 일을 정해두는 것이 좋습니다.

일단 나라는 인간에게 마감을 설정하고 지키는 버릇을 들여야 한다는 뜻이에요. 세 살 버릇 잘못 들여놓으면 여든 가서 큰일 난다고 하죠. 버릇을 잘 들이면 자기 자신을 길들이기 쉬워져요. 마감 버릇을 잘 들여놓으면, 나도 모르게 마감 시간에 맞춰 자동으로 책상에 앉아서 글을 쓰게 됩니다. 작가는 그렇게 마감이 곧 내 인생인 것처럼, 시간 되면 척척 마감을 지키는 게 생활화되어야 합니다.

'마감효과'라는 말도 있죠. 작가들도 마찬가지로 마감을 앞두고

서야 초능력이 생겨납니다. 그렇게 막혀 있던 글도 마감 한 시간 전에 탈출구가 보이고는 하거든요. 마감 앞에서 집중력이 높아지기 때문이죠.

프로 작가라면 지각은 있을 수 없습니다. 돈 받고 쓰는 건데, 독자들과의 약속인데 이걸 어기면 안 되죠. 원고 펑크는 있을 수 없는 일입니다. 마감이 되면, 우리는 어떻게든 모든 능력을 끌어모아 쓰게 되어 있어요.

타인의 글을 윤활유로 써보기

• • •

'오늘은 문장이 안 써져요. 어떻게 하면 좋을까요?' 오늘따라 왜 이렇게 아웃풋이 나오지 않는지 고민이 될 때가 있죠. 사실 그건 인풋이 없기 때문이에요. 그럴 땐 필사를 하세요. 시집도 좋고 소설도 좋습니다. "아니, 오늘 오후 다섯 시 마감인데, 써놓은 게 없어요. 근데 언제 남의 글 따라 쓰고 있습니까?"라고 되물으실 수도 있어요. 그런데 조급한 마음으로는 어차피 안 써집니다. 그럼에도 불구하고 돌아가야 할 때가 옵니다. 이것이 소화제라 생각하고, 좋은 글을 차분하게 필사해보세요. 한 시간 정도 다른 이의 문장을 따라 쓰다 보면 키보드에 속도감이 붙어 내 글도 생각보다 금방 써지곤 합니다.

일단 내 몸에 문장이란 게 흐르고 있어야 해요. 나의 그 창작 기계가 돌아가지 않는다면 '남의 글'이라는 기름을 넣어서 일단 돌리는 거죠. 아침에 일어나서 아무런 인풋 없이 멍하니 하얀 모니터만 보고 있다면 공황장애가 올 수 있습니다. 어느 정도 필사를 통해서 나에게 인풋을 주는 것을 추천합니다.

'내 글 구려병' 극복하는 법

· · ·

'내글 구려 병'이라니 이런 병이 있나요? 학계에 정식으로 등록은 안 되어 있지만, 수많은 작가들이 경험하는 병입니다. 프로 작가에게도 이 병이 찾아오는 순간이 꼭 있답니다.

사실 신작이 남들에게는 새로운 얘기겠지만 작가에게는 수십 번 본 이야기예요. 스스로 내 이야기에 질릴 수 있습니다. 쓰다 보니 너무 별로여서 글을 지속할 수 없는 순간이 와요. 몇 날 며칠 안 쉬고 기계처럼 쓰다가 내가 먼저 글에 질려버리는 순간이 오는 거죠. "아! 보기 싫어! 때려쳐! 못 쓰겠다! 이딴 거 쓰면 그만둬야지! 으아악!"

그럴 때는 1화부터 다시 내 글을 읽어보면서 나무가 아닌 숲을 보려고 해보세요. 혹은 며칠 쉬다가 다시 글을 보면 이 글을 처음 읽는 독자의 기분으로 글을 쓸 수 있습니다. 저 또한 쓰다 보니 구린 것 같아서 버린 작품들이 있어요. 쓰다가 멈춘 거죠.

그런 글을 묵혀놨다가 다시 보면 생각보다 괜찮은 것들도 있어요. '어? 괜찮은데? 내가 그때 왜 이걸 완성을 못 했지? 아, 여기서 막혀서 그다음 걸 못 풀었구나. 그럼 여기서 이렇게 해결해서 돌아가면 되지.' 그때는 태산 같았던 문제가 훨씬 더 쉽게 느껴질 수도 있습니다.

심지어 '잘 썼는데 왜 버렸지?' 이런 생각이 들 때도 있어요. 돌이켜보니 그때 내가 너무 글에 질려서 그렇지, 그 정도로 별로였던 건 아니었던 거죠. 시간이 지나서 더 성장한 내가 그 글을 완성해줄 수 있습니다.

글+슬럼프= 글럼프 뛰어넘는 법

• • •

그럼에도 불구하고 단 한글자도 못쓸 것 같은 순간도 분명히 옵니다. 그럴 때 저는 후회합니다. 왜 더 많은 것을 더 철저하게 기획하지 못했을까. 이야기의 숲을 설계할 때는 쉽게 해결할 수 있는 문제인데, 나무만 보다 보니 길을 잃은 거죠. 이럴 때 어떻게 해야 할까요

기획으로 돌아가기

디테일에서 막혀버리면 출구를 찾기 힘듭니다. 나중에 글럼프가 오기 전에 더더욱 기획에 충실하세요. 앞에서도 말씀드렸듯이 저는 이제는 정말 모든 걸 다 설계해놓고 시작합니다. 이 숲의 지도를 다 설계하는 것이죠. 만약 글을 쓰다가 글럼프가 왔다면 다시 기획 단계부터 찬찬히 돌아보세요. 거시적으로 보면 해결할 수 있는 문제들이 분명 있습니다.

그냥 놀기

때로는 그냥 노는 것도 좋습니다. 좋은 아이디어는 이성보다는 감성에 의해 촉발됩니다. 어차피 노트북 앞에 백날 앉아 있어도 한번 막힌 곳은 뚫리지 않아요. 차라리 매일 산책을 하거나 매일 일정량의 운동을 하세요.

새로운 자극을 느껴보기

글을 쓰는 시간과 장소를 바꾸어보는 것도 좋은 시도입니다. 학창 시절, 공부가 잘 안되던 날처럼 작업 공간을 싹 정리하는 것도 방법입니다. 아주 아주 깊은 글럼프에 빠졌다면 차라리 짐 싸 들고 여행을 가세요.

아니면 색다른 콘텐츠를 소비하면서 관심을 다른 데로 돌려보세요. 새로운 자극을 주면, 새로운 생각이 나고, 돌파구가 생깁니다.

빈칸으로 놔두고 건너뛰기

막히는 부분을 건너뛰고 뒷부분을 채워놓은 다음에 나중에 빈칸을 다시 보면 건너뛰었던 그곳이 생각보다 쉽게 메워지기도 합니다. 내가 고민하고 막혔던 부분이 생각보다 큰 게 아닐 수도 있어요. 그때는 만장굴만 한 동굴로 느껴졌는데, 돌이켜보면 아주 자그마한 지렁이굴 같은 거였던 거죠. 처음엔 빈칸이 커 보이지만 뒷부분을 쓰다 보면 그게 조그만 구멍이었구나 깨닫는 경우도 있습니다.

스스로를 칭찬해주기

글은 칭찬을 먹고 자랍니다. 남의 칭찬, 남의 댓글 반응에만 기댈 필요는 없습니다. 스스로의 팔을 쓰다듬으면서 말해보세요. "나 오늘 글 진짜 열심히 썼어, 정말 수고했어, 이제 그만 쉬어도 돼." 내키면 양팔에 뽀뽀도 해주세요. 더더욱 스스로를 칭찬하고 응원해주세요. 자기 자신을 믿고 사랑하는 사람이 글도 잘 씁니다. 중간에 이게 잘 쓴 건가, 고민하는 시간 없이 일단 글을 쭉쭉 써나가고 있으니까요. 내 글의 가치를 남의 평가에서 찾지 말고 스스로를 인정하고 대견해하세요.

【 28강 】

글쓰는 습관 만들기

위스턴 휴 오든은 "똑똑한 사람에게 습관은 야망의 증거다."라고 말했습니다. 왜 글쓰기 습관을 들여놔야 할까요? 정말로 웹소설 한 작품을 꾸준하게 완성해내고 싶다면, 일정한 장소, 시간에 반복적으로 글쓰기를 시도해야 하기 때문입니다.

무라카미 하루키는 "나는 매일의 습관을 별다른 변화를 주지 않고 반복한다. 반복은 일종의 최면으로, 반복 과정에서 나는 최면에 걸린 듯 더 심원한 정신 상태에 이른다."라고 말했습니다.

저는 이 말에 정말 전적으로 공감합니다. 매일매일을 똑같이 반복하면서 언제나 똑같은 시간에 내가 만든 소설 속 세상으로 로그인해야 합니다. 그래야 몰입하고 올인할 수 있어요. 웹소설 쓰기는

"오늘 하루는 잘 써져서 몇 만 자 썼어, 오늘은 잘 안되어서 많이 못 썼어." 이렇게 해서는 승부를 볼 수가 없습니다. 날마다 일정한 양을 써내야 합니다.

무의식이 습관을 만든다

• • •

습관을 따른다는 것은 무의식적으로 행동하는 것입니다. 습관은 제한된 자원, 의지력, 자제력, 낙천적인 마음까지 최대한 활용하기 위해 정교하게 조정된 메커니즘이라고 합니다. 견실한 습관은 정신적 에너지를 몸에 밴 반복 행위에 쏟게 하고, 감상의 감정이 끼어들 틈이 없게 만듭니다.

우리가 매일 아침 출근 준비나 등교 준비를 할 때 잠이 덜 깬 채 자동적으로 하는 게 있잖아요. 이걸 매번 '이거 다음에 뭐하지? 그다음에 뭐하더라?' 생각해서 하면 정신적 에너지를 여기에 빼앗기죠. 하지만 습관은 자동화된 행위를 통해서 이런저런 잡념이 끼어들 기회를 안 주고 내가 진짜 생각해야 할 것에만 집중하게 합니다.

삼 주 동안만 같은 시간, 같은 장소에서 글쓰기를 반복해보세요. 그렇게 한 다음엔 뇌가 알아서 반복합니다. 그러면 나도 모르게 습관적으로, 무의식적으로 글을 쓰고 있을 수 있습니다.

나만의 리추얼 만들기

· · ·

소설가 토니 모리스는 이렇게 말했습니다. "작가라면 누구나 뭔가와 접촉해서 자신이 통로가 되는 공간, 즉 창작 습관이라는 신비로운 과정을 시작하는 공간에 다가가는 방법을 나름대로 고안한다. 이런 습관적인 과정 덕분에 나는 글을 쓸 수 있다."

작가들은 나름의 창작 습관을 통해서 소설 속 세계에 입장합니다. 리추얼^{ritual}은 일의 반복적인 패턴이나 반복적인 의식을 말합니다. 위대한 예술가, 작가들은 일상을 의미있게 만드는 리추얼을 통해서 남들과 다른 특별한 삶을 살았습니다.

저도 나름의 리추얼이 있습니다. 아침에 일어나서 씻고 옷 입고 화장하고, 한 카페에 앉아서 메뉴를 시키고 글을 쓰기 시작합니다. 남들이 출근하는 과정과 똑같죠. 이것 자체가 저에게는 매일 반복될 수밖에 없는 리추얼이잖아요. 사소하고 단조로운 반복이지만 이 과정을 통해서 나만의 글쓰기 세계로 로그인할 수 있습니다.

자신만의 리추얼을 만들어두세요. 이를 위해 필요한 것들을 몇 가지 정리해볼게요.

규칙적으로 써라

규칙적인 삶을 반복하세요. 웹소설 100화를 써낸다는 것은 두꺼운 종이책 3권 분량을 완성하는 것입니다. 만약 500화를 쓴다면 종이책으로 15권 분량이겠죠. 꾸준하지 않으면, 규칙적이지 않으면 절대 완성해낼 수 없습니다.

결국은 공무원처럼 성실해야 합니다. 꾸준히 집중하는 것이 곧 필력의 비결입니다. 누구보다도 생생하게 자유로운 공상을 하면서도 항상 같은 자리에서 꾸준히 쓰고 있어야 합니다.

낮에 써라

마감이 급할수록 밤샘 작업을 하는 경우가 많습니다. 전업 작가라고 할지라도, 밤을 새면 다음날 하루를 망치게 되는 경우가 많기 때문에 밤샘은 절대 추천하지 않습니다. 우리가 웹소설 한 작품 내고 쓰러져 죽어서 묻힐 건 아니잖아요. 그다음 작품, 그다음 작품, 계속해서 내야 하는데요. 작가들이 건강을 잃는 가장 큰 이유가 바로 수면입니다. 밤샘 작업을 거듭하는 작가 중에는 건강해 보여도 갑상선 질환을 앓는 경우가 굉장히 많아요. 절대 밤 새지 마세요.

더구나 밤에 쓰는 글은 지나치게 감성적이 될 가능성이 높습니다. 낮에 봤을 때 지우고 싶은 글은 결국 버리게 되고요. 그러니 감정적으로 과잉이 되기 전에 글은 웬만하면 낮에 쓰세요. 만약 내가 직장을 다니는 겸업작가다, 밤밖에 시간이 없다면 저는 차라리 새벽에 쓰는 것을 추천하고 싶습니다.

새벽에 써라

머리가 맑을 때, 잡생각이 끼어들지 않을 때 좀 더 맑은 정신으로 집필하는 것을 추천합니다. 오전에 미리 일을 다 해놓으면 마음이 꽤 가볍습니다. 더구나 새벽에 써놓고 저녁에 다시 보면 시간 텀이 있기 때문에 좀 더 깔끔한 퇴고가 가능합니다. 저는 보통 6시 30분 쯤 일어납니다. 프리랜서 작가치고는 기상 시간이 빠른 편이죠. 여기서 핵심은 알람을 맞추지 않고 일어난다는 것입니다. 저는 일어날 때 알람을 맞추지 않고, 잘 때 알람을 맞춰요. 밤 10시 20분 알람이 울리면 침대에 들어가서 자는 거죠. 그러면 어느 정도 기상시간이 비슷해집니다. 만약 피곤한 날이라 더 자고 싶다면, 더 자면 됩니다. 그래도 7시 30분쯤엔 일어나고요.

새벽에 알람 없이 일어나면 이런저런 거 하지 않고, 바로 책상에 앉아서 글을 써요. 아침식사는 글을 쓰면서 샐러드나 토스트 등을 가볍게 먹습니다. 일찍 일어났기 때문에 배가 빨리 고파요. 점심을 11시 30분쯤 먹고 나갈 준비를 하고, 카페로 출근해서 2차 집중을 합니다. 한 장소에서만 작업하면 집중력이 빨리 끝나버릴 수도 있거든요. 하루에도 글 쓰는 분위기를 중간에 바꾸는 거죠.

마감을 빨리했다면 카페에서 조기 퇴근도 가능하고요. 6시가 되면 또 배가 고파지기 때문에, 저녁을 먹기 위해서라도 퇴근을 합니다. 이중에서도 가장 글이 잘 써지는 시간대는 새벽입니다. 알람을 맞추지 않고 일어나기 때문에 아침에 졸리지 않고, 만약 졸리면 글을 쓰다가 8시 30분쯤 한시간 정도 더 자요. 자고 일어나면 두뇌가 리셋되어 새로운 기분으로 새로운 글을 쓸 수 있게 됩니다.

끈질기게 써라

중간에 절대로 포기하지 않는 은근과 끈기가 결국 글을 완성하게 만듭니다. 정말로 안 써지는 날이더라도, 한 문장만 더, 한 단어만 더 써나가다 보면 결국 마감을 할 수 있습니다.

몽상하라

작가라면 몽상할 시간이 꼭 필요합니다. 교통수단에서 멍하니 몽상하는 시간에도 아이디어가 떠오를 수 있습니다. 그때 재빠르게 메모하세요. 몽상과 명상 사이, 오로지 생각에만 집중할 시간이 필요합니다.

인터넷을 끊어라

글이 안 써질 땐 집필 공간을 바꾸어봅니다. 자주 가는 카페에서는 와이파이가 자동으로 연결되잖아요. 새로운 카페에 가서 와이파이 비밀번호를 안 물어보는 거죠. 그럼 노트북에 인터넷 연결이 안 되잖아요. 인터넷 연결이 안 되어 있으면 아무래도 딴짓을 덜합니다.

흐트러지는 집중력을 모으기 위해 컴퓨터를 비행기모드로 변경하는 것도 좋습니다. 중간중간 휴대폰을 볼 수 있기 때문에 이 역시 비행기모드로 변경할 때가 있습니다. 그게 좀 너무했다 싶으면 그냥 무음 정도로 바꾸어놓습니다. 자꾸 '카톡 카톡' 연락이 오면 신경이 분산되기 때문에, 정말 안 써지는 날에는 그렇게라도 집중하려 노력하는 편입니다.

무작정 써라

나중에는 글 쓰는 게 정말 버릇이 되다 보면, 글을 안 쓰고 있는 시간이 더 불안해집니다. 우울하거나, 게을러지면 글을 쓰면 됩니다. 아무 글이라도 쓰고 있다 보면, 그 시간이 아까워서라도 좀 더 의미 있는 글을 쓰게 될 거예요. 뭘 쓸지 망설이지 말고, 일단 책상에 앉아야 합니다.

메모하는 습관에서 출발하라

· · ·

메모하지 않은 것은 결국 잊히게 마련입니다. 메모 자체가 글쓰기이고 생각하는 과정이자 훌륭한 글감을 찾는 일이에요. 나중에 글을 쓰려고 할 때 글감을 찾으려면 늦어요. 평소에 좋은 아이디어가 떠오르면 일단 적어두는 습관을 가지세요.

일상 속 자료 조사하기

만약에 신문기사를 보다가 주요한 키워드가 있으면 캡처해놓습니다. 요새 스마트폰으로 캡처하는 건 어렵지 않잖아요. 혹은 기사의 내용을 복사해놓습니다. TV를 보다가 흥미로운 키워드가 나오면 스마트폰을 켜놓고 메모합니다. 예를 들어 〈유퀴즈〉를 보다가 '화이트해커'라는 직업군이 나왔어요. '화이트해커, 재미있겠는데.' 이런 생각과 함께 추가적으로 검색해보는 거죠. 그러다 나중에 그 키워드를 중점적으로 좀 더 자료 조사를 하는 겁니다.

메모 정리하기

메모는 완전한 게 아닙니다. 메모는 그냥 생각의 조각을 키워드 중심으로 적어놓은 것에 불과하죠. 이를 카테고리화해서 정리해야 합니다. 형광펜으로 중요한 메모를 색칠하고 분류하는 과정에서 또 새로운 아이디어가 떠오를 수 있습니다. 기존 메모와 메모를 연결하려면 아이디어가 필요하니까요. 메모는 그냥 두지 말고 나중에 꼭 정리를 하세요.

메모의 방법

항상 노트를 갖고 다니면서 메모를 해놓을 수도 있지만, 사실은 그보다는 스마트폰이 더 가까울 수 있습니다. 앞에서 설명한 것처럼 에버노트나 원노트 등의 애플리케이션을 사용하면 스마트폰, 태블릿PC, 데스크톱에서도 동기화가 되거든요. 그러면 나중에 데스크톱으로 메모를 정리할 수 있습니다. 모바일 기기로 정리하기는 귀찮을 수 있거든요. 일단 언제든지 메모하는 습관을 꼭 들이길 당부드려요.

오래 글을 쓰고 싶은 당신에게

이제 웹소설 작가로 살아가고 있거나 살고자 하는 분들께 마지막으로 이야기해드리고 싶은 것들만 남아 있네요. 작가로서 오랫동안 좋은 글을 쓰시길 응원하는 마음으로 웹소설 작가로 살아남기 위해 꼭 기억하셨으면 좋겠다고 생각한 것들을 말씀드릴게요.

스스로 애매하다고 말하는 당신에게

• • •

에세이집《더 좋은 곳으로 가자》에 이런 말이 있습니다. 재능이란, 결국 그 일을 꾸준히 놓지 않는 꾸준함에서 깃드는 것이라고. 애매한 나를 건디는 법은 엉엉 통곡할지언정, 일단 목적지 근처로 가서 맴도는 데 있다고 말했습니다.

저에게도 글을 쓰면서 애매한 순간이 있었습니다. 데뷔는 했지만, 언젠간 다시 원래 하던 직종인 마케팅 쪽으로 돌아갈 줄 알았어요. 우연히 작가가 되긴 했지만 이게 평생 직업이라는 확신이 없었죠. 그러다 친구와 대화하다가 알았어요. 내가 새로운 직업에 도전하려면 새로운 교육이 필요하다는 것. 당장 교육원에 들어가 강의를 듣기 시작하면서 내가 작가라는 새로운 직업으로 전직했다는 것을 인정했습니다.

매번 종이책 3권 분량의 작품을 써낼 때마다, 정확히 종이책 3권 분량의 좌절이 있습니다. 만약 제가 글쓰기를 시작했을 때 나와 같은 스승이 있었으면 조금 덜 헤맸을 것 같아요. 그러나 결국 길은 내가 찾아갔기에 의미가 있는 것이었습니다.

지금은 스스로를 애매하다고 생각하지 않습니다. 그냥 길이 있고, 나는 그 길을 걷는다, 가끔 길이 안 보일 땐 스스로 만들어나간다, 그렇게만 생각하고 있어요. 내비게이션처럼 내 다음 길을 알려주는 사람은 아무도 없다고, 오로지 나 스스로 걸어야 할 길이라고 생각하면서요.

답은 내 안에 있다

• • •

모든 질문에 대한 답은 나에게 있습니다. '나는 맞는 것 같은데, 왜 다들 아니라고 하지.' 그럴 때는 자신을 한번 더 믿어주세요. 불안했던 신인 작가 시절로 타임머신을 타고 돌아간다면 한마디 해주고 싶습니다. "그게 맞아. 그 길이 옳아. 근데 너도 그걸 알아. 그러니까 '길'에 대해서는 그만 고민하고, 작품이나 써."

만약 할머니가 된 내가 지금의 나에게 한마디 해준다면 뭐라고 말할지 생각해봤어요. "내가 맞다고 생각한 길이 맞는 길이니, 고민하지 말고 달려가라. 더 도전하라. 더 사방팔방으로 노력해보라."이렇게 말하지 않을까요?

나는 어디까지 노력해보았나요?

투고에 100번 실패해보았나요?

공모전에 1,000번 떨어져보았나요?

혹시 10번 정도에서 마음을 접은 건 아닌가요?

또한 막무가내로 글만 처다볼 게 아닙니다. 나는 이 시장을 얼마나 알고 있는가. 이 시장 파악을 위해서 3년 정도 투자할 마음이 있는가. 나는 이 시장에서 얼마나 인맥을 만들었는가. 나를 끌어주고 밀어줄 사람들을 만들었는가. 길이 보이지 않을 때 내게 조언해줄 동료들이 있는가. 웹소설 작가가 되는 방법 중에 관련 직업을 얻으라고 말씀드렸어요. 이건 업계의 내부자가 되어 시장을 파악해보라는 뜻이었죠.

아이템을 몇 개나 갖고 있나요? 고작 2~3개의 아이템을 갖고서 이야기를 쓰겠다, 말겠다 했던 건 아닌가요? 노트 속 아이템은 10개 이상은 있어야 해요. 누군가 어떤 아이템을 거절한다면, 얼마든지 다른 아이템을 꺼내어 보여줄 수 있어야 합니다. 언제나 아이디어를 수집해놓는다면 가능한 일이고요.

작품은 운대가 맞지 않으면 그동안에 기울인 노력과 상관이 없이 완전히 묻힐 수 있습니다. 수개월, 혹은 1년을 준비했던 작품이라도 좋은 프로모션을 받지 못하면 싹 묻혀요. 묻힌 작품은 아무도 알아주지 않습니다. "그걸로 돈도 못 벌었는데 그럼 무슨 의미가 있나요?"라고 되물으실 수도 있어요.

하지만 하나의 작품을 완결해나가면서 얻은 것은 '나의 성장'입니다. 작품을 완결해본 경험은 누구도 대신해줄 수가 없어요. 돈으로 살 수도 없고요. 그 성장을 바탕으로 두 번째, 세 번째 작품을 써내면 됩니다.

이곳의 문은 항상 열려 있어요. 기회의 문을 닫는 건, 나 자신이에요. 내 작품에 자부심을 가지고 소개한다면 묻혀버린 작품도 언젠간 기회를 얻을 수 있습니다.

나에게 투자하기

• • •

나는 나를 교육하고 있나요? 더 나은 나를 만들기 위해 교육의 기회를 제공하고 있나요? 나 스스로를 교육시키기 위해서 어떤 커리큘럼을 짰나요? 제가 스스로를 위해 하고 있는 공부를 소개해드릴게요.

- 내가 사랑하는 캐릭터 10인 분석하기
- 한국 영화, 드라마 명대사 수집 .(중점) 분석
- 한국 드라마 플롯 분석
- 하루에 세 줄 이상 명문장 필사하기
- 해당 캐릭터를 대표하는 음악과 가사 찾기
- 내 작품과 가장 잘 어울리는 BGM 찾기
- 매주 〈출발 비디오 여행〉을 빼놓지 않고 보기
- 로그라인 정리를 생활화하기
- 한달에 4권 이상 책 읽고 독서 기록 정리해놓기
- 웹소설을 보고 짧게라도 감상문 적어놓기

저는 어떤 캐릭터에 대해서 쓸 때, 해당 캐릭터를 대표하는 음악과 가사를 찾습니다. 그 캐릭터를 쓸 때 그 BGM을 깔아놓으면 훨씬 더 감정 이입이 되거든요. 마찬가지로 내 작품과 가장 어울리는 BGM을 찾아봅니다. 세상에 더 재미있는 로그라인이 있는 작품이 없나 찾아보기 위해 매주 〈출발 비디오 여행〉을 보고요. 로그라인 정리를 생활화합니다. 한 달에 4권 이상 책 읽고 독서 기록을 정리 해놓기도 합니다. 웹소설을 보고 짧게라도 감상문을 적어놓습니다.

이런 식으로 나를 교육하기 위한 나만의 커리큘럼을 짜놓고 실천 하세요. 그래야 발전이 있을 테니까요.

소설 기계가 되세요

· · ·

《소설가의 일》에서 김연수 작가님은 "재능 따윈 그만 떠들고, 스스로 자신을 소설 기계로 만들어보길 바란다."라고 말했습니다.

글을 쓰는 데 있어 더 망설이지 말고 기계처럼 책상 앞에 앉아서 글을 쓰세요. 나 자신을 기계로 만드는 법을 알아야 합니다. 그 방 법을 매뉴얼화해도 좋습니다. "저번에는 글 쓰는 걸 즐기라면서요." 라고 되물으신다면 이렇게 말씀드리고 싶어요. 글을 써야 즐기지, 책상에 앉지도 않는다면 그건 글쓰기를 즐기는 게 아니라 인생을 즐기는 거라고요. 일단 책상 앞에 앉아야 글쓰기를 즐기든 말든 할 수 있는 거니까요. 나만의 리추얼 10계명을 만들어 벽에 딱 붙여놓

으세요. 그리고 흔들릴 때마다, 글쓰기가 싫을 때마다 보면서 다시
마음을 다잡으세요.

가스라이팅에 휘둘리지 않기

. . .

가스라이팅이란 타인의 심리나 상황을 교묘하게 조작해 그 사람
이 스스로를 의심하게 만듦으로써 타인에 대한 지배력을 강화하는
행위입니다. 드라마 〈SKY 캐슬〉에서 김주영 선생님이 예서를 명상
방에 데려가서 빙빙 돌며 이렇게 말하죠. "스스로를 의심하고 또 의
심해!" 그 말은 '너는 아무도 믿지 말고 나만 믿어라.' 하는 뜻이었습
니다. 실제로 김주영 선생님은 그렇게 예서의 성적을 조작했죠.

가스라이팅, 혹시 당해보셨나요? 이건 글쓰기가 아니더라도 직장
상사라든지, 가까운 친구라든지, 놀랍게도 부모님에게도 당할 수
있는 겁니다.

전업 작가가 되겠다고 나서면 부모님이 가스라이팅을 할 수도 있
습니다. "너는 작가가 못 돼! 니가 정말 대단한 작가가 될 수 있을
까?" 작가라는 직업으로 생계를 꾸려나가지 못할까 봐 걱정하는 노
파심에서 나오는 말들이죠. 그런데 정말 큰 문제는 이런 말을 내면
화하는 것입니다.

세상에는 정말로 가스라이팅이 잘못이 아니라고 생각하는 사람이 있습니다. 상대방은 "진심 어린 조언과 충고인데, 너는 왜 그렇게 받아들이니?"라고 말할 수도 있어요.

하지만 모든 조언이나 걱정의 말들은 그저 의견일 뿐입니다. 어떤 질문을 갖고 지나가는 사람들 100명을 붙잡고서 물어본다면, 모두에게서 같은 대답이 나올까요? 세상에 만장일치는 없습니다. 전문가는 자신의 의견이 절대적인 것처럼 말하지만, 신이 아니고서야 결코 절대적인 건 없습니다.

스스로를 의심하는 것만큼 내면을 흔들리게 하는 것은 없습니다. 그럴수록 '나만의 해답'을 중요하게 여겨야 합니다. 잊지 마세요. 당신만이 당신의 답을 정할 수 있어요.

즐기면서 쓰는 사람을 넘어설 순 없다

• • •

누가 당신에게 웹소설을 쓰라고 강요했나요? 아무도 강요한 사람이 없습니다. 창의성은 누가 강요해서 나오는 것이 아닙니다. 또한 '창의성으로 인한 즐거움'은 누군가의 강요로 느낄 수 있는 게 아닙니다. 스스로 온전히 내 것을 만들어 나가는 과정에서 즐거움을 느낄 수 있습니다.

이미 글을 쓰기로 결심했다면 즐기면서 쓰는 것도 내 몫이고, 괴로워하면서 쓰는 것도 내 몫입니다. 결국 소설을 쓴다는 건 신과 같이 나만의 세상을 창조해나가는 일이니 이왕이면 즐기면서 써보세요.

나만의 성공을 정의하세요

• • •

나만의 성공을 정의하세요. 내게 성공은 무엇인가요?

저는 매번 올해 목표로 했던 하나의 작품을 완결해내는 것입니다. 아주 적은 수의 독자라도 좋으니 그들과 내밀한 소통을 이루어내는 것입니다. 댓글이 달리지 않아도 좋습니다. 가끔은 달리지 않는 것이 더 좋아요. 많은 이가 알아주지 않아도 괜찮습니다. 소수의 몇몇 사람이라도 제대로 나의 작품을 알아주면 그걸로 되었습니다.

흥행을 해야만 다음 기회가 주어지는 시장인 건 분명하지만 그다음 기회는 내가 스스로 만들어나갈 것입니다. 한두 번 흥행에 실패한다고 해서 작가 인생이 끝나는 것은 아닙니다.

중요한 건, 내가 아직도 그 작품을 미친 듯이 사랑한다는 것. 작품을 사랑한다는 건 자기애로 시작된 것이 아니라, 내가 그 작품을 완성하기까지 노력해왔던 꾸준한 시간을 사랑한다는 것입니다.

글 쓰는 자신을 사랑하세요

· · ·

그래서 마지막으로 드리고 싶은 말은 바로 이것입니다.

웹소설 작가로 시장에서 살아남는 방법은 의외로 외부에 있지 않습니다. 그냥 글 쓰는 나 자신을 사랑하는 거예요. 내 자신에 대한 사랑은 변치 않기에 계속 글을 쓰는 것입니다. 글을 쓰지 않는 나를 견딜 수가 없기에, 글을 쓸 뿐입니다.

오래전부터 저와 직접적이든 간접적이든 알고 지냈던 작가님들이 이제는 거의 대부분 데뷔를 했습니다. 그 과정에서 그분들이 겪은 기쁨과 슬픔, 좌절을 상세하게 알지는 못하지만 결과적으로 그렇게 대단한 작가님이 되셨습니다. 오래 버틴 자들이 결국 데뷔하고, 시장에서 살아남은 거죠. 그분들을 보면서 느꼈습니다. '결국엔 당연히 그렇게 되리라.'고 믿으면서 묵묵히 글을 써나가면 되겠구나.

어떤 작품을 론칭할 때, 이런 생각이 들 수 있습니다. '이번 작품 망하면 나는 끝이야.' 하지만 누구도 다음 작품 내지 말라고 금지한 사람은 없습니다. 이번 작품 망하면 끝이라고 믿는 내가 다음 작품을 쓰지 못할 뿐이죠. 작품이 망해도 삶은 이어지고, 작가의 삶 역시 계속됩니다. 이것만은 꼭 기억하세요. 웹소설 작가로 살아남기 위해서는 그냥 글쓰는 나 자신을 사랑하면 됩니다.

절대 막히지 않는 웹소설 작법

1판 1쇄 발행 2023년 6월 15일
1판 4쇄 발행 2024년 10월 10일

지은이 천지혜

펴낸이 최두은
펴낸 곳 콘텐츠랩 오늘
주소 서울시 동대문구 장한로 121, 805호
도서문의 070-7801-0031 **팩스** 070-7801-0032
출판등록 제2022-000018호

ISBN 979-11-979248-1-1 03800

- 책값은 뒤표지에 있습니다
- 파손된 책은 구입하신 서점에서 교환해드립니다
- 콘텐츠랩 오늘은 독자 여러분의 출판 관련 아이디어와 투고를 기다립니다.
  원고의 간단한 개요와 기획의도 등을 lab_on@naver.com으로 보내주세요.